# Les lettres
# de Rose

**Guy Saint-Jean Éditeur**
4490, rue Garand, Laval (Québec), Canada, H7N 5Z6
450 663-1777 • info@saint-jeanediteur.com • www.saint-jeanediteur.com

.....................................

**Données de catalogage avant publication disponibles à Bibliothèque et Archives nationales du Québec et à Bibliothèque et Archives Canada.**

.....................................

*Nous reconnaissons l'aide financière du gouvernement du Canada par l'entremise du Fonds du livre du Canada (FLC) ainsi que celle de la SODEC pour nos activités d'édition.*

Gouvernement du Québec – Programme de crédit d'impôt pour l'édition de livres – Gestion SODEC

Titre original : *Les lettres de Rose*
© Charleston, une marque des Éditions Leduc.s, 2017.
© Guy Saint-Jean Éditeur inc., 2018, pour l'édition en langue française publiée en Amérique du Nord.

Correction et adaptation : Audrey Faille
Conception graphique de la couverture et mise en page : Olivier Lasser
Photo de la page couverture : Fotolia / Anneke

Dépôt légal – Bibliothèque et Archives nationales du Québec, Bibliothèque et Archives Canada, février 2018
ISBN : 978-2-89758-436-8
ISBN EPUB : 978-2-89758-437-5
ISBN PDF : 978-2-89758-438-2

Imprimé au Canada
1ʳᵉ impression, février 2018

 Guy Saint-Jean Éditeur est membre de l'Association nationale des éditeurs de livres (ANEL).

Clarisse Sabard

# Les lettres de Rose

roman

Guy Saint-Jean
ÉDITEUR

*À mon fils.*

« *C'est le hasard qui détermine
les grandes histoires d'amour.* »
CLOVIS CORNILLAC, DANS *L'AMOUR, C'EST MIEUX À DEUX.*

« *Il n'est point de secrets que le temps ne révèle.* »
JEAN RACINE, *BRITANNICUS.*

# PROLOGUE

Trois femmes se disputent à voix basse, dans la pénombre d'une pièce que l'on a pris soin de protéger de la chaleur estivale. Leurs habits, de lourdes robes noires assorties à leurs voilettes, m'évoquent ceux de ces veuves siciliennes qui portent le deuil de leur défunt mari durant tout le reste de leur vie.

Elles murmurent, avec discrétion mais fermeté, au-dessus d'un ancien berceau en bois ciselé. S'il y a un bébé dedans, il est particulièrement calme et silencieux, puisque seule la répétition d'un *tic-tac* semblant provenir d'une horloge invisible se fait entendre, conférant à l'ambiance un côté lugubre et oppressant.

Je ne parviens pas à saisir les propos tenus par ces trois femmes ; c'est tout juste si je peux voir leurs visages. Je laisse alors mes yeux errer à travers la grande pièce aux volets clos, m'accoutumant lentement à la semi-obscurité. L'endroit sent le renfermé, comme dans ces vieilles maisons dont les meubles ont longtemps été cirés par le passé, puis abandonnés aux affres du temps. Je décèle dans l'air des résidus d'encaustique mêlés à une chaude humidité. Avec ces trois femmes vêtues comme au siècle passé, la scène possède un indéniable charme suranné, malgré un côté franchement angoissant.

Hormis le berceau au-dessus duquel se tiennent les trois «veuves», la pièce me paraît complètement vide. Un rayon de soleil tente de s'infiltrer entre les volets, répandant ainsi une mince tache de lumière blanche sur le sol carrelé de motifs géométriques. Des particules de poussière voltigent follement dans le rai de soleil. Lasse d'être spectatrice d'une scène dont je ne parviens pas à saisir le moindre mot, je me dirige vers une porte légèrement entrebâillée, située au fond de la pièce.

Le parquet émet une plainte sous mes pas, mais aucune des femmes ne fait mine de se retourner. Avant de passer la porte, je les observe une nouvelle fois, tentant en vain de me rappeler qui elles sont. Sous le voile du deuil, il est difficile de leur donner un âge concret et une apparence précise.

Je continue ma progression, faisant grincer les gonds de la porte au passage. Je me trouve maintenant face à un escalier tout aussi sombre que le reste de la maison, éclairé par le soleil qui a pu s'infiltrer complètement par une fenêtre à laquelle est suspendu un fin rideau.

J'agrippe fermement la rampe et commence l'ascension. Chaque marche franchie émet un son de détresse et je me demande si je ne vais pas passer à travers le plancher d'une seconde à l'autre. Pourtant, irrémédiablement attirée, je ne peux m'empêcher de gravir cet escalier menaçant.

J'aboutis saine et sauve sur un palier qui dessert plusieurs portes. J'actionne la poignée ronde en porcelaine qui ouvre l'une d'entre elles. À ma grande surprise, je découvre une petite chambre proprette, baignée de lumière. La pièce, quoique simplement meublée, paraît des plus agréables. Un lit en merisier blanc, recouvert d'un édredon à motif fleuri, occupe une partie de la chambre. Je me dirige vers l'unique fenêtre et jette un coup d'œil sur la rue, en contrebas. Un marché semble s'y tenir, mais je n'y prête qu'une attention distraite et reporte mon intérêt sur la décoration de la pièce. De l'autre côté du lit se tient un chevet peint en blanc et parfaitement assorti au lit. Un vase contenant un petit bouquet de roses est posé sur la table de nuit, avec ce qui ressemble à un épais carnet. Le mot «Journal», formé par des lettres élégantes, en orne la couverture.

Poussée par la curiosité, je tends la main afin de m'emparer du carnet lorsqu'un cri déchirant retentit, provenant du rez-de-chaussée: «Nooooon!» Sans plus réfléchir, je me précipite hors de la chambre, à l'instant même où une voix s'élève de l'étage inférieur:

— Lola! Sors vite! Tu ne peux pas rester ici! Lola, par pitié!

Je me rue dans l'escalier et le descends comme si j'avais le diable aux trousses. Je rejoins la grande pièce vide dans laquelle se tenaient quelques instants plus tôt les trois femmes autour du berceau. Mais il n'y a plus personne, à part moi et cette voix suppliante qui m'exhorte à sortir de la maison au plus vite. Je perçois alors une sorte d'effritement et je ne tarde pas à comprendre que la maison commence littéralement à tomber en lambeaux. Je dois fuir avant que tout ne s'écroule; déjà, je sens une pluie de minces gravats frôler mes épaules et mon dos, tandis que je tente tant bien que mal de me protéger le visage. Je constate alors avec horreur que, malgré ma volonté, mon corps refuse d'obéir à mon cerveau. Mes jambes sont comme figées sur le parquet et je prends conscience que la même force qui m'a poussée à monter à l'étage un peu plus tôt veut à présent que je reste dans la maison. Jusqu'au bout.

À l'instant où je suis sur le point de me résigner, l'une des femmes en deuil se matérialise devant moi et me tend la main : «Sors!» m'ordonne-t-elle d'une voix qui ne tolérerait pas que je la contredise.

Rassemblant toute mon énergie, je parviens à faire un pas en avant, vers la femme qui ne porte plus son voile. Un «Oh!» de surprise se dessine sur ma bouche lorsque je me rends compte que nos regards sont semblables. Je lui tends la main à mon tour, mais c'est à ce moment précis que le plafond commence à s'écrouler tout autour de moi.

# 1.

*Lola, 2015.*

J'ouvre d'abord lentement un œil, puis l'autre. Je suis en sueur et un début de migraine vrille sournoisement mes tempes et mon front. Je dois me rendre à l'évidence : pour la première fois depuis des mois, ce cauchemar, autrefois d'une récurrence sans faille, est revenu me hanter, sans raison particulière. À moins que les événements d'hier n'aient servi de déclencheur...

Je me frotte les yeux et m'étire, tout en réalisant que je me trouve étendue sur le canapé de mon meilleur ami, enroulée dans une couverture. Je tente de me rappeler point par point comment j'ai bien pu arriver là, rassemblant mes souvenirs comme les mille pièces d'un casse-tête aux motifs compliqués. Tout me revient : la rupture, ma réaction minable ; si tout cela n'avait pu être qu'un mauvais rêve !

Hier, j'ai pourtant démarré ma journée de façon insouciante, ou presque. Comme la majorité des jeunes femmes de vingt-sept ans, je jongle avec plus ou moins de succès entre différentes occupations, dont mon travail de serveuse, mes copines, mon meilleur ami, mes parents qui me couvent souvent un peu trop, mon cours de danse, la couleur de mon vernis à ongles, mes désirs de voyages, mon rêve de trouver le boulot idéal – à savoir dans une librairie qui donne envie de se pelotonner durant des heures dans un fauteuil avec une tasse de café et un bon roman, mes longues promenades dans Paris. Et Peter.

Alors que je pensais bêtement avoir trouvé la bonne personne avec qui partager ma vie, Peter, nouvellement promu au statut d'ex, m'a annoncé par un texto laconique que nous nous étions bien amusés ensemble durant six mois, mais qu'il était temps pour lui de rejoindre son Australie natale. Oh, bien sûr, je ne suis pas totalement sotte, j'avais deviné que mon petit ami ne comptait pas faire sa vie en France ; mais il avait déjà prolongé son séjour de quelques semaines rien que pour moi, ce qui m'avait donné l'espoir un peu fou que nous pourrions construire ensemble une relation sérieuse et durable. Finalement, je suis sûrement naïve ; j'avais secrètement espéré que Peter me propose de le rejoindre en Australie. Je me suis imaginée plus d'une fois découvrant le bush, Sidney ou encore les sites sacrés des aborigènes. J'aurais pu travailler dans la librairie de mes rêves, ou en tant que serveuse, dans un premier temps, même si le premier temps a tendance à s'éterniser avec moi. Je me suis accrochée au mince espoir qu'il commençait à être convaincu que je lui étais devenue aussi indispensable que sa brosse à dents.

Mais tout cela ne se fera pas. Le tour du monde de Peter s'est terminé par la France, où il a passé plusieurs mois à prendre du bon temps avec moi. La journée, pendant que je travaillais dans la sandwicherie de mes parents, celui avec qui je m'imaginais finir mes jours visitait la capitale, flânait dans les quartiers touristiques, ébahi par la richesse culturelle de la ville. Le soir, je l'initiais à la gastronomie française – il raffole des tranches de veau à la sauce madère, le summum du du bon goût, je dois bien le reconnaître –, et pendant mes jours de repos, nous donnions libre cours à notre idylle, ne nous épargnant pas les clichés, comme les promenades en bateau-mouche ou les incontournables *selfies* pris face aux cadenas alors encore accrochés sur le pont des Arts. Le temps de quelques fins de semaine, je lui ai même fait découvrir les châteaux de la Loire, Deauville et la Bretagne.

Je savais pertinemment qu'un jour Peter devrait retrouver sa vraie vie. J'avais naïvement pensé qu'il serait différent de tous les autres, de mes quatre anciennes relations qui se sont toutes soldées par une rupture, car ces pauvres chéris souffraient tous du même symptôme : la peur de s'engager. Peter s'est pourtant montré plus lâche que tous les autres réunis en me larguant par un simple texto, envoyé de l'aéroport. Celle-là, on ne me l'avait encore jamais faite. Cette rupture par écran tactile m'a surtout amenée à réaliser amèrement que mon beau enfant australien me considérait davantage comme une *sex friend* que comme la potentielle femme de sa vie. La nuance doit être subtile, car je n'ai rien vu venir. Sur le coup, je n'ai eu qu'une seule envie : disparaître à jamais au fond de mon lit, avec un énorme pot de glace au beurre de cacahuètes et des mouchoirs en papier. Terriblement cliché, mais si efficace! Mais la vie n'est pas un roman de *chick lit* et la mienne a bien dû suivre son cours.

Après ma journée de travail, j'ai naturellement bondi sur mon téléphone, pour parler au plus vite à mon meilleur ami; il est le seul à savoir trouver les mots justes pour me remonter le moral, quitte à me brusquer avec son franc-parler. À seize heures, je l'ai retrouvé dans le quartier de la Bastille, où il travaille, et nous nous sommes rendus à pied dans le Marais, où Tristan possède son appartement. En temps normal, la marche a ce pouvoir thérapeutique de m'éclaircir les idées, mais, cette fois-ci, je n'ai fait que ruminer ma colère :

— Tu te rends compte, Tristan, me suis-je emportée en accélérant le pas sous le coup de l'émotion, un simple texto! Mais il m'a prise pour quoi, au juste?

— Pour une aventure de passage, je t'ai assez mise en garde, non? a soupiré mon meilleur ami.

Oui, bon, je reconnais que nous avons peut-être eu quelques discussions à ce sujet dès l'instant où Peter est entré dans ma vie. Pourtant, j'ai continué à me plaindre, inlassablement :

— Je ne suis pas assez jolie pour qu'un mâle daigne rester avec moi, c'est ça?

Tristan m'a serrée dans ses bras et rassurée :

— Lola, est-ce que tu t'es bien regardée? Tu as l'un des plus jolis minois qu'il m'ait été donné de voir. Bien sûr, tu n'es pas une actrice hollywoodienne, tu n'es pas un mannequin famélique non plus. Mais de toute façon, je ne pense pas que ce soit ce que recherchent les hommes. Tu es toi, unique, avec deux petits yeux de la couleur de l'ambre qui révèlent ta douceur, une jolie bouche rehaussée en prime d'un léger grain de beauté qui donne envie de te croquer.

Il a fait une pause afin de reprendre son souffle et a enchaîné :

— Et puis tu as un teint qui respire la santé, des rondeurs là où il faut. Tu possèdes ces manières touchantes de froncer les sourcils quand tu réfléchis intensément, de te passer souvent la main dans les cheveux pour te donner une contenance, du genre « je vous assure que je sais ce que je fais » surtout quand ce n'est pas le cas, et tu vois souvent la vie sous un angle différent, plus drôle que le commun des mortels.

J'ai avalé un peu fort une grosse boule de salive avant de répondre simplement :

— Waouh, merci Tristan, ça me touche énormément.

— Et tu peux être sûre que je ne dis pas ça pour te mettre dans mon lit, a-t-il ajouté avec humour.

Plutôt que d'en rester là et de rendre grâce à mon meilleur ami de m'avoir rassurée, j'ai préféré en remettre une couche :

— Mais si je suis aussi bien que tu le prétends, alors pourquoi est-ce qu'ils me prennent tous pour une cruche, à la fin ?

— Lola, cela fait cinquante-trois fois et demie qu'on a cette conversation. Je te le répète donc une nouvelle fois : tu attends trop des hommes. Tu es incapable de te laisser porter par une relation. Tu as peur dès le départ d'être abandonnée.

Je me suis alors mise à consulter mes textos avec frénésie, des fois que Peter se serait aperçu de l'erreur monumentale qu'il avait faite en me larguant comme une malpropre.

— Lola, tu vas m'éteindre ce téléphone immédiatement et passer une soirée relax avec ton meilleur ami. En plus nous arrivons.

Je me suis contentée de hausser les épaules, mais Tristan s'est arrêté de marcher et a tendu la main vers moi.

— Ton téléphone. Donne-le-moi. Maintenant.

Tristan a éteint mon téléphone, l'a gardé sur lui et nous avons passé les heures suivantes à refaire ma vie dans son appartement coloré, un mélange réussi de meubles suédois et de brocante, pour aboutir à la conclusion favorite de Tristan : mon passé est forcément la cause de mes problèmes sentimentaux.

— Les guichetiers de la poste suivent des études de psychologie, maintenant ? ai-je ironisé.

— Chaque nouveau jour passé à accueillir les doléances des gens est un véritable cours de psychologie, figure-toi. Tu dois y réfléchir, ma douce, je suis sérieux, pour une fois. Tu as été adoptée quand tu étais bébé, tu sais seulement que tes géniteurs sont morts. Tes origines te sont complètement inconnues. Bon, je vois bien que tu n'es pas coréenne, par exemple, mais finalement, tu ne sais rien. Tu devrais peut-être creuser.

— Si mes parents t'entendaient, ils te tueraient, Tristan. Et après, ils te diraient que le principal est que j'aie pu bénéficier d'une éducation correcte et d'une enfance plutôt heureuse. Peu importe le passé.

Tristan s'est esclaffé.

— Ouais, tes parents réagiraient peut-être comme ça, sans forcément ma mise à mort immédiate. Mais on ne parle pas d'eux, là. Et je suis certain qu'inconsciemment, ne rien connaître de ton passé fait que tu veux absolument tout contrôler en ce qui concerne ton avenir. Professionnellement, c'est bien, même si tu te reposes un peu sur tes lauriers, je trouve. Mais sentimentalement, il faut accepter de te laisser porter. Tu ne peux pas jeter ton dévolu sur le premier venu en te disant que, dans six mois, vous emménagerez ensemble et parlerez bébé. Éclate-toi, profite.

J'ai constaté amèrement :

— Oui, bah là, c'est sûr qu'à part me laisser porter, je ne vais pas faire grand-chose, remarque.

Tristan a alors enfilé sa panoplie de maman poule :

— Tu devrais essayer de passer une bonne nuit de sommeil, ma chérie, ça ira mieux demain. Tu ne l'aimais pas, ton Peter, tu aimais juste l'idée de pouvoir construire un truc avec lui. Quand tu auras rencontré le mec idéal, ton cœur fera de tels bonds jusque dans ta gorge que tu en oublieras tous les autres.

Je lui ai jeté un regard désemparé.

— Tu devrais me servir un verre, avant de me sortir des trucs pareils.

Nous avons passé le reste de la soirée à parler, boire et manger des croque-monsieur au curry, cuisinés par mon ami. Finalement, je crois que je me suis endormie sur le canapé blanc rehaussé de coussins prodigieusement confortables. Tristan m'a recouverte d'une couverture avant d'aller sans doute lui-même succomber aux bras de Morphée. Et ce matin, j'en suis là, à me remémorer les événements de la veille et les bribes de ce cauchemar. Les trois femmes en tenue de deuil commencent à m'être familières, mais la sensation d'impuissance combinée à l'ambiance qui se dégage de ce mauvais rêve me terrifient franchement.

Quand j'étais petite, mes parents ont supposé que j'avais peut-être assisté à la sortie d'un enterrement, mon école étant située à proximité d'une église. Ils ont pensé que la vue d'une vieille veuve éplorée m'avait laissé une forte impression. Pour ma part, j'ignore totalement d'où me vient ce maudit cauchemar qui intervient généralement entre une et cinq fois par an. Tristan soupçonne évidemment un sentiment d'insécurité, mais comme je le lui ai déjà fait remarquer, les guichetiers de la poste ne sont pas forcément détenteurs d'un diplôme en psychologie.

...

— Debout, ma Lola! Tu vas être en retard au boulot!

La voix de Tristan semble résonner dans ma tête. Mon meilleur ami est désespérant; même après une soirée arrosée, il trouve le moyen d'être frais et pimpant dès le réveil. Je tente de lui jeter un coussin au visage, ratant mon coup puisqu'il se trouve en fait déjà à côté de moi.

— Tu as ta tête des mauvais jours, constate-t-il. T'as tes règles?

Je marmonne difficilement:

— Merci, ça fait plaisir.

— Donc, t'as tes règles.

— Mais non, idiot. J'ai encore fait ce cauchemar. Et pour rappel, j'ai été larguée hier par mon mec. Tu m'as aidée à noyer mon désespoir dans du rosé-pamplemousse.

— OK. Je répète, dans l'ordre : tu as passé la nuit avec trois veuves siciliennes, ton ego ne digère pas que Peter se soit transformé en crapaud plutôt qu'en prince William et tu ne tiens plus quatre malheureux verres d'alcool. Qu'est-ce que je te sers ? Aspirine ? Café ?

— Les deux. Et pour info, je préfère Harry à William.

Tandis que Tristan s'affaire à nous préparer un petit déjeuner de compétition, je passe sous la douche. Après dix minutes sous le jet, je me sens déjà mieux. Il est sept heures, en avalant rapidement mon repas, j'aurai le temps de passer chez moi pour me préparer avant d'attaquer ma journée de travail.

À bientôt vingt-huit ans, j'ai cette chance de travailler dans l'entreprise familiale, une sandwicherie/ salon de thé qui appartient à la famille de mon père depuis les années soixante. C'est là que j'ai vécu, depuis mon adoption à l'âge de trois mois. Mes parents ne m'ont jamais caché que je ne suis pas leur fille naturelle, et j'ai grandi choyée, entourée d'amour, ne ressentant jamais aucun manque. Je suis leur fille unique et ils ont tout fait pour me rendre heureuse, quitte à parfois me surprotéger, moi, l'enfant qu'ils n'ont pas pu concevoir naturellement, mais que la vie leur a finalement offert. Pour mon père, il était logique que je rejoigne l'entreprise familiale après mes études littéraires et commerciales plutôt que de rester au chômage en attendant qu'un providentiel poste de libraire veuille bien se libérer rien que pour moi.

Je vis à deux pas de chez mes parents, dans un grand studio confortable, que j'ai meublé d'objets trouvés au marché aux puces ou sur Internet, attirée par les meubles possédant déjà une histoire. Je me plais à imaginer qu'autrefois, une jeune femme des années folles, s'apprêtant à aller danser dans le quartier de Montparnasse, lissait ses cheveux face au miroir que je détiens désormais dans mon entrée, accroché au-dessus d'une petite commode qui a elle-même certainement orné la chambre d'une petite fille dans les années soixante. Depuis des années, je me passionne pour ces inconnus ayant vécu l'Histoire, évoluant dans leur quotidien sans même se douter qu'un jour une femme peut-être un peu cinglée tenterait d'imaginer ce qu'avait été leur vie. J'aime laisser mon esprit divaguer lorsque je contemple ces objets qui ont traversé le temps. J'ignore ce que je recherche ainsi, mais peut-être qu'un jour je finirai par trouver.

Je vis quand même dans le présent, bien sûr, et mes pensées m'y ramènent tandis que mes yeux se posent sur un cliché de photomaton de Tristan. Mon confident, celui dont je me sens le plus proche, mon meilleur ami depuis que ma grand-mère, pas très regardante sur ses préférences pourtant ouvertement affichées, a essayé de nous caser ensemble. Il était alors employé chez le fleuriste où mamie Constance aimait se procurer chaque semaine un nouveau bouquet de fleurs. Le malentendu nous a beaucoup fait rire et a eu le mérite de nous rapprocher de façon amicale. Nous sommes inséparables depuis huit ans. Tristan a depuis laissé tomber les fleurs, mais gagné la meilleure amie qu'il n'aurait jamais trouvée ailleurs, selon ses propres mots. Notre complicité s'est immédiatement révélée être le ciment de notre amitié. Je me suis sentie attirée et touchée par ce garçon originaire d'un village de Normandie qui, en serrant les dents, a subi les moqueries de ses camarades de classe car il se conduisait de façon trop efféminée à leur goût. Sans avoir été victime de violences physiques, il a connu une forme de harcèlement moral déguisé sous des critiques incessantes et son choix de vie s'est porté sur Paris, cette ville si cosmopolite où il peut tout à fait se promener main dans la main avec un amoureux s'il le désire, sans se faire traiter à chaque coin de rue de *sale tapette*. Ses parents l'ont aidé à s'installer, et en travaillant dur il a pu acheter un ancien petit entrepôt situé dans le Marais, qu'il a transformé en appartement, à la sueur de ses muscles et de son front. Appartement dans lequel je me trouve désormais, dans la salle de bains plus précisément, que je m'apprête à quitter non sans avoir jeté un dernier coup d'œil à mon regard ambré qui, dans le miroir, me paraît bien triste. Je réalise que j'ai tout pour être heureuse et, pourtant, je n'arrive pas à en profiter pleinement. N'est-ce pas un peu la maladie de notre siècle, de ne jamais être satisfaits de notre sort ?

Nous avalons notre petit déjeuner ensemble, bien que je ne sente pas trop mon estomac d'attaque. Tristan tente de me regonfler à bloc, comme bien souvent, tantôt en me secouant, tantôt en me réconfortant. Je préfère faire dévier la conversation afin de savoir où lui en est sentimentalement :

— Sentimenta-*quoi* ? rit-il en plongeant une tartine délicatement beurrée dans sa deuxième tasse d'Earl Grey.

J'insiste :

— Et ce client qui t'a tapé dans l'œil ? Celui qui apporte pas mal de colis ?

— Mon responsable a été clair : pas touche aux clients. Selon lui, une histoire de cul qui se termine mal peut avoir des répercussions sur notre petit bureau de poste.

— Pas faux, mais bon... je grogne en ajoutant un sucre dans mon bol de café.

— T'inquiète, ma chouquette : si à cinquante ans, on en est toujours au même point, toi et moi, je te jure qu'on s'unira devant la loi.

— Tu pourrais au moins me promettre le mariage !

— Certainement pas à une femme !

J'émets un soupir en remuant mon café.

— Quoi, encore ? demande Tristan. Ne me dis pas que je t'ai brisé le cœur.

— Non. Je viens de me rendre compte que, même après une nuit plutôt courte, tu trouves le moyen de t'habiller comme si tu avais passé trois heures à choisir ta tenue pièce par pièce. C'est frustrant. T'es toujours beau, mais en plus c'est inné. Je te déteste.

Je détaille mon ami, toujours impeccablement vêtu. Ce matin, il porte un jean moulant mauve foncé assorti d'un t-shirt en col V, sous un cardigan gris ardoise. Tristan est de taille moyenne pour un homme et d'ossature fine, bien que carré d'épaules, tout en étant musclé. Ses cheveux foncés arborent en permanence une coupe irréprochable, taillée avec style, et ses yeux marron en amande, rieurs et déterminés, s'accordent parfaitement avec son fin visage hâlé et juvénile. Pour résumer, Tristan possède une grâce naturelle et désespérante. Sans être victime de la mode, il adopte toujours un style bien à lui, tout en restant dans l'air du temps. Toutefois, mon meilleur ami n'est absolument pas le stéréotype du gai ultra canon, attention ; il a un nez un peu fort et je l'ai surpris à plusieurs reprises en train de tenter de cacher des petites cicatrices d'acné sous de l'anticernes. OK, ce sont là ses seuls défauts.

Je regarde l'heure.

— Bon, mon chou, faut que je file si je veux être présentable pour aller travailler. Ma mère serait capable de me renvoyer parce que j'ai mauvaise haleine. Et je te déteste pas, en vrai je t'aime.

— Bien sûr que tu m'aimes autant que je t'aime ! Prends soin de toi, surtout, et pense à ce que je t'ai dit.

— Au sujet de notre future union ?

— T'es bête ! Oh, n'oublie pas ton téléphone.

...

J'ai effectué le trajet en métro coincée entre une ado pianotant compulsivement sur l'écran de son téléphone et une jeune femme parvenant à lire Tolkien debout, juchée sur des talons aiguilles et une main cramponnée à la barre. J'ai bien failli lui crier mon admiration, mais elle paraissait tellement absorbée dans son imaginaire que j'ai préféré m'abstenir. Une fois rentrée chez moi, j'ai enfin pu me redonner une apparence humaine. J'ai enfilé un chandail rose pastel par-dessus un jean gris clair. Ces deux couleurs associées flattent parfaitement mon teint et mes cheveux châtains aux reflets miel, m'ont assuré mes copines lors d'une séance effrénée de magasinage. Un maquillage discret complète ma tenue. Des fois que le prince Harry viendrait en personne me commander un sandwich au saucisson. Ce matin, je démarre ma journée à dix heures, ce qui me laisse environ dix bonnes minutes avant de descendre à la sandwicherie. Je trépigne. Le fait est là, je ne peux résister davantage à l'envie de consulter mon téléphone, pour voir si Peter se mord déjà les doigts de m'avoir larguée.

C'est presque le désert du côté des textos ; mon amie Iris me convie à une soirée karaoké samedi et il s'avère que je n'ai absolument aucune envie d'aller chanter comme une casserole, devant des inconnus, des succès d'anciennes chanteuses dévergondées, qui atteignent le summum du mauvais goût. Deuxième texto : ma mère me rappelle de venir dîner ce soir, comme si je pouvais oublier le repas familial hebdomadaire du jeudi soir. Je constate alors qu'un message m'attend sur mon répondeur. Cette fois-ci, c'est peut-être Peter ! Je suis intriguée mais… Non, je ne veux pas écouter le message maintenant, finalement. L'infime espoir d'entendre sa voix traînante après ma journée de travail va m'aider à garder le sourire face aux clients, même ceux qui demandent leur sandwich « poulet-tomates-fromage sans fromage et sans sauce ».

Je fourre mon téléphone éteint dans mon sac à main et me mets en route pour la sandwicherie. Ma mère se trouve déjà en plein coup de feu lorsque j'arrive et elle me lance mon tablier de travail.

— Dépêche-toi, ma chérie, on est en retard, aujourd'hui. Le four principal était en panne, il vient juste d'être réparé.

J'ai à peine le temps de complimenter maman, qui a réussi à trouver un moment pour aller se faire couper les cheveux. La matinée passe à une vitesse folle, entre la préparation des sandwichs qui rejoignent la vitrine réfrigérée, la mise en place des desserts et le dressage des tables, tant et si bien que je parviens à en oublier mes déboires amoureux. Le service de midi se déroule tout aussi rapidement et je peux m'octroyer une pause dîner à quatorze heures, tandis que le flux de clients se réduit considérablement. Ma mère vient me rejoindre à table, pendant que mon père nettoie la cuisine. Il grignotera un morceau après nous, comme chaque jour.

— Alors, ma puce, demande la grande femme rousse qui m'a adoptée presque vingt-huit ans plus tôt, quelles sont les nouvelles ? Ton téléphone était éteint hier soir, je me suis inquiétée, tu sais. Tu as beau être une femme indépendante, tu restes ma petite fille.

Je souris de manière coupable, la tête basse, tout en jouant avec les miettes de pain qui sont tombées sur la table.

— Je suis désolée, maman. J'ai passé la nuit chez Tristan.

Ma mère se penche doucement vers moi, fronçant ses fins sourcils et pose une main sur la mienne.

— Lola, quand tu passes la nuit chez Tristan, c'est soit parce que vous avez fait la fête, soit parce que tu as un chagrin d'amour. Tu ne me feras pas croire que vous êtes sortis en semaine. Alors que t'a fait Peter?

Je me laisse aller contre le dossier de ma chaise et soupire en croisant les bras sur ma poitrine.

— Pourquoi je ne peux jamais rien te cacher?

— Parce que je suis ta maman. Et je le vois bien quand quelque chose te tracasse.

— Très bien. Je voulais attendre ce soir pour vous en parler à papa et à toi, mais après tout… Peter est reparti en Australie.

— C'était prévu, non? me demande-t-elle en croquant dans son sandwich au poulet.

— Certes. Mais il m'a signifié avant de s'envoler que c'était terminé entre nous.

— Ah, je vois. Si tu veux en parler…

— Il n'y a pas grand-chose à en dire, maman, si ce n'est qu'une fois de plus, je me suis conduite comme une idiote, à croire que je retiendrais Peter par ma simple volonté ou bien qu'il me proposerait de le suivre là-bas. J'ai mal, mais je m'en remettrai.

Ma mère tente de me glisser quelques mots de réconfort, mais déjà le travail doit reprendre, les clients de l'après-midi commençant à affluer.

— Marianne, on y retourne! appelle mon père, qui a peur de se laisser déborder.

Cela m'a toujours amusée de constater à quel point la clientèle diffère selon l'heure. Le midi, ce sont en général des employés pressés qui passent le seuil de la sandwicherie, certains ne prenant que cinq minutes pour se poser et grignoter, les autres emportant directement leur sandwich au bureau. Le stress et les contraintes horaires se lisent littéralement sur leurs visages aux traits tirés. Les consommateurs de l'après-midi, eux, sont beaucoup plus détendus, il s'agit bien souvent d'amies venant se relaxer quelques instants après avoir fait les magasins, de parents et d'enfants qui s'octroient une pause goûter. De temps en temps, la responsable d'une bijouterie fantaisie située en face vient ici pour faire passer ses entretiens d'embauche. Chaque mardi après-midi, nous avons même un groupe de six personnes âgées, une sorte de petit club du troisième âge, qui viennent refaire le monde pendant deux heures, après une séance de cinéma. C'est dans le salon de thé que j'ai pris conscience que le genre humain est vaste et recèle des millions de personnalités différentes, qui se croisent la plupart du temps sans se voir. Il y existe autant d'histoires personnelles que de clients et, plus jeune, je me plaisais à imaginer la vie que pouvait mener chaque individu qui venait s'asseoir à ma table de prédilection, une petite table bistrot ronde conçue pour deux personnes, en bois vernis, située au fond de la salle, près d'une fenêtre.

Oui, j'aime cet endroit qu'a créé mon grand-père dans les années soixante, avec son sol dallé noir et blanc, son vaste présentoir et les touches de décoration représentant des scènes de vie quotidienne du Paris d'après-guerre. La sandwicherie est plutôt petite, l'ambiance feutrée, mais toujours chaleureuse. Il y flotte en permanence une odeur de café et de pâtisseries sortant du four.

L'après-midi ne déroge pas au reste de la journée, et à dix-neuf heures je file chez moi pour me rafraîchir, avant d'aller dîner chez mes parents. Les jeudis soirs passés dans le nid douillet qui m'a vu grandir constituent pour moi des moments apaisants, une soupape de décompression et de régression totale. J'ai besoin d'être réconfortée par les habitudes immuables de mon père et la voix chantante de ma mère. Marianne et Thierry forment un couple traditionnel et tellement rassurant!

Sortant de la douche, je ne tiens plus et allume mon téléphone; Tristan a envoyé cinq textos pour savoir si tout allait bien. Je lui réponds tout de suite, afin de le tranquilliser. Moralement, je commence à me sentir déjà un peu mieux. Mon ami avait finalement raison, comme bien souvent; ce que j'éprouve pour Peter n'est pas l'amour fou qui fait que l'on est prêt à vivre cinquante ans avec la même personne, comme mes parents. Ce qui m'a plu en réalité chez lui, c'était surtout la possibilité de me caser et de faire taire mon horloge biologique qui s'affole au fur et à mesure que les années passent.

Je me sens prête à affronter la voix de Peter, qui attend sur mon répondeur depuis hier, à rester intransigeante s'il émet le moindre regret. Je ne vais certainement pas me traîner à genoux devant un tel salaud, et puis quoi encore?

Je prends une grande inspiration et compose le numéro de ma messagerie vocale. Ce n'est pas Peter. J'écoute le message deux autres fois afin d'être certaine qu'il ne s'agit pas d'une mauvaise blague.

## 2.

Une veine palpite encore nerveusement contre ma tempe lorsque je pénètre dans le hall de l'immeuble de mes parents.

Dans mon esprit, l'incrédulité se mélange à la colère et je reste un instant les bras ballants, à me demander ce que je dois réellement faire.

Je m'observe, blême, dans le grand miroir qui fait face aux boîtes aux lettres et décide d'écouter le message une quatrième fois afin de m'assurer que je ne l'ai pas rêvé.

— Putain, c'est bien réel, je marmonne, en me passant la main dans les cheveux.

Je m'engouffre dans l'ascenseur et m'arrête au quatrième étage. Je sonne vivement à la porte. Mon père ouvre, le chat Mister Tiger tentant comme à son habitude de se faufiler entre ses jambes. Papa n'a pas le temps de prononcer une parole, j'assène sans préambule :

— Il faut qu'on parle.

Mon père s'efface et j'entre dans le salon familial. Je regarde tout autour de moi, un instant décontenancée. C'est ici que je me suis toujours sentie chez moi, dans le confort de ces murs au papier peint jaune pâle inchangé depuis des années, dans ces pièces chaleureuses remplies de lourds et rassurants meubles de famille.

Qui suis-je vraiment? Depuis des mois, Tristan n'a de cesse de me tanner au sujet ce passé inconnu, convaincu que c'est ce qui m'empêche de vivre pleinement, et voici que ce passé surgit de lui-même. Et si toute ma vie n'avait été construite que sur des faux-semblants?

— Que se passe-t-il, enfin? interroge ma mère avec inquiétude, portant son pouce à sa bouche, pour commencer à en ronger l'ongle.

En guise de réponse, je mets mon portable sur haut-parleur et leur fais écouter le message, constatant que je me suis déjà habituée à la voix masculine qui m'annonce la nouvelle.

«Bonjour mademoiselle Havremont, je suis maître Frédérick Chalus, notaire mandaté par M^{me} Rose Garnier afin de régler sa succession. Je sais que le nom de Rose Garnier vous est probablement inconnu et cela m'ennuie de vous en parler sur simple répondeur... Aussi, je vous prie de bien vouloir me contacter au plus vite afin de régler cette affaire qui vous concerne.»

Maman se laisse tomber sur le canapé en cuir crème, Mister Tiger en profitant pour sauter sur ses genoux, tandis que mon père se passe une main sur le visage, comme s'il voulait émerger d'un mauvais rêve. Cinq bonnes secondes s'écoulent ainsi, dans le silence le plus total. J'essaie de conserver mon calme, malgré les questions qui affluent dans mon cerveau et ne demandent qu'à franchir mes lèvres. Je mets finalement fin à ce silence pesant, faisant sursauter tout le monde, y compris le chat :

— Est-ce que quelqu'un peut m'expliquer ce que ce message signifie ?

Ma mère se lève subitement, comme si elle avait reçu une décharge électrique, et répond :

— Laisse-moi servir le rôti de veau et nous en parlerons en dînant.

— Tu veux boire quelque chose, peut-être ? intervient mon père.

Mes parents ont ce don de nier les problèmes qui se dessinent à l'horizon.

— Non, papa, je ne veux pas boire, je te remercie. Maman, on parle d'abord. Ton rôti attendra.

— Bien… Tu ne veux pas t'asseoir, au moins ?

Ma mère se tord les mains dans tous les sens. Je n'ai pas souvent eu l'occasion de la voir à ce point nerveuse, et je dois reconnaître que c'est une expérience bizarre. Maman a toujours été un pilier pour les amis comme pour la famille, celle sur qui on n'hésite pas à s'appuyer en cas de drame plus ou moins important, celle encore qui prodigue toujours les meilleurs conseils empreints de bienveillance. Le genre à chanter à tue-tête par-dessus la radio dans le salon de thé, n'en déplaise aux clients. Maman est généralement dotée d'une joie de vivre communicative. Voir cette grande et solide femme ainsi chamboulée me fait un pincement au cœur. Finalement, j'accepte de m'asseoir pour calmer le jeu et je concède :

— Va chercher ton rôti, maman. Je ne suis pas à cinq minutes près.

Je bois d'un seul trait le jus d'abricot que m'a donné mon père, délaissant la coupelle de cacahuètes placée sur la table basse. Ma mère est de retour dans la pièce quelques instants plus tard. Pendant qu'elle sert la viande, elle commence, l'air détaché, comme si elle s'apprêtait à me raconter un ragot entendu chez le coiffeur :

— Tu sais, Lola, nous ne t'avons jamais menti.

Je réponds en haussant les épaules :

— Vous m'avez dit que mes géniteurs étaient morts. Je ne sais rien d'autre.

Mes parents échangent un regard, tentant de trouver un appui l'un sur l'autre.

— Rose Garnier était ta grand-mère biologique, reprend maman en s'asseyant. Tes géniteurs sont effectivement morts. Ta… ta mère est décédée pendant son accouchement. Elle a eu une sorte d'accident cérébro-vasculaire et n'y a pas survécu. Pour ton père, c'est plus flou, on n'a jamais rien su de son identité.

— C'est donc cette Rose Garnier qui m'a fait adopter ?

— Oui, ma chérie. Elle refusait de s'occuper de toi. Peut-être que tu lui aurais trop rappelé sa fille, je ne sais pas. Nous n'avons plus jamais eu de nouvelles de sa part, depuis ton adoption. Visiblement, elle est décédée il y a peu de temps.

— Et ce coup de téléphone du notaire est une sacrée surprise, poursuit papa. À aucun moment nous n'aurions pu penser qu'elle te coucherait sur son testament. Elle était si fermement résolue à t'éloigner de sa vie !

En piquant de ma fourchette un morceau de viande, je suggère :

— Peut-être qu'elle avait tout simplement des dettes et qu'ils vont me demander de payer.

Mes parents me fixent tous les deux, semblant hésiter. Papa manie ses couverts de ses larges mains, laissant maman répondre :

— À l'époque de ton adoption, Rose Garnier ne manquait pas d'argent. Elle s'est assurée, en faisant un geste très généreux auprès de l'orphelinat, que tu serais adoptée par une famille aimante et travailleuse. Nous n'étions pas censés savoir cela, bien sûr, mais la directrice était plutôt bavarde, tu comprends.

Elle avale une gorgée de vin rouge et ajoute :

— La directrice nous a bien fait comprendre que nous devions nous sentir immensément reconnaissants du fait que Rose elle-même nous ait choisis pour t'accueillir.

Je m'entête :

— Alors si ma famille ne manquait pas d'argent, pourquoi est-ce que j'ai été abandonnée ? Ce n'est pas interdit ? Tout comme le fait de choisir qui va adopter un enfant ? Ça n'a absolument aucun sens !

— Comme nous te l'avons dit, insiste maman d'un ton étonnement calme, Rose Garnier possédait beaucoup d'argent. Elle avait le bras long et de très bons avocats, il me semble. On s'arrange facilement avec la loi, dans ces cas-là.

Papa ajoute, les yeux brillants :

— Tu sais, nous étions tellement heureux le jour où nous avons appris qu'une petite fille nous attendait !

Nous n'avons pas cherché à savoir d'où tu venais, ni pourquoi tu avais été abandonnée. Seul l'amour que nous allions t'apporter comptait à nos yeux.

Je termine mon assiette tout en admettant qu'il ne me reste plus qu'à téléphoner à ce fichu maître Chalus dès le lendemain matin, à la première heure. D'une certaine façon, je brûle de savoir ce que me veut ce notaire, près de vingt-huit ans après mon adoption ; pourtant je n'ai pas réellement envie de voir toute ma vie chamboulée parce que mes origines s'apprêtent à refaire surface.

Je préfère rester dormir chez mes parents plutôt que d'affronter la solitude de mon studio. Dans ma chambre d'adolescente, je contemple une partie de ma vie ; le lit en fer forgé, au couvre-lit à motifs floraux ; le fauteuil à bascule où je me suis souvent réfugiée après de mauvaises notes ou des chagrins d'amour, sur lequel trône désormais Tiny, ma poupée à coupe afro que j'ai chérie dès mes deux ans ; les murs, recouverts d'un côté de deux bibliothèques pleines à craquer de livres et de CD, de l'autre par des posters de mes chanteurs fétiches de l'époque. Dans ce cocon qui m'a vue grandir, je pense à ma mère qui m'a accompagnée de ma plus tendre enfance jusqu'à ce que je devienne une femme, faisant fi d'un passé, d'une famille dans laquelle je n'avais pas été désirable. Seulement, est-ce que les souvenirs que je me suis créés avec mes parents adoptifs ont une quelconque valeur ? Je me revois, petite, lors des départs en vacances, mon père préférant rouler de nuit. Mes parents parlaient à voix basse à l'avant de la voiture, tandis que je m'endormais généralement sur la banquette arrière, en observant la voûte étoilée formée par le ciel. Ces instants uniques précédaient des jours heureux passés en maison mobile, dans un camping plutôt confortable, où j'abusais de l'océan dès le matin. Le soir, nous allions déguster une glace en nous promenant sur le front de mer, tout en écumant les marchés nocturnes. Comme tout cela me paraît loin, à présent! Aussi loin que les soirées rituelles du samedi, où maman organisait un plateau-télé pour toute la famille, grands-parents compris, devant un bon film. Est-ce que je me suis finalement construite sur du vent? Je m'assois sur le bord de mon lit, les yeux remplis de larmes de frustration. Je me décide à envoyer un texto à Tristan:

Je dois absolument te voir demain.
Viens dîner chez moi.

C'est un ordre?

Une urgence.

Peter?

Mon passé.

Je serai là, ma chouquette.

...

J'ai réussi à dormir d'un sommeil sans cauchemars et d'un seul trait. Je trouve ma mère dans la cuisine à sept heures.

— Bien dormi? demande maman lorsque je la rejoins.

— Pas trop mal. Je suis désolée, pour hier soir… Cette histoire m'a perturbée.

— Oh, ma petite chérie, comme je te comprends! dit-elle en m'enlaçant.

— Tu… Papa et toi ne seriez pas fâchés si je devais découvrir qui je suis réellement?

Maman desserre son étreinte pour me regarder droit dans les yeux.

— Tu es notre fille et nous t'aimons. Est-ce que cela te suffit comme réponse?

Je lui explique que j'ai peur d'être ingrate envers eux en me tournant vers ce passé inconnu.

— C'est nous qui serions ingrats envers la vie si nous ne te laissions pas découvrir ces informations. Ce serait vraiment très égoïste de notre part. Or, si nous avions voulu l'être, nous ne t'aurions jamais révélé ton adoption.

Elle me présente un gros bol de café et déclare:

— Je sais que tu commences à neuf heures, aujourd-d'hui, mais je t'accorde vingt minutes de retard. Téléphone à ce notaire.

Je décide de suivre le conseil avisé de ma mère et, après m'être préparée, m'installe dans un café situé non loin de la sandwicherie. J'observe un instant le va-et-vient des gens qui s'agitent autour de moi, tout en me demandant si eux aussi connaissent de grands chamboulements ou s'ils se contentent d'une petite vie parfaitement réglée. Qui est cet homme à la barbe de trois jours et aux tempes grisonnantes, assis en face de moi, qui lit son journal en sirotant bruyamment son café? Est-ce qu'il a déjà connu de grandes remises en question ? S'apprête-t-il à aller travailler ? Attend-il quelqu'un ? Et cette femme qui a une tête de vendeuse en boutique ésotérique, est-elle aussi calme que son apparence le laisse à penser ? Cache-t-elle de lourds secrets ou la vie est-elle simple pour elle ?

Avalant une gorgée de mon café serré, je compose le numéro du notaire, qui décroche à la deuxième tonalité. Après les présentations, il me dit d'une voix posée :

— Je suis ravi de vous entendre, j'ai vraiment cru que vous n'alliez jamais me rappeler. Avant de commencer, savez-vous qui vous êtes par rapport à M$^{me}$ Garnier ?

— J'ai appris hier soir qu'elle était ma grand-mère biologique.

— En effet. Bien, je suis au regret de vous annoncer que votre grand-mère nous a quittés il y a de cela quelques semaines.

Bien que je ne l'aie jamais connue, je sens ma gorge se nouer. La seule personne qui connaissait potentiellement tout de mes origines n'est désormais plus là pour m'en parler. Mon dieu, ce que je peux être égoïste, quand je m'y mets !

— Mademoiselle Havremont, tout va bien ?

— Oui, je vous écoute.

— Je suis désolé de devoir vous apprendre cela ainsi. J'ai besoin que vous vous déplaciez jusqu'à notre village ; votre grand-mère a laissé un testament et votre présence serait des plus importantes.

— Puis-je savoir pourquoi ?

— Vous héritez d'une partie de ses biens. Et pour être franc, elle a insisté pour que je vous lise une lettre face à face.

Après un court silence, je reprends, totalement incrédule :

— Si je comprends bien, vous êtes en train de me dire que ma grand-mère, qui m'a confiée dès ma naissance à un orphelinat, a émis le souhait que je débarque à sa mort afin que vous me lisiez une lettre ?

— En gros, c'est cela. Mais il est aussi question de l'héritage, qui est assez conséquent, voyez-vous.

Alors là, j'hallucine carrément. Je vocifère presque avant de baisser le ton en sentant quelques regards se poser sur moi :

— Conséquent ? Mais je n'en veux pas ! Je ne la connaissais même pas !

— Si vous souhaitez renoncer à vos droits de succession, c'est évidemment légal. Toutefois, vous devriez quand même vous déplacer, ce serait beaucoup plus simple, je vous assure.

Je soupire. Il m'a eue à l'usure. Je lui demande où est situé son village et manque de m'étouffer avec mon café lorsque le notaire m'informe que je vais devoir me rendre dans une région éloignée de plus de trois cents kilomètres de Paris.

— Si loin ?

— Oui, je suis désolé. Si vous pouviez venir le plus rapidement possible, cela nous arrangerait vraiment.

...

40

J'ai pas mal de nouvelles à digérer, là. Pourvu que je n'attrape pas un ulcère! Les événements s'enchaînent les uns à la suite des autres, me laissant à peine le temps de souffler. Est-ce qu'à un moment on va me demander mon avis, ou d'autres choses vont-elles me tomber dessus, comme ça, suivant les caprices du destin? C'est terrible, ce sentiment de se sentir impuissante face aux aléas de la vie, quand rien ne semble vouloir filer droit. Je remarque à peine ma mère lorsque je me dirige vers la cuisine de la sandwicherie pour enfiler mon tablier et sursaute en l'entendant me demander comment s'est passé mon entretien téléphonique.

M'adossant contre un des plans de travail, je lui en résume le contenu, sans omettre aucun détail: l'héritage, la lettre, la région éloignée et moi qui me retrouve seule pour faire face à tout cela.

— Tu n'es pas seule, ma chérie, m'assure maman, en me pressant tendrement la main. Je comprends que tous ces événements sont précipités, mais tu vas y arriver.

Ma mère s'interrompt, pensive, avant de reprendre:

— Bon, écoute, il te reste pas mal de congés à prendre puisque tu n'as pas pris de vacances depuis des lustres. Pourquoi n'en profiterais-tu pas dès à présent?

— Tu veux dire, là, tout de suite, maintenant? Tu as quelqu'un pour me remplacer au pied levé? Tu ne vas quand même pas tout gérer seule?

— À vrai dire, je pensais que si ton amie Garance cherche toujours un emploi, elle pourrait venir le temps de ton absence; elle a déjà fait ses preuves.

— Je lui téléphone immédiatement.

Très vite, il est convenu que je pourrai terminer mon service à quatorze heures. Mon amie commencera dès demain. Garance, que je connais depuis l'école primaire, est une mère célibataire qui ne manque pas de courage depuis que son mec s'est volatilisé, sans laisser ni adresse ni numéro de téléphone. Néanmoins, elle a du mal à trouver un travail stable puisqu'elle est seule pour élever sa fille. Les choses se sont améliorées depuis que Jade va à l'école, mais les employeurs ont toujours tendance à redouter ses absences potentielles si sa fille venait à tomber malade. La discrimination au travail n'est malheureusement pas qu'une légende. Aussi mon amie jongle-t-elle entre les missions d'intérim et ses droits au chômage. Le fait de me remplacer durant un minimum de deux semaines l'aidera à mettre du beurre dans les épinards et cette perspective parvient à m'arracher un sourire. Enfin une bonne nouvelle.

Naturellement, au fur et à mesure que la liste des choses que j'ai à faire s'allonge, la matinée me semble interminable. Je n'ai absolument pas la tête à mon service, notant mentalement tout ce que j'ai à orga- niser. Si ma mère le remarque, elle ne m'en touche pas un mot. Je réussis l'exploit de me tromper trois fois dans une commande et manque de m'étaler de tout mon long en apportant un plateau surchargé en salle. J'aurais au moins déclenché le fou rire d'une ado.

Je profite de la fin de mon service pour boucler mon voyage. Sur l'ordinateur portable de mes parents, je définis mon itinéraire, qui ne s'annonce pas de tout repos. Je vais tout d'abord devoir subir trois heures de train, à l'issue de quoi je ferai le reste du trajet dans un bus qui arrivera à destination au bout de deux heures. Au total, cinq longues heures de voyage m'attendent pour aboutir au milieu de nulle part, dans un village nommé Aubéry.

Lorsque ma mère me rejoint, munie de deux salades composées, je lui fais part de mes doutes :

— Maman, j'espère que cela vaut la peine. Je suis tellement attachée à Paris que je vais forcément m'ennuyer, à la campagne ! Je ne connais personne, là-bas.

— Peut-être que tout se réglera rapidement, me répond-elle en souriant, encline à l'optimisme.

— Je l'espère ! J'ai vraiment la trouille, tu sais. Je ne sais absolument pas à quoi m'attendre et je vais être seule. C'est perturbant. Je ne veux pas de cet héritage venant d'une parfaite inconnue.

Maman m'adresse un sourire d'encouragement.

— Détends-toi et n'oublie pas que ton père et moi serons toujours là pour toi, quoi qu'il arrive. J'ignore si cela peut t'apporter le moindre réconfort, mais j'estime qu'il est important que tu le saches : ton absence sera un véritable crève-cœur pour nous, mais c'est nécessaire.

Je téléphone ensuite au notaire afin de le prévenir de mon arrivée prochaine.

— Merci, j'espérais sincèrement que je pourrais compter sur vous. Voulez-vous que je vous retienne une chambre à l'auberge du village ? propose-t-il avec chaleur.

— S'ils ne sont pas déjà complets, oui.

Maître Chalus émet un léger rire avant de me dire que l'auberge est rarement complète en cette saison et qu'il y a fort à parier que j'en serai même l'unique pensionnaire.

Oh, mon dieu. Pas ça. Je passe ma main dans mes cheveux pour les ramener en arrière et soupire :

— Je vois. C'est encore pire que ce que je pensais, hein ?

— Je suis certain que vous vous acclimaterez rapidement au bon air d'Aubéry. Combien de temps pensez-vous rester parmi nous ?

— J'ai pris deux semaines de congé.

Le ton qu'il emploie alors me paraît dubitatif :

— J'espère que cela sera suffisant. Je vous attendrai à l'arrivée de votre bus, dimanche soir, et je vous guiderai jusqu'à l'auberge.

— Merci, maître.

J'embrasse mes parents avant de filer effectuer quelques emplettes en vue de mon voyage et de mon souper avec Tristan. Au moins, cela m'empêche de trop réfléchir à ce qui m'attend à Aubéry. Je sélectionne quelques revues et deux romans policiers pour m'occuper durant les heures de trajet. J'achète également quelques petites bouteilles d'eau et de quoi grignoter. Le chocolat fourré aux noisettes est le meilleur anxiolytique jamais inventé en cas de situation de crise. Il ne me reste plus qu'à faire les courses pour le repas.

Que les choses soient claires : je n'ai absolument pas la fibre d'un cordon-bleu, cuisiner m'ennuie profondément. Ce sera donc un traiteur italien qui aura l'honneur de nous régaler, et Tristan ne manquera pas de râler, me signifiant que les lasagnes sont néfastes pour son ventre, qui est d'ailleurs parfaitement plat, ce qui ne l'empêchera pas d'ajouter des montagnes de parmesan dans son assiette.

...

Je termine juste de préparer la salade verte lorsque Tristan arrive. Après une chaleureuse accolade, je lui propose un jus de fruits et il s'assoit sur le canapé réversible recouvert d'une housse mauve, qui me sert également de lit. Mon ami ne tient plus :

— Bon, que se passe-t-il ? demande-t-il tandis que j'accroche sa veste dans l'entrée. Tu m'inquiètes, avec tes manières et tes mystères ! Où est ma meilleure amie ? Est-ce que quelqu'un l'a vue ?

— Calme-toi, je te promets de tout te dire.

— T'es enceinte ? Je reconnaîtrais bien là ta chance légendaire, tiens ; Peter te quitte et le lendemain tu apprends qu'il t'a laissé un souvenir. Mais dis-moi, tu ne prenais pas la pilule, toi ?

Je ne peux m'empêcher de glousser.

— Arrête, tu ne vas pas être tonton. Ma parole, tu ne tiens pas en place, ce soir !

Il tourne des yeux désespérés vers moi.

— Cela fait vingt-quatre heures que je me demande ce que tu as à me dire. Tu semblais bouleversée, hier soir, insiste-t-il en croisant les jambes et les mains, signe qu'il est nerveux.

— Je t'ai envoyé trois textos et tu en as déduit que j'étais bouleversée ?

— Tu as utilisé les mots « urgence » et « passé ». C'est un passé qui ne semble pas concerner Peter, donc là je t'avoue que mon côté commère qui veut tout savoir commence à prendre le dessus. Ne me fais pas languir davantage, Lola, pas de ça entre nous.

Je décide de le faire patienter encore un peu malgré tout.

— Laisse-moi aller chercher les lasagnes et la salade, tu sauras tout.

— Des lasagnes? Mais ma chérie, tu veux donc que je devienne gros?

— Tu ne deviendras jamais gros, je te le promets.

Je dispose plats et assiettes sur la table basse près du canapé, m'installe à côté de mon meilleur ami et commence à lui relater mes conversations téléphoniques avec maître Chalus.

— Waouh! lâche Tristan. Elle devait être sacrément bizarre ta mémé, mais maintenant je sais au moins de qui tu tiens ce trait de caractère.

Tout en pouffant, je lui assène une petite tape sur le bras, puis lui confie à quel point je suis terrifiée.

— Je m'en doute bien. Chaque fois que j'ai essayé de t'en parler, tu as éludé le sujet. Découvrir tes origines te fait peur, nous sommes bien d'accord là-dessus. C'est dommage parce que, dans l'ensemble, c'est plutôt excitant, tout ça, je trouve.

— Je ne sais pas. Les raisons de mon abandon devaient être terribles, puisque mon aïeule aurait eu les moyens de m'élever si elle l'avait bien voulu.

Avec humour, mon complice me dit que je vais enfin pouvoir louer un appartement plus grand si jamais j'hérite d'une fortune.

— Je n'ai pas connu cette femme, Tristan. Je ne me sens pas légitime pour toucher une éventuelle somme d'argent.

Ses yeux s'animent soudainement.

— Et la lettre? Peut-être qu'elle t'explique tout dedans.

— Ou peut-être qu'elle se contente de dire : « Toutes mes excuses, bonne continuation ! »

— Ce que tu peux être pessimiste ! Et le notaire ? veut-il savoir tout en saupoudrant généreusement son assiette de parmesan.

— Quoi, le notaire ?

— À sa voix, tu l'as senti jeune ? Séduisant ?

Il se marre, maintenant ! Je menace de l'étriper.

— Un peu de sensations fortes avec un notaire de campagne, tu ne t'ennuierais pas, au moins, insiste-t-il.

— Tristan, je vais vraiment t'étrangler si tu ne te tais pas immédiatement ! Et puis cette histoire de testament me travaille. Je ne me suis jamais sentie aussi stressée, sauf peut-être quand il a fallu que j'explique à mamie qu'entre toi et moi ce ne serait pas possible. Mais le pire, c'est que je regrette que Peter ne soit pas là pour me soutenir.

Tristan pose délicatement ses couverts et me prend la main.

— Ce n'est pas Peter que tu regrettes. Tu as juste besoin d'une épaule sur laquelle t'appuyer. Viens faire un câlin.

Nous restons enlacés un instant, regardant sans la voir la télé qui fait office de fond sonore. J'adore les câlins de mon meilleur ami, car j'aime respirer son odeur ; il sent toujours la lessive et la fleur de coton. Aucune attirance amoureuse là-dedans, j'y trouve en fait le même réconfort qu'un enfant avec sa doudou.

— Tu fais quoi demain soir? demande soudainement Tristan.

— Je n'en sais rien. Iris m'a proposé un karaoké, mais…

— Voilà une excellente idée! coupe-t-il.

Je reprends, articulant lentement:

— Mais, comme je te le disais, j'ai un long voyage qui m'attend dimanche.

Tristan balaie mon argument d'un geste de la main.

— Ton train ne part pas avant treize heures, alors tu as au moins la permission de minuit. Il te faut une bonne fête entre amis avant de partir, parce qu'une fois à la campagne, je ne veux pas te démoraliser, mais la fête pour toi, ce sera quand la vieille du village t'invitera à boire le thé pour te raconter tous les derniers ragots depuis 1963.

J'attrape un coussin en guise de réconfort.

— Je ne plaisante pas, insiste Tristan. Tu as besoin de t'amuser, ma chouquette. Alors demain soir, je passe te chercher, on dîne dehors, on rejoint Iris et on va chanter…

— Des chansons minables devant des inconnus! m'entends-je geindre en guise de protestation.

— Exactement! Ça va être chouette, tu vas voir.

Je ne peux m'empêcher d'ironiser:

— Super, tu ne peux pas savoir comme j'ai hâte!

...

Le lendemain, je passe une bonne partie de la journée à terminer les préparatifs de mon voyage.

Je refuse de me surcharger, mais je dois néanmoins prendre suffisamment de vêtements pour tenir durant au moins deux semaines. La peur de ce que je vais découvrir laisse peu à peu place à une certaine forme d'impatience, à cette excitation si particulière qui précède les voyages. Après tout, même si j'aime être entourée de mes amis, je reste au fond de moi une solitaire qui aime avoir des moments calmes, bien à moi, pour me poser, lire un bon roman, flâner, réfléchir. Ce voyage sera l'occasion de profiter de la campagne pour me retrouver un peu après tous les événements qui me sont tombés dessus en si peu de temps. S'il ne fait pas trop mauvais temps, je pourrais peut-être même visiter la région…

Tristan arrive en début de soirée et prend son air affolé en me découvrant ni coiffée, ni maquillée, en jogging, en train d'achever mon ménage.

— J'étais sûr que tu n'aurais pas sorti une tenue de soirée, mais là, Lola, franchement, tu exagères! s'exclame-t-il en me tournant autour. Lâche ce balai immédiatement et viens avec moi, on va faire un tour dans ta garde-robe.

Je maugrée:

— J'ai le droit de prendre une douche, avant?

— Très bonne idée, comme ça je vais choisir moi-même ta tenue, applaudit-il.

Lorsque je sors de la douche, enroulée dans mon peignoir éponge, je découvre avec horreur que mon meilleur ami a extirpé de ma modeste garde-robe des vêtements dont j'avais carrément oublié l'existence.

— Tu tiens vraiment à ce que je porte ce top décolleté jusqu'au nombril? Je croyais qu'on allait à un karaoké, pas au Moulin Rouge!

Je me renfrogne en faisant mine d'essayer le vêtement incriminé.

— Tu pourras toujours porter une veste par-dessus, suggère-t-il. Et il n'est pas décolleté jusqu'au nombril.

Je me laisse tomber sur mon canapé et soupire:

— On est vraiment obligés d'aller chanter?

— Si tu n'aimes pas chanter, tu pourras toujours te trémousser langoureusement pendant que je donnerai de la voix…

— Oh, mon dieu, je crois que je préfère encore m'égosiller sur tout le répertoire kitsch des années quatre-vingt plutôt que de subir ça! Tristan, tu ne sais pas chanter, il faudra que tu l'admettes un jour.

— Et dire que j'avais un cadeau pour toi, cruelle femme! me taquine-t-il.

Je bondis du canapé, comme un enfant le jour de Noël.

— Un cadeau? C'est quoi?

— Tu verras, Lola! File t'habiller et te maquiller d'abord!

Sans me faire davantage prier, j'enfile ma tenue, le top noir près du corps que Tristan a choisi, un jean moulant rouge et des escarpins à talons de cinq centimètres. Je me maquille légèrement, mettant surtout en valeur mes yeux. Mes cheveux tombent librement en ondulations sur mes épaules. Tristan siffle:

— Tu es superbe! Les hommes ne vont même pas me regarder!

— Pour une fois, ce ne sera pas si terrible. Et alors, le cadeau ?

— Un cadeau ? Quel cadeau ? Ah, oui ! Le cadeau !

Il sort un lecteur MP3 de la poche de sa veste et me le tend :

— C'est pour toi. J'ai mis toutes nos chansons préférées dessus et quelques albums que tu dois absolument découvrir. Comme ça, tu ne m'oublieras pas pendant ton voyage et je serai un peu avec toi.

Émue, je me jette à son cou.

— Tu es un ange ! Tu as une telle auréole que tu pourrais faire du *hula-hoop* avec !

Nous partons rejoindre Iris en discutant gaiement. À l'instar de Garance, Iris fait partie de mes amies d'enfance, mais je la vois surtout lorsqu'il est question de s'amuser un peu. Iris est une fêtarde invétérée, toujours à l'affût de la soirée où il faut être vue. C'est une magnifique blonde élancée, fille d'un riche chef d'entreprise, qui n'a connu que les beaux appartements près du parc Monceau. À la description que j'en fais, on peut se demander ce que je trouve à ce genre de personne, moi, la discrète et solitaire. Sous ses airs superficiels, Iris est en fait pourvue d'un cœur en or, choisissant ses amis pour leurs qualités morales plutôt que pour leur statut social.

Nous nous amusons comme des fous et je danse comme si c'était le dernier soir de mon existence. Comme à son habitude, Tristan contribue largement à mettre l'ambiance. Iris entonne la dernière chanson de Rihanna, chantant d'une voix suave. La température monte de quelques degrés et les sifflets d'admirateurs fusent. J'enchaîne avec Tristan sur l'une de nos chansons préférées, *Are You Gonna Go My Way?* de Lenny Kravitz. Tristan chante certes encore plus faux qu'une casserole, mais il a tellement chauffé la salle avec ses déhanchés torrides qu'il termine sous les applaudissements.

Je rentre chez moi rompue de fatigue, mais heureuse et pleine d'espoir, non sans avoir longuement étreint mes amis.

3.

Cinq heures de trajet, soit trois cents interminables minutes durant lesquelles j'ai tout le loisir de réfléchir. Que je le veuille ou non, je ne peux pas nier le fait que je me trouve à un tournant de ma vie, où tout peut désormais arriver. En entreprenant ce voyage, j'accepte plus ou moins la foule de perspectives qui s'offrent à moi, ne sachant pas très bien si je ne suis pas finalement en train de fuir ma vie actuelle en allant à la rencontre de mon passé. Après tout, par confort, je me suis plutôt éloignée de mes idéaux, notamment en ce qui concerne ma vie professionnelle. Une petite voix me chuchote souvent que je pourrais aspirer à mieux et laisser cet emploi de serveuse à quelqu'un qui en a davantage besoin que moi, une fois que j'aurais trouvé la force de me reconvertir. Si cela arrive un jour.

Quant au gouffre que représente ma vie sentimentale, Tristan a entièrement raison. Tandis que les paysages urbains s'effacent au fur et à mesure que le train avance, laissant apparaître des prairies verdoyantes et des vaches, je me rends bien compte que j'ai effrayé tous les hommes qui ont eu l'idée – pas la meilleure de leur vie – de s'intéresser à moi. Sans vraiment pouvoir me l'expliquer, je me sens bridée, incapable de me laisser porter par la vie. Mais la question de l'amour n'est finalement plus ma priorité. Pour l'heure, je fais route vers mon passé, m'apprêtant à découvrir ce que veut de moi cette femme qui a été ma grand-mère biologique mais qui, contrairement à celle que j'ai toujours considérée comme ma véritable mamie, ne m'a jamais préparé de chocolats chauds après l'école, ne m'a jamais tressé les cheveux ni raconté en boucle des histoires de princesses fortes qui se sortaient toujours des situations les plus périlleuses. J'essuie une larme au souvenir de mamie Constance, qui s'en est allée discrètement, une nuit, victime d'une crise cardiaque en plein sommeil. Mamie, chez qui il flottait toujours une odeur de poudre à récurer, qui me préparait des tartines beurrées avec des carrés de chocolat comme personne d'autre et qui ronflait tant les nuits où je dormais chez elle que je ne parvenais jamais à fermer l'œil et lisais à la lueur d'une lampe torche, sous les draps, dans le petit lit de camp dressé à côté du sien.

La nostalgie n'aura pas raison de moi. Je me ressaisis et lance la musique sur le MP3 que m'a offert Tristan, ce qui m'évitera de subir les cris des enfants qui demandent sans discontinuer si le voyage touche bientôt à sa fin, s'ils peuvent encore aller faire pipi et courir dans les wagons. Je souris en entendant la voix haut perchée de Jimmy Somerville qui scande dans mes oreilles : « *Tell me why!* » et j'ai immédiatement l'impression que mon meilleur ami fait un peu partie du voyage.

Le paysage se fait parfois plat, d'autres fois plus vallonné, l'herbe grasse ondulant sous le passage du train. L'idée de venir en réalité de cette campagne me procure un drôle de sentiment. Chez moi, c'est Paris, cette capitale dans laquelle j'ai grandi et toujours vécu, ne la quittant que pour les vacances d'été. Bien sûr, j'ai un peu voyagé, mais jamais je ne me suis autant enfoncée au cœur du pays, là où certains endroits paraissent encore sauvages, à mes yeux du moins. Depuis toujours je mène ma vie à Paris, j'y ai mes quartiers et cafés de prédilection. J'y ressens cette sensation de bien-être lorsque je me promène à Saint-Michel, feuilletant les livres des bouquinistes qui se tiennent sur les quais de la Seine depuis des décennies, mais aussi lorsque je m'arrête pour lire quelques pages dans les jardins des Tuileries ou du Luxembourg. Je sens pourtant que mon passé doit être ailleurs puisque j'aime Paris comme une carte postale que je pourrais arpenter quotidiennement. J'aime Paris comme une touriste qui y prolonge son séjour depuis déjà vingt-sept ans.

Le train parvient à son terminus. M'arrachant de mes pensées, je récupère ma valise avant de me diriger vers la station de bus, que je trouve en quelques minutes. Une pluie fine commence à tomber lentement, mais par bonheur mon bus arrive déjà et se gare. Je me réfugie à l'intérieur en attendant d'éventuels autres voyageurs.

...

Mon chou, je suis au milieu de nulle part,
il fait un temps de fin du monde et je commence
à avoir vraiment peur.

Cela fait près d'une heure que le bus a entrepris son périple. La pluie tombe plus dru, rendant la visibilité difficile sur la route départementale que le chauffeur a empruntée. J'aperçois de temps à autre sur le bord de la route ce qui ressemble à des immenses rochers. Je commence à me demander si je ne vais pas mourir sur cette route de campagne et je n'ai pas pu me retenir d'envoyer un texto plein de détresse à mon meilleur ami. La réponse me parvient au bout de trois minutes :

Relativise, au moins tu as du réseau. De toute façon, tu ne vas pas demander au chauffeur de faire demi-tour juste parce que tu es nerveuse. Il sait ce qu'il fait. Va au bout de ton voyage, je suis avec toi. Je t'aime.

Pourtant, plus les minutes passent, plus les paysages deviennent lugubres et désertés de toute forme de vie humaine. La pluie dégouline en vaguelettes le long des vitres et je ne peux réprimer un frisson de froid. Je me couvre avec le gilet que j'ai eu l'idée de glisser dans mon sac à main ce matin, non sans me demander pour la énième fois dans quelle aventure je me suis encore embarquée. Malgré les arrêts fréquents, les sièges du bus restent presque tous vides. Seules trois autres personnes voyagent avec moi. Elles se racontent leur vie, leurs petits-enfants et leurs rhumatismes, insensibles au déluge qui se déverse sur la route. Je remets dans mes oreilles les écouteurs du MP3, sans toutefois lâcher les paysages du regard. Si nous avons un accident, je veux bien voir, mais ne surtout rien entendre. Au bout de vingt minutes qui m'ont semblé une éternité, la pluie finit par se tarir complètement, rendant le paysage nettement plus accueillant. La campagne et les arbres sont en fleurs. Les rochers qui me paraissaient si menaçants quelques instants plus tôt s'avèrent finalement bien ancrés dans le sol. J'aperçois même une rivière qui coule en contrebas d'un ravin. Cette région s'avère plutôt charmante et bucolique lorsqu'elle n'est pas assaillie par des trombes d'eau! Rassurée, je parviens à me détendre un peu. Le bus ne tarde pas à entrer dans un village. Je n'ai pas eu le temps de lire la pancarte qui en indique le nom, mais je suis aussitôt emplie par la certitude que ce village est le mien. Les champs font place aux habitations et le chauffeur ralentit dans ce qui ressemble à la rue principale, bordée de maisons sans âge et de commerces aux stores baissés. Il aboutit enfin sur une place. Aubéry. C'est là l'ultime arrêt. Je suis arrivée vers mon passé.

...

— Mademoiselle Havremont? entends-je derrière moi, alors que suis penchée dans la soute à bagages, dans le but d'en extirper ma valise.

Pivotant, je me retrouve face à un homme qui ne doit guère être âgé de plus de trente-cinq ans. Ses cheveux blonds et bouclés sont coupés court et il arbore une fine barbe assortie. Ses yeux bleus et chaleureux expriment la bienveillance. Il est vêtu d'un chandail, d'un jean et porte des souliers de sport. Pas vraiment l'allure d'un notaire! Je demande, étonnée:

— Vous êtes maître Chalus?

— C'est bien moi, répond-il en me donnant une poignée de main. Mon âge a toujours tendance à surprendre, mais ils ont fini par s'y faire, ici.

— Je ne m'attendais pas à trouver un notaire en tenue décontractée, surtout.

— Nous sommes dimanche, je ne fais pas encore d'heures supplémentaires, rit-il.

Je rougis, confuse d'empiéter ainsi sur son temps libre.

— Ne vous inquiétez pas, je tenais à vous accueillir, reprend-il en voyant ma gêne. Et si je vous conduisais à l'auberge ? Nous n'avons pas trop de chemin à faire, elle se tient juste en face de nous.

En effet, en face de la place, au-dessus d'une porte voûtée, une plaque annonce : *Auberge du Bourg*. Je lis le nom à haute voix, perplexe.

— Jusqu'à la moitié du vingtième siècle, cette auberge tenait lieu de café, m'informe le notaire. Plus communément appelé *le café du Bourg*. Cela fait trente ans que l'endroit a été transformé en auberge. Les actuels propriétaires ont voulu lui redonner son charme d'antan.

— Vous semblez bien connaître l'histoire du village.

— Et pourtant je ne suis pas d'ici. Lorsque j'étais plus jeune, je venais chaque été avec mes parents, au camping municipal. Je suis tombé amoureux de ce bourg, je me suis pris d'une véritable passion pour Aubéry. Lorsque j'ai terminé mes études, il m'a semblé naturel de m'y installer.

Je hausse un sourcil sous l'effet de la surprise.

— Il y a vraiment un camping ici ?

— Surprenant, n'est-ce pas ? Je suis certain que vous en tomberez amoureuse à votre tour. Je discute, mais je manque à tous mes devoirs ; suivez-moi et allons nous installer à l'auberge. Nous y serons mieux pour évoquer certains points.

Tandis que maître Chalus s'empare de ma valise, je jette un coup d'œil autour de moi, en lui emboîtant le pas. La place, assez vaste, arrive à contenir un bar, une église et sa petite maison attenante, quelques places de stationnement, un monument aux morts et un bureau de poste. Le jour ne va pas tarder à décliner et l'air fraîchi par la pluie m'apporte des odeurs de bitume humide et de campagne qui s'éveille au printemps. Nous traversons la route pour nous retrouver sur un trottoir entièrement pavé, bordé par une boutique de souvenirs, une pharmacie, un local à louer et l'auberge, qui fait l'angle avec la rue principale. Nous passons sous une tonnelle pour parvenir à la porte voûtée de l'établissement. L'extérieur est vraiment charmant et j'imagine aisément des jeunes gens d'un autre temps flirter sous cette pergola.

— Autrefois, déclare le notaire, comme s'il lisait dans mes pensées, la tonnelle était entièrement recouverte de rosiers grimpants. Cela devait être magnifique.

Nous entrons dans une salle qui fait office d'accueil et de restaurant.

— Frédérick! s'exclame la patronne des lieux. Tu nous amènes notre pensionnaire?

— La voici en personne, répond l'intéressé. Si cela ne te dérange pas, Évelyne, nous allons boire quelque chose, le temps de discuter d'affaires personnelles.

J'observe avec intérêt la salle de restaurant aux allures rustiques. Le parquet brille de propreté. Le plafond bas confère à la pièce une certaine forme d'intimité, confortée par des lumières feutrées. Les murs en pierre sont décorés de photos anciennes. Attirée par ces vieux clichés, je me promets d'y jeter un regard plus approfondi lorsque j'en aurai le temps. Des nappes à carreaux rouges et blancs recouvrent les tables et complètent l'ensemble. Cet ancien café me fait penser à un restaurant dans lequel auraient pu dîner les grands acteurs des films en noir et blanc qu'aimait regarder mamie Constance.

La patronne nous apporte deux verres de rosé et une coupelle de biscuits salés, puis m'annonce d'une voix douce et volontaire qu'elle emporte ma valise dans ma chambre. Maître Chalus croque dans un biscuit et me dit :

— Les jours qui vont suivre risquent de ne pas être très faciles à vivre pour vous. J'imagine que remuer ce passé ne va pas forcément être une chose des plus agréables.

J'avale une gorgée de rosé et réponds, interloquée :

— Vous pensez sincèrement que je vais remuer le passé ? Qui vous dit que je ne vais pas tout simplement signer un papier pour renoncer à la succession, vous écouter lire cette lettre et repartir aussitôt ?

Mon interlocuteur paraît amusé.

— Je vous le souhaite si c'est ce que vous voulez vraiment. Mais ce n'est pas ce qui se passera. Et vous le savez aussi bien que moi puisque vous m'avez demandé de retenir la chambre pour au moins deux semaines. D'ailleurs, à ce sujet, ne vous inquiétez pas pour la note, elle sera déduite de la succession.

— Déduite de la succession ?

— Je ne peux rien vous dire de plus pour le moment. Je vous invite à passer demain matin à dix heures à mon étude, qui est située en face, dans la rue principale.

J'opine lentement du chef.

— Une question : vous n'êtes pas cardiaque, au moins ?

— Non, pas à ma connaissance. Ce sera l'occasion de le découvrir, je suppose.

...

Après le départ du notaire, je prends possession de ma chambre, douillette avec ses meubles anciens en bois et son linge de lit aux couleurs pastel, qui invite à des nuits peuplées de doux rêves. Je soupe d'une omelette et d'un peu de fromage dans la salle de restaurant, où je serais vraisemblablement amenée à prendre tous mes repas durant les jours à venir. Je ne vais pas m'en plaindre, car la cuisine est vraiment délicieuse et Évelyne, la patronne, est l'une des personnes les plus adorables que j'aie pu rencontrer.

Comme je suis la seule cliente du moment, nous discutons un peu autour d'une tisane avant que je ne monte me coucher. Évelyne et son époux Franck viennent de Lyon. Ils ont décidé de s'installer à la campagne, il y a trente ans, et d'ouvrir une auberge. Franck est originaire d'Aubéry et n'a jamais oublié cette maison qui abritait jadis un café. Par chance, le bâtiment se trouvait alors en vente et ils ont pu lui donner une nouvelle vie. Grâce à la cuisine d'Évelyne, les habitants du village et des alentours viennent fréquemment y dîner. L'été, les chambres ne désemplissent pas, accueillant les touristes réfractaires au camping mais désireux de se mettre au vert. Mise en confiance, j'évoque ce qui m'amène ici.

— Quel courage vous avez! lance Évelyne, admirative. À votre place, je ne sais pas si j'aurais été capable de débarquer ainsi pour déterrer le passé…

Je soupire, arguant que je ne suis pas encore vraiment décidée à découvrir mes origines malgré ce voyage.

— C'est ce que vous dites maintenant. Mais je suis certaine que votre histoire va s'imposer à vous. Ici, le passé est partout. Dans chaque rue, chaque maison. Regardez les murs de cette salle, ajoute-t-elle en accompagnant ses propos d'un ample geste de la main. Toutes ces photos représentent des scènes de vie quotidienne d'antan. Notre notaire lui-même est passionné par l'histoire de ce village. Vous ne trouverez pas une seule personne âgée qui n'ait pas son mot à dire au sujet de ce que la vie ici était autrefois. Je suis prête à parier que le village coule dans vos veines depuis bien des générations.

Je déglutis et lui demande si elle a connu Rose Garnier.

— Ah oui, la vieille M^me Garnier. Elle ne sortait que très peu. Elle n'est jamais venue manger ici, en tout cas. Je ne l'ai pas beaucoup croisée.

...

Inévitablement, les veuves sont revenues tourmenter mon sommeil. Les propos d'Évelyne ont tourné en boucle dans ma tête et il en a résulté une nuit des plus agitées, malgré le calme qui régnait dans les rues. Je me lève finalement à six heures et, après m'être préparée, je tente de lire, vainement. Je capitule vite et descends prendre le petit déjeuner. Évelyne me sert le repas matinal dehors, dans la cour, afin de profiter du soleil et de la douceur inhabituelle de cette fin avril. Je m'installe avec plaisir autour d'une table en fer forgé garnie de café, de petits pains, de beurre, de confitures, de viennoiseries et de jus de fruits, mangeant dans la quiétude de cette petite cour fleurie, face au majestueux sapin dressé près d'un muret en pierre, bercée par le chant des tourterelles. Une délicieuse parenthèse enchantée dont j'aurais aimé profiter davantage.

Je me décide finalement à sortir, d'abord dans le but de repérer l'étude du notaire, à l'angle d'une rue qui semble aboutir sur un pont. Lorsque je me retourne vers la place sur laquelle m'a déposée le bus hier, je ressens une vague impression de déjà-vu, sûrement due à la fatigue. Je fais quelques pas en direction de la rue au bout de laquelle se trouve le pont. Je longe quelques vieilles maisons, la rue se scinde en deux ; à gauche s'étend un champ de foire, à droite d'autres habitations et un puits, ce dernier constituant sans doute une attraction touristique. Je m'imprègne de l'air pur tandis qu'un chien aboie au loin, son cri résonnant dans la campagne vide d'immeubles et d'embouteillages. Arrivée au milieu du pont en métal, je vois en contrebas ce qui me semble être le camping municipal, le long duquel coule une rivière au lit paisible. Des prés à l'herbe grasse s'annoncent ensuite à perte de vue, aussi je rejoins le champ de foire. Ce dernier est entouré de tilleuls parés de leur plus beau feuillage, agité par un vent léger. Serrées sur le trottoir, des maisons plus ou moins anciennes se dressent côte à côte, témoins muets du temps qui n'a cessé sa course. Je poursuis ma marche matinale en descendant vers les berges de la rivière. Le charme de ce village commence à opérer sur moi et je suis ébahie par le paysage qui s'étend à présent face à moi. Une large bande de terre mène droit à la rivière, ce qui doit ravir les jeunes, qui peuvent sûrement s'y baigner durant l'été. En m'approchant, j'apprends qu'il s'agit en fait d'un point de ralliement pour le club de canoë-kayak du village. La route dépourvue de circulation se fait plus étroite, bordée par les herbes hautes des rives. Je m'arrête devant ce qui ressemble à un ancien moulin. Une pancarte annonce fièrement, exhibant une photo avant/après, que le bâtiment a été rénové et transformé en gîte d'accueil. Et moi qui m'attendais à trouver un village englué dans le passé! Je ne peux résister à l'appel de la passerelle qui serpente le long du bâtiment et j'en fais le tour. À l'arrière, je contemple les eaux vives, là où se tenait certainement autrefois le canal de fuite du moulin. Les bords de la rive opposée sont touffus et ne doivent pas être aussi faciles d'accès que le petit coin magique où je me tiens. Je m'arrache à ce sentiment de solitude et de bien-être pour faire demi-tour et longer quelques maisons élégantes. Une femme âgée à l'air pressé sort de l'une d'entre elles et s'arrête net en me remarquant. Je lui adresse un sourire timide et poli, mais cette dernière marmonne des paroles inaudibles avant de se raviser et de rentrer chez elle. Je hausse les épaules ; de toute façon il est l'heure pour moi de me rendre à l'étude du notaire et d'écourter cette balade pleine de jolies découvertes.

# 4.

J'arrive légèrement en avance et j'hésite un instant avant d'appuyer sur l'interphone ; suis-je assez bien habillée ? Ne devrais-je pas retourner à l'auberge afin de choisir une autre tenue ? J'ai un réel problème avec la mode ; elle me laisse indifférente et en retour elle ne s'intéresse pas à moi non plus. Je m'achète des vêtements par nécessité, requérant toujours l'avis de mes amis, sans quoi mon *look* serait une véritable catastrophe. Un jour, Tristan a même débarqué chez moi avec un de ses copains qui travaille dans un magasin branché. Ils ont fait le tour de ma penderie, constituant sous mes yeux des ensembles, afin que je sache quoi porter selon les circonstances. En règle générale, je préfère les tenues confortables aux matières douces et ce matin je me sens complètement déplacée dans ma chemise d'un blanc immaculé que je porte sur un pantalon de ville noir. J'ai l'impression de me rendre à un entretien d'embauche. J'ignore totalement s'il existe un code vestimentaire pour se présenter devant un notaire. Dans le doute, j'ai préféré opter pour une tenue passe-partout.

La porte s'ouvre automatiquement après que j'ai appuyé sur le bouton d'entrée et je me retrouve dans un étroit corridor dans lequel s'alignent des chaises.

J'en déduis que ce couloir fait office de salle d'attente et je prends place sur une chaise en plastique noir. Mon attente ne dure pas trop longtemps puisqu'au bout de deux minutes, le temps de jeter des coups d'œil éperdus à la recherche de revues récentes, j'entends quelques pas étouffés provenant de l'étage. Quelqu'un dévale un escalier au pas de course. La porte située face à moi s'ouvre sur Frédérick Chalus.

L'homme en tenue décontractée de la veille a ce matin laissé place à un véritable notaire, qui porte costume et lunettes de vue. Je suis prête à parier que les lunettes, tout comme la barbe, ont pour but de le vieillir afin de le rendre plus crédible dans l'exercice de ses fonctions. Il me salue d'une poignée de main et je le suis dans l'escalier qui mène à son étude. Avant d'ouvrir la porte, le notaire se tourne vers moi et me confie à voix basse, ce qui n'est pas fait pour me rassurer :

— Il y a quelqu'un d'autre dans mon bureau ; il est également mentionné dans le testament de votre grand-mère. Il est assez tendu, je préfère vous avertir. Si vous voulez bien entrer, je vais procéder aux présentations.

Donc, c'est là que les choses se compliquent. Je me disais bien, aussi, que c'était trop simple. La nervosité commence à me gagner et c'est peu de le dire. Mes mains deviennent moites et mon cœur bat à toute vitesse. Toute l'angoisse que j'ai jusqu'alors réussi à retenir se manifeste à la seule mention de cet inconnu, génial ! Je prends une lente inspiration et entre à la suite du notaire. Tout le monde connaît cette sensation d'être la nouvelle recrue dans une salle de réunion remplie de requins prêts à vous bouffer. Eh bien voilà, j'ai l'impression d'être le repas en question.

Un homme plutôt jeune, aux cheveux châtains, vêtu d'une chemise à carreaux et d'un jean, se tient assis dans l'un des deux fauteuils placés face au bureau d'acajou de l'homme de loi. L'anxiété me domine sérieusement et je ne sais plus si je dois fixer mon attention sur l'inconnu ou sur la décoration du bureau. Je reporte mon regard sur l'étranger, qui me dévisage de ses prunelles de feu. Le requin, la proie. Je veux partir !

Le notaire met fin au silence embarrassant qui règne dans la pièce :

— Mademoiselle Lola Havremont, je vous présente Vincent Garnier. Votre cousin.

J'oublie toute notion de politesse et me laisse tomber dans le fauteuil libre.

— Mon cousin ?

— Oui, répond ce dernier. Apparemment, notre chère mamie conservait plein de petits secrets.

Je répète, incrédule :

— Mon cousin !

Face à son air renfrogné, je préfère ne pas tenter de lui donner une poignée de main. La bise n'est absolument pas envisageable non plus. Je décide même de ne plus ouvrir du tout la bouche, les seuls mots qui peuvent en sortir étant toujours les mêmes, comme un disque rayé : « Mon cousin ! » Autant ne pas passer pour complètement débile.

Frédérick Chalus prend place face à nous et, d'un air solennel, commence :

— Bien, en vertu des droits qui me sont conférés, j'ai été mandaté par M^{me} Rose Garnier afin de procéder à la lecture de son testament, qui a été rédigé en ma présence, il y a seize mois. Ledit testament mentionne deux héritiers uniques : M. Vincent Garnier et M^{lle} Lola Havremont, ses petits-enfants.

Abasourdie, j'écoute sans pratiquement l'entendre la lecture du fameux testament. Le notaire me fait penser à un présentateur de journal télévisé, payé pour annoncer les pires nouvelles d'un ton ennuyant, en glissant de temps en temps un petit sourire pour faire passer la pilule. Je me sens totalement sonnée, je ne m'attendais pas du tout à découvrir l'existence d'un cousin, lequel ne semble d'ailleurs pas spécialement joyeux à l'idée de partager avec moi l'héritage de Rose Garnier. Ce que je comprends parfaitement.

— Vous m'avez entendu, mademoiselle Havremont ? demande le notaire en se penchant légèrement vers moi.

Je tressaillis.

— Je vous demande pardon, je dois vous avouer que je suis plutôt perturbée par toutes ces nouvelles. J'ai un peu perdu le fil, là.

— Cela se conçoit, reconnaît Frédérick Chalus. Je vous informais donc que votre grand-mère a laissé une somme en vue de régler tous les frais. Vous n'aurez rien à débourser, ce qui inclut votre séjour à l'auberge.

Je suis soufflée ; comment cette grand-mère que je n'ai jamais connue pouvait-elle être certaine que je ferais le déplacement ? M'imaginait-elle donc comme quelqu'un de cupide ?

— Logée aux frais de la princesse, marmonne Vincent entre ses dents.

Maître Chalus toussote et reprend :

— M^me Garnier n'avait pas d'autres économies que cette somme allouée pour les frais, aussi il ne sera pas question d'argent. En revanche, elle était encore propriétaire de deux maisons dans le bourg. Celle où elle vivait revient, selon sa volonté, à M. Vincent Garnier et la seconde, située dans cette même rue, est léguée à M^lle Lola Havremont.

— C'est une plaisanterie ! s'offusque Vincent, en se levant subitement.

— Je vous prie de bien vouloir vous asseoir, répond calmement mais fermement maître Chalus, le regardant par-dessus ses verres de lunettes.

Mon cousin capitule et se rassoit, tout en protestant.

— Il n'empêche que ce choix n'est absolument pas sensé. Cette femme, dit-il d'un air dégoûté en me désignant d'un léger mouvement de tête, n'a jamais donné signe de vie, j'ignorais tout de son existence. Et voici qu'elle débarque, insouciante, et hérite de la plus importante des deux maisons. En quel honneur ?

Oh, oh, je vais tenter de calmer le jeu. Je me tourne vers lui et exprime à quel point je suis désolée et trouve cela injuste pour lui.

— Le testament est incontestable, insiste le notaire. Je suis navré si les termes ne vous conviennent pas, monsieur Garnier. J'ignore quels étaient les motifs de votre grand-mère, mais vous voici désormais propriétaire de la maison dans laquelle elle vivait depuis 1965, sauf si vous souhaitez renoncer à la succession.

— Il ne manquerait plus que ça…

C'est visiblement à mon tour de me prononcer puisque je sens deux paires d'yeux braquées sur moi, ce qui ne m'aide pas à organiser correctement le fil de mes pensées. Dois-je accepter cet héritage que je ne mérite pas ? Si je le refuse, je n'aurais plus la possibilité de revenir en arrière. Je songe un instant à l'avenir qui m'attend, puis me remémore mes cauchemars et les paroles de Tristan sur le poids d'un passé inconnu. C'est ridicule de tergiverser autant, après tout je n'ai rien à perdre ! Avant de changer d'avis, je lâche dans un seul souffle :

— J'accepte.

Maître Chalus semble jubiler tandis qu'il nous annonce qu'il a des papiers à nous faire signer et qu'il souhaite ensuite s'entretenir seul à seul avec moi. Je signe mécaniquement sans les lire les papiers qu'il me tend. Je n'ai plus qu'une envie : en finir au plus vite pour pouvoir téléphoner à mes parents. Que vais-je bien pouvoir faire d'une vieille maison, dans un village où je n'ai jamais mis les pieds auparavant ? Ils sauront forcément me conseiller au mieux.

Vincent Garnier appose à son tour sa signature, sans prêter non plus attention à ce qui est écrit. Il est sous le coup de la colère, mais aussi probablement toujours en proie au chagrin causé par la disparition de sa grand-mère. Lorsqu'il se lève pour prendre congé du notaire, il ne peut s'empêcher de me toiser, moi, cette cousine surgie de nulle part, se faisant peut-être la réflexion qu'il y a malgré tout un air de famille entre nous. Prise d'une impulsion, je tente le tout pour le tout et me lève pour lui faire face :

— Vincent, je, euh… Si tu souhaites…

Il ne me laisse pas finir et m'achève :

— Ne va surtout pas t'imaginer que tu pourras faire partie de ma famille. Jamais.

Il salue le notaire d'un signe de tête et s'en va, me laissant sans voix.

...

— J'ai comme l'impression que je ne suis pas la bienvenue dans l'existence de Vincent Garnier.

Le notaire s'installe confortablement dans son fauteuil avant de me répondre.

— Il est sous le choc. Votre grand-mère n'avait jamais mentionné votre existence, c'est moi qui la lui ai apprise. J'avais espéré qu'il réagirait un peu mieux, mais la maison dont vous héritez a plus de valeur que l'autre, et ça lui reste en travers de la gorge.

Il se tait un instant et reprend :

— Il a sûrement du mal à digérer les cachotteries de Rose Garnier. Elle a mené une vie tellement discrète qu'il n'a jamais vraiment su qui elle était, en définitive. Votre arrivée ne fait que confirmer tout cela.

Je soupire, dépitée.

— Oh, mon dieu, c'est un mauvais film ! J'ai l'impression de lui voler son héritage…

— Il faudrait percer à jour les motivations de M$^{me}$ Garnier pour le savoir. Vous ne devez en aucun cas vous sentir comme une voleuse, c'était la décision de votre grand-mère. À ce sujet, je vous rappelle que je dois vous lire une lettre de sa part…

La lettre. La fameuse lettre, celle où elle m'explique peut-être les raisons de mon abandon.

— Est-ce que je pourrais avoir un verre d'eau avant, s'il vous plaît ?

Je me lève un instant afin d'admirer la vue sur la place. Cette perspective éveille en moi une nouvelle sensation de déjà-vu, mais je me sens tellement accablée que je cligne des yeux et ma pensée se sauve aussitôt. J'accepte de bonne grâce le verre d'eau que me tend le notaire.

Il m'informe qu'après la lecture de la lettre il me montrera la maison. J'avale une gorgée, puis une autre.

— Nous allons encore passer quelques heures ensemble, me dit le notaire. Votre grand-mère était aussi méthodique que mystérieuse.

Il semble l'avoir bien connue.

— Vous l'aimiez bien ?

— Je ne laisse jamais mes sentiments prendre le dessus dans mes rapports avec les clients. Je dois toutefois reconnaître que, sous ses airs discrets, Rose Garnier était une femme de tempérament. Et si nous lisions cette lettre, maintenant ?

— Oui, je crois que je ne vais pas pouvoir repousser ce moment éternellement…

— Vous avez peur ?

— J'ignore ce qui m'attend avec cette lettre d'outre-tombe et c'est plutôt angoissant.

— Il ne tient qu'à vous de le découvrir.

...

72

« *Lola,*

*Le fait d'écrire ton prénom, ainsi, sur une feuille de papier, m'est nouveau et c'est une sensation assez particulière. Tu es ma petite-fille, le même sang coule dans nos veines, et malgré cela, j'ai tout fait pour t'éloigner de moi, mais surtout du malheur qui a détruit notre famille.*

*De cela, je ne te dirai rien de plus dans cette lettre. Je ne t'écris pas afin de justifier ma décision de te confier à une autre famille. Je veux seulement que tu saches que ce n'était pas un choix facile à faire, et pourtant, c'est le meilleur des cadeaux que j'avais à t'offrir.*

*Mes propos pourront te sembler décousus, les mots que je trace sur cette feuille ne suivent aucun fil conducteur, mais seulement le cheminement de mes pensées, qui sont celles d'une vieille femme qui n'a déjà que trop vécu. J'ai quatre-vingt-neuf ans et je ne fais qu'attendre le souffle final qui éteindra la flamme de plus en plus faible de ma vie. Une petite voix intérieure me presse de t'écrire cette lettre.*

*Lola, ma vie entière a été remplie de secrets qui ont eu pour conséquence ton adoption. Ma famille a été pendant plus de quarante ans l'une des plus aisées de notre village. Nous avions tout. Et je n'ai rien laissé. Si tu interroges les habitants de ma rue, ils te diront probablement que je vivais chichement de ma retraite, alors que j'aurais pu vendre mes deux maisons comme j'ai déjà vendu, par le passé, des terrains. Ces gens ignorent tout des tourments intérieurs qui m'ont animée durant des décennies.*

*J'ai voulu que Vincent et toi héritiez de ces maisons. Ton cousin n'a pas été un gamin heureux. Pas malheureux non plus, mais il était tourmenté, comme si, inconsciemment, il savait qu'un feu couvait sous les apparences. Il a également souffert d'être le fils unique d'un homme taciturne, rongé par le passé, mon fils, ton oncle que tu ne connaîtras jamais puisqu'il est décédé lui aussi. Je laisse à Vincent la maison dans laquelle je vis depuis 1965, une petite maison de ville dont j'ai presque honte de reconnaître qu'il ne tirera pas grand profit s'il veut la vendre, ce qu'il a de mieux à faire, toutefois, puisqu'il n'y a rien d'intéressant à y trouver.*

*J'ai préféré te laisser l'autre maison, qui possède une histoire si particulière et te révélera la tienne si tu y cherches la vérité. C'est la maison que mon père a achetée pour une bouchée de pain au sortir de la Première Guerre mondiale, une maison dont ma mère a fait un commerce florissant et qui a contribué, à l'époque, à notre petite fortune. Nous y avons vécu des jours heureux, d'autres malheureux. Cette maison appartient à Aubéry depuis deux siècles.*

*J'ai dépensé ce qu'il restait de notre argent pour m'assurer que tu tombes dans une famille aimante et travailleuse. J'ai pourtant envie que tu découvres tout de ta véritable histoire. Car, même si tu as vécu jusque-là une vie heureuse, tu dois être tentée de découvrir la vérité, cette vérité que j'ai cachée toute ma vie durant. Arrivée à mon grand âge, je me rends compte du mal que j'ai fait, involontairement, et qui partait de l'intention de tout réparer après les énormes erreurs que j'avais commises.*

*Je compte sur toi pour trouver le chemin vers cette histoire. La maison t'y aidera. Si tu écoutes mon notaire te lire cette lettre, c'est que tu as accepté l'héritage. Ce qu'il ne t'aura pas dit, et que tu n'as certainement pas pris la peine de lire dans toute la paperasse à signer, c'est que tant que tu n'auras pas rassemblé les pièces de ton histoire, Lola, tu ne pourras pas vendre la maison. Je veux que* tu la fouilles de fond en comble afin de découvrir ces indices que je t'ai laissés et qui te mèneront à ton passé. À notre passé.

Frédérick, que j'ai vu grandir au fur et à mesure des étés qu'il a passés ici, saura sans aucun doute t'aider si tu en ressens le besoin. C'est un homme bon et intelligent, qui pourra te guider.

J'ai eu une unique amie durant les dernières années de ma vie. Elle aussi, lorsque tu en auras besoin, pourra t'épauler et t'apporter des réponses à certaines questions. Elle s'appelle Béatrice Marthe, et malgré les sept années qui nous séparent, elle m'a toujours comprise. Béatrice est une originale qu'il faut savoir dompter, mais elle possède un cœur extraordinaire.

Lola, ma petite-fille que je n'ai pas connue, j'espère que tu partiras à la recherche de cette vérité. Mon âme est apaisée par cet espoir. Peut-être que tu décideras tout simplement de laisser la maison à l'abandon et de rentrer chez toi, à Paris, mais je suis presque certaine que ta curiosité sera malgré tout éveillée. Es-tu heureuse? Dans le cas contraire, cette histoire pourrait t'aider à y voir plus clair. J'espère que tu sauras pardonner nos erreurs à nous tous, les miennes en particulier. Je suis la seule responsable de tout ce qui a pu nous arriver, parce que je n'ai pas eu le courage de prendre certaines décisions à certains moments de mon existence.

Si tu décides de déterrer nos nombreux secrets et si tu parviens à reconstituer toute ton histoire, il est de ton droit d'en informer Vincent. Il le mérite tout autant que toi, même si je sais qu'avec son caractère, ce ne sera pas chose aisée. Néanmoins, j'espère au plus profond de moi-même que vous pourrez créer les liens que vous auriez dû avoir.

*Il est temps pour moi de te quitter, Lola, prénom que je prends enfin plaisir à écrire. Avec le recul, je crois que j'aurais aimé te connaître.*

*Rose Garnier,*

*Le 12 décembre 2013. »*

...

Frédérick Chalus repose les deux feuilles manuscrites sur son bureau et retire ses lunettes. Il semble très touché, mais se ressaisit aussitôt en voyant les deux grosses larmes qui roulent sur mes joues.

— C'est particulièrement émouvant, reconnaît-il. Désirez-vous être seule un instant ?

— Non, ça ira, dis-je en chassant mes larmes d'un revers de la main. Je me laisse un peu trop submerger par mes émotions.

— Il serait inhumain de ne pas réagir.

— Qu'a-t-il donc pu se passer de si terrible ? Pourquoi Rose tenait-elle tant à ce que je découvre ce passé ?

— J'ignore réellement pourquoi vous n'avez pas pu grandir auprès de votre famille biologique. En revanche, concernant les motivations de M^me Garnier…

Je l'interroge du regard.

— Êtes-vous heureuse ? Elle pose la question, dans sa lettre.

J'ouvre la bouche pour lui répondre de se mêler de ses affaires, puis me ravise. Il n'y est pour rien, le pauvre, après tout. Face à mon silence, le notaire reprend :

— Veuillez pardonner ma question abrupte, mais votre grand-mère était une femme cultivée. Elle a pu entendre parler de ces enfants adoptés qui, une fois adultes, ont du mal à avancer dans la vie parce que des liens invisibles les en empêchent. Elle aura supposé que c'était peut-être votre cas et aura souhaité que vous puissiez accéder à la vérité. Ce n'est qu'une hypothèse, bien sûr, mais c'est ce qui me paraît le plus logique.

J'approuve, avec toutefois une once d'hésitation. Voyant que je ne compte pas en dire davantage, le notaire propose :

— Voulez-vous que nous nous rendions dans votre maison ? Elle n'est pas très loin d'ici, ajoute-t-il avec un sourire amusé.

Pendant que le notaire récupère les clés qui lui ont été confiées, je descends dans la rue. Les boutiques sont désormais toutes ouvertes et les gens se saluent entre eux, portant journaux, pains et sacs de courses à la main. Personne ne semble faire attention à moi et je décide de flâner devant la vitrine du fleuriste, à côté de l'étude du notaire. Frédérick Chalus ne tarde pas à me rejoindre. Je lui confesse aussitôt :

— Je me sens vraiment comme une étrangère ici.

— Je veux bien vous présenter aux mille deux cents habitants, mais cela risque de prendre un peu de temps. On y va ?

Le notaire se déplace de quatre pas, de façon à dépasser la boutique du fleuriste, se plante face à moi et m'annonce fièrement que nous sommes arrivés. Très surprise, je contemple l'imposante maison qui se dresse à présent devant moi, séparée du magasin de fleurs par une ruelle. La bâtisse est construite sur trois étages. La façade est faite de pierres blanches, rehaussée par une grande vitrine aux petits carreaux. Juste au-dessus, un large balcon à la balustrade en fer forgé domine la rue. Le toit mansardé, lui, est percé d'au moins cinq petites fenêtres. Je ne peux que pousser un cri d'admiration.

— Je pense que c'est l'une des maisons les plus remarquables du village, reconnaît le notaire. Cela fait trente-cinq ans qu'elle est inhabitée, mais votre grand-mère y a entreposé pas mal de choses.

— Elle est inhabitée depuis 1980, alors ? J'ai cru comprendre que Rose Garnier n'y vivait plus depuis cinquante ans…

— Elle non, mais sa mère en est restée la propriétaire jusqu'à sa mort. Et si nous entrions plutôt que de parler de l'histoire de votre famille sur le trottoir ?

J'acquiesce et le notaire ouvre la porte d'entrée, à côté de la vitrine. Malgré le lourd rideau qui recouvre les vitres, le soleil pénètre instantanément dans ce qui fut un commerce de vêtements, éclairant de sa lumière naturelle le vaste rez-de-chaussée qui a jadis attiré bon nombre de clientes soucieuses de copier les dernières modes de Paris, en achetant tissus, gants et autres chapeaux, ainsi que le notaire me l'apprend. Tandis que je me dirige vers le milieu de la pièce, maître Chalus déverrouille déjà la porte située à l'opposé de la vitrine et qui donne sur une petite cour. En voyant le jour pénétrer complètement dans l'ancienne boutique, je sens soudainement le sang affluer à mes tempes… non, c'est incroyable ! Ce carrelage, si typique de la première moitié du vingtième siècle, cette grande pièce vide… On dirait bien que le cauchemar qui me hante depuis des années est en train de se matérialiser pour de bon!

— Vous êtes pâle, s'inquiète le notaire. Si vous avez besoin de vous reposer, je peux vous raccompagner à l'auberge…

— Non! C'est juste que j'ai la sensation de connaître cette maison. C'est compliqué à expliquer, mais…

Debout, au milieu de la pièce dans laquelle s'entassent quelques cartons, je comprends que la clé de mes nuits agitées se trouve ici, dans cette bâtisse. Je fais quelques pas et observe tout autour de moi; outre les cartons qui contiennent certainement des vieilleries, je vois un ancien comptoir en bois au fond de la pièce. À ma droite se trouve une porte qui, je pourrais presque en jurer, s'ouvre sur un escalier. Je suis vraiment tentée de le vérifier, mais, prise d'effroi à l'idée de tout ce que cela impliquerait si j'ai raison, je préfère m'en abstenir. Je me dirige vers le comptoir et pivote, de façon à contempler l'ancien magasin sous un angle différent. Je remarque une cheminée qui n'a probablement pas servi depuis des années. Sur son manteau, une boîte décorative rectangulaire et peu profonde attire mon œil. Oubliant momentanément la présence du notaire, je fais quelques pas en direction de la cheminée afin d'examiner la boîte de plus près. L'objet est en marbre blanc, décoré de fleurs exotiques peintes dans différents tons de bleu et incrustées de pierres. Je lâche un petit cri de surprise en constatant que la boîte est plutôt lourde.

— C'est un objet absolument magnifique, siffle le notaire en s'approchant de moi. Et certainement précieux.

— Il semble y avoir quelque chose à l'intérieur…

Je suis évidemment curieuse d'en découvrir le contenu, mais je résiste et préfère emporter la boîte à l'auberge avec moi, afin de mieux l'étudier. L'objet n'a sans doute pas été laissé là au hasard, alors que tout est soigneusement rangé dans des cartons.

— Voulez-vous visiter le reste de la maison ? interroge le notaire. Comme vous le constaterez, la cuisine se trouve dans une dépendance, à l'extérieur.

Je secoue négativement la tête.

— Je préférerais revenir plus tard, seule. Ce n'est pas contre vous, bien sûr, mais j'ai besoin de solitude.

— Bien sûr, je le comprends.

— À moins que vous n'ayez encore besoin de moi, je pense que je vais rentrer à l'auberge pour manger un morceau et me reposer un peu.

— Nous avons réglé ce qui devait l'être. Je reste à votre entière disposition si vous avez besoin de moi, ainsi que l'a mentionné votre grand-mère. Je dois vous avouer que votre histoire attise particulièrement ma curiosité.

Je le remercie pour son aide.

— Et s'il vous plaît, appelez-moi Frédérick. Je pense que nous serons amenés à nous revoir régulièrement. D'ailleurs, ma femme m'a demandé de vous inviter à manger avec nous, ce soir.

Il m'indique qu'il habite sur la place du champ de foire, que j'ai découverte quelques heures plus tôt.

— Nous vivons à côté du bar le plus fréquenté le soir. C'est une maison basse, en pierres, avec des jardinières aux fenêtres, vous ne pourrez pas la rater. Nous vous attendons pour vingt heures?

...

Je téléphone à mes parents afin de leur relater la drôle de tournure qu'ont prise les événements au cours de la matinée. Ma mère est complètement sidérée.

— Je regrette de ne pas être à tes côtés, ma chérie. J'ai l'impression que tu es tombée dans un sacré piège, à ne pas pouvoir te débarrasser de cette maison avant de connaître ton histoire!

— Je me serais bien passée de tout ce cirque, c'est certain. Je ne sais même pas ce que je dois faire au juste, ni par où commencer. Je me demande pourquoi je n'ai pas tout simplement renoncé à mes droits de succession, comme la logique l'aurait voulu!

Papa me demande ce que j'ai l'intention de faire de cette maison, une fois le mystère de mes origines résolu.

— Je n'en ai pas la moindre idée. Pour l'instant, la seule idée qui me vient est de la vendre. A priori, ce ne sera pas pour tout de suite. Ça m'apprendra à être curieuse.

J'appellerai Tristan plus tard, avant d'aller souper chez le notaire. Je grignote à l'auberge. Évelyne tente de me tirer les vers du nez en me servant une copieuse salade de chèvre chaude, mais je parviens à éluder ses questions, grâce à deux autres clients qui arrivent pour déjeuner. La gérante les connaît et converse joyeusement avec eux. Mon dîner avalé, je remonte dans ma chambre. Je serais franchement tentée de faire une bonne sieste, mais la boîte en marbre blanc que j'ai posée sur la table de chevet ne cesse d'attirer mon regard. Je m'adosse contre les oreillers et prends précautionneusement l'objet sur mes genoux. J'en caresse les contours délicats avant de me décider enfin à l'ouvrir. Quels mystères renferme-t-elle ? L'intérieur, tapissé de velours bleu, contient une liasse de feuilles de papier pliées en deux et maintenues par une cordelette. Je défais le lien qui retient les feuilles et m'empare de la première, lâchant un hoquet de surprise.

*« Lola,*

*Tu viens de découvrir ce premier objet que je t'ai laissé. Je me suis dit qu'en disposant ma précieuse boîte sur le manteau de la cheminée, tu la remarquerais immédiatement lors de ta première visite. Cette boîte est chère à mon cœur et je te demande d'en prendre le plus grand soin. Tu découvriras plus tard pourquoi je l'affectionne tant.*

*Cette boîte contient la première partie de notre histoire. J'ai longtemps tenu des journaux intimes, gardé lettres et coupures de presse avec autant de soin que je l'ai pu. Je sais que cela ne se fait plus de nos jours, où l'intimité consiste à exposer tout ce que l'on peut sur Internet, mais le fait d'écrire m'a toujours apaisée lorsque je me trouvais en proie à mes démons. Sans le savoir, c'est l'histoire de notre famille que j'ai écrite.*

*J'ai pensé brûler ces journaux et te laisser des lettres afin que tu puisses tout reconstituer. Finalement, je me suis dit que rien ne valait des documents originaux, même si je ne suis pas fière de tout ce que j'ai pu faire. Pour trouver ces journaux, qui sont datés, ainsi que tout ce qui te sera utile, tu devras fouiller la maison, ouvrir chaque carton. N'oublie pas que mon amie Béatrice ainsi que Frédérick pourront t'aider. D'ailleurs, ces archives constitueront certainement un petit trésor historique pour notre notaire, qui se passionne tant pour le village et son histoire. Je t'autorise à les lui transmettre, je sais qu'il en fera bon usage. Lorsque tu auras lu la toute dernière page du dernier carnet, épuisé les coupures de journaux, regardé avec attention chaque photo, alors tu sauras presque tout de tes origines et tu pourras disposer de la maison comme bon te semblera.*

*Mais pour commencer, je dois te relater ce qu'a été notre histoire bien avant ma naissance. Car, à l'origine de nos vies, bien plus que mon père, il y a eu ma mère... »*

5.

*Louise, 1910.*

Ce matin-là, Louise était particulièrement enjouée, et pour cause : aujourd'hui, elle n'allait pas à l'école, mais elle accompagnait le père au marché. Elle pourrait le voir vendre volailles, œufs et fromages, observer attentivement les négociations de certains villageois. Elle savait que son père ne cédait jamais, elle pensait néanmoins qu'il se trompait en ne proposant pas de remise. Il suffisait pourtant d'un rien pour qu'un client satisfait le fasse savoir aux autres.

Louise, dix ans, quitta sa paillasse couverte d'une confortable couette en plumes d'oie. Elle se glissa hors de l'édredon, réprimant un frisson de froid. Son plus jeune frère, avec qui elle partageait la paillasse, dormait à poings fermés. Jacques n'avait pas encore l'âge d'aller sur les marchés et ce matin-là, à cinq heures, il ronflait comme un bienheureux, à l'instar de leur sœur aînée, Henriette, qui irait aider leur mère au lavoir.

Louise haïssait le lavoir ; il fallait frotter le linge, le disposer dans une grande cuve en bois posée sur un cuvier. On plaçait des morceaux de bois en croix par-dessus de la cendre, dans un vieux drap. Ensuite, pour que le linge sente si bon, la mère ajoutait des brins de laurier. Il fallait faire bouillir l'eau, remplir la cuve, la vider, recommencer encore et encore. Louise préférait nettement les activités commerciales du père aux questions domestiques, pour lesquelles elle ne ressentait aucune inclination. La maîtresse avait d'ailleurs dit au père que Louise avait l'intelligence des chiffres et qu'elle pourrait faire quelque chose d'autre de sa vie que de s'épuiser dans une ferme. Par chance, le père avait des idées modernes et était donc décidé à emmener sa cadette avec lui afin de vérifier les dires de l'institutrice.

La fillette se dirigea vers le broc et la cuvette pour se laver le plus rapidement possible. Elle détestait faire sa toilette à l'eau froide, lors de ces matinées glaciales où l'on grelottait déjà en étant sec. Elle enfila ensuite sa robe longue en laine épaisse et son châle, avant d'aller s'asseoir sur le banc contre la table de la cuisine. La mère lui tendit une assiette de soupe de légumes, accompagnée d'une tranche de pain grillée et d'un morceau de fromage. Louise n'en laissa pas une miette, et une fois son assiette débarrassée, elle chaussa ses sabots garnis de paille et se couvrit la tête de sa coiffe qui lui enveloppait les cheveux et le cou. Fin prête, elle courut rejoindre le père, qui avait déjà attelé la carriole, chargée des denrées à vendre ce matin-là sur le marché du village, situé à huit kilomètres de leur petite ferme.

...

Le père n'était pas un homme démonstratif, mais sous ses airs bourrus, il était aimant et soucieux de l'avenir de sa famille. Henri souhaitait le meilleur pour ses enfants et s'acharnait au travail afin qu'ils ne manquent de rien. À son plus grand désespoir, l'aînée semblait ne pas voir plus loin que le bout de son nez et paraissait ravie à l'idée de se marier lorsque le moment serait venu, d'ici deux ou trois ans. Henriette reproduisait avec passion les gestes de la mère, qu'il s'agisse de laver le linge, de le repriser, de cuisiner, de balayer le sol. Au moins, se disait-il souvent, à ne penser à rien d'autre qu'à son foyer, elle ne devrait pas avoir une vie malheureuse. Jacques, lui, du haut de ses cinq ans, était encore trop jeune pour qu'on sache quel chemin il allait prendre; c'était un petit garçon plein d'espièglerie, pas plus intelligent que la moyenne, mais il se situait dans les normes et communiquait toujours sa joie de vivre. Henri voyait bien que Louise, en revanche, était une gamine prometteuse. L'institutrice s'était déplacée jusqu'à la ferme spécialement pour leur parler des aptitudes de la gamine, surtout en ce qui concernait les chiffres et la logique. Sans parler de son répondant! La maîtresse avait insisté en disant qu'il serait vraiment dommage de la marier à un garçon de ferme. Elle était d'avis de lui faire passer son certificat d'études, puis de l'encourager à devenir institutrice, à Aubéry ou dans une ville plus grande.

Une fois la maîtresse d'école partie, Henri avait demandé à Louise ce qu'elle voulait faire plus tard. La gamine avait lâché, le plus naturellement du monde :

— Je veux être riche, papa!

— Et comment tu comptes le devenir ?

— Je pourrais vendre des choses, mais pas sur le marché, comme toi.

— Tu veux travailler dans le commerce pour devenir riche ?

— Bah oui, comment je ferais autrement ?

— Tu pourrais te marier avec quelqu'un qui a déjà beaucoup d'argent, par exemple.

— Non, merci. Mon argent, il sera à moi parce que je l'aurai gagné.

Bien sûr, la fillette ignorait totalement que la femme était la propriété soit de son père, soit de son mari, ne pouvant prendre de décisions sans en référer à son tuteur légal. Mais elle avait de l'ambition et de l'intelligence, qu'il aurait été dommage de gâcher en faisant d'elle un double de sa mère et de sa sœur. C'est ainsi qu'il avait décidé de l'emmener avec lui au marché qui se tenait chaque samedi matin sur la place du village d'Aubéry.

...

Il était presque dix heures et le soleil était haut dans le ciel. Louise avait chaud dans sa robe en laine à présent, mais pour rien au monde elle s'en serait plainte. Les odeurs se mêlaient les unes aux autres sur la vieille place qui accueillait des relents de basse-cour, avec des poules et des coqs surexcités qui couraient dans tous les sens, des effluves de fromages de chèvre, de poissons et de saucissons. Ici, les marchands comme les chalands étaient habitués à ces odeurs qui ne dérangeaient plus personne depuis bien longtemps.

L'église sonna dix coups. Louise tourna la tête vers l'édifice religieux qui venait juste d'être bâti, après que l'ancien s'était partiellement effondré. On aurait dit un château, comparé à la vieille église qui tenait surtout de la chapelle, avec ses murs arrondis comme des tourelles. La nouvelle se dressait, fière, sur la place du marché, à côté de l'hôtel qui accueillait les voyageurs arrivant par le train. Le son du clocher ne parvint pas à couvrir le caquètement incessant des bêtes et des gens. Le marché se déroulait toujours dans une joyeuse cacophonie. Louise interrompit sa contemplation et descendit de la charrette pleine de foin sur laquelle elle s'était juchée. Elle avait conscience de se conduire comme un garçon, avec ses cascades, mais puisqu'elle était agile, pourquoi s'en serait-elle privée ? Et puis la mère n'était pas là pour la reprendre sur ses manières, il fallait bien en profiter un peu. La fillette chassa à l'aide de ses mains des brins de paille accrochés à sa robe et se dirigea vers le père, en pleine transaction de volaille. Elle ne vit pas qu'il l'observait du coin de l'œil et la testait, mais elle l'entendit parfaitement se tromper en annonçant le prix des six poules qu'il était en train de vendre. Louise intervint, ne pouvant s'empêcher de rectifier l'erreur commise par son père. Il l'encouragea d'un sourire et elle prit l'initiative de proposer un prix pour le lot.

Ce fut à cet instant précis qu'Henri se rendit compte de la situation que pourrait se faire Louise, à l'avenir.

# 6.

*1919.*

Louise s'étira longuement en se réveillant, par cette chaude matinée du 5 juillet. Henriette devait passer à la ferme avec son époux, puis ils se rendraient ensuite au village, où ils dégusteraient une glace au café du Bourg.

Ces dernières années, la jeune femme avait vu tous ses rêves et ambitions partir en fumée avec cette fichue guerre qui avait mis l'Europe à feu et à sang. Cette guerre qui avait tué le père. Avant de partir pour le champ de bataille, il avait pris Louise à part.

— Ma fille, tu es plus intelligente que ta sœur et ton frère réunis, mais ne va pas leur répéter. Tu as ce qu'il faut dans ta tête pour te sortir d'ici quand le moment sera venu. Je dois partir faire la guerre, je vais prendre part à un conflit qui nous dépasse tous. Je compte sur toi pour continuer à vendre nos produits sur le marché. Prends soin de ta mère comme il faut, maintenant que la Henriette est partie avec un mari. Surtout, fais quelque chose de ta vie. Quand je reviendrai, je veux que tu aies utilisé ta tête autrement que pour te dénicher un garçon de ferme.

Malheureusement, le père n'était jamais revenu. Alors que tout le monde pensait que la guerre ne durerait que quelques mois, le conflit s'était éternisé sur plusieurs années, l'Empire allemand refusant de capituler si facilement. Henri n'avait pas eu l'occasion d'en voir l'aboutissement ; par un triste et brumeux matin d'octobre 1916, il était tombé à Verdun. Malgré la détresse et le désarroi dans lesquels était plongée sa veuve depuis la terrible annonce, Louise pensait qu'il n'était peut-être pas plus mal que son père soit mort au front ; elle avait entendu des rumeurs sur ces soldats rentrés chez eux à moitié fous. Qu'auraient-ils fait, eux, dans ce cas-là, si Henri leur était revenu avec l'air hagard et hanté de ces survivants ?

La mère n'était plus que l'ombre d'elle-même, réalisant machinalement les tâches quotidiennes, le dos courbé par les responsabilités, le chagrin et le dur labeur. Pendant la guerre, c'était elle qui avait organisé le travail aux champs, avec toute la main-d'œuvre alors disponible : femmes, enfants et vieillards. À l'annonce de la mort du père, elle avait été si anéantie qu'elle avait gardé le lit des jours durant. Toute la cruauté de la mort se manifestait dans le chagrin de ceux qui restaient et ne pensaient plus qu'à l'être qui manquerait désormais à leur vie. Louise avait repris en mains la bonne marche de la ferme, mettant à l'ouvrage Jacques, qui ne pensait déjà qu'aux filles. Il n'était pas bête, mais il fallait le pousser pour en tirer quelque chose. La jeune femme suivait au moins en partie la volonté de son père, en vendant sur le marché les produits fermiers. C'était un travail harassant, elle avait dû arrêter l'école après son certificat d'études et elle avait bien conscience que jamais plus elle n'aurait l'occasion de devenir institutrice. Le mariage était par ailleurs la dernière de ses pensées ; quel homme aurait voulu d'une femme qui travaillait plus dur que lui afin de subvenir aux besoins d'une maisonnée ? Pourtant, se prenait-elle parfois à penser, si elle dénichait un mari courageux… Puis elle secouait la tête pour chasser ces idées. Elle ne voulait pas d'un mari paysan. Pas question de finir comme sa mère, dont la seule ambition était de s'occuper de la maison. Peut-être qu'avec un peu d'argent de côté, elle pourrait laisser la mère avec Jacques puis partir s'installer à Aubéry pour y trouver un emploi.

Louise soupira en songeant que les moissons arrivaient, qu'on allait à nouveau sortir la grande faucille et les faux, afin de faucher, battre et lier les gerbes de blé. C'était un labeur qu'elle exécrait, elle sentait bien que sa vie n'était pas ici. La mère avait fortement désapprouvé lorsque Fanny, la seule amie que Louise avait conservée de ses années d'école, lui avait rapporté de Paris des revues illustrées dévoilant les dernières toilettes à la mode. Louise s'était montrée fascinée en feuilletant les pages et avait demandé à apprendre la couture. Mais le travail à la ferme devait rester une priorité. Elle se surprenait parfois à envier Fanny, qui avait toujours vécu dans une charmante maison du village et avait eu la chance de rencontrer un médecin, qui l'avait épousée aussitôt et l'emmenait souvent avec lui lors de ses divers déplacements. Louise sentait que l'aigreur la guettait, à rester coincée dans ce trou, à gérer une ferme dont elle ne voulait pas. Oui, ses rêves de petite fille étaient bien loin, désormais…

...

— Henriette, mais te voilà à nouveau grosse!

Louise admira le léger renflement sous la robe de sa sœur, qui attendait son quatrième enfant. Henriette s'était mariée en 1913, à l'âge de seize ans, avec le fils des fermiers du hameau voisin. Le premier bébé était arrivé si vite que l'on s'était demandé s'il n'avait pas été conçu avant le mariage, ce qui n'aurait rien eu d'exceptionnel, même si cela était contraire à la morale. Un autre enfant avait suivi l'année suivante. Puis la guerre était arrivée, Jean avait dû partir pour le front. Le troisième garçon avait été conçu lors d'une permission. Contrairement à de nombreux gars, Jean était revenu de la guerre sans une seule blessure à déplorer. Il n'était pas devenu fou, mais Louise avait pu constater que son regard auparavant rieur et malicieux était désormais plus grave, parfois bien loin du moment présent.

— Oui, s'emporta joyeusement Henriette, me voici encore engrossée! D'au moins quatre mois! Peut-être que ce sera une fille, cette fois-ci. Où est maman? Nous avons une autre nouvelle à vous annoncer; Jean a apporté une bouteille et j'ai fait une tarte.

Les jeunes gens se dirigèrent gaiement vers la maison et pénétrèrent dans la cuisine. La mère, qui y épluchait des légumes, leva à peine la tête en constatant que ses petits-enfants n'étaient pas présents.

— Nous avons quelque chose à vous apprendre avant d'emmener Louise au village, se justifia Jean.

— Si c'est pour me dire qu'Henriette est à nouveau grosse, je m'en étais déjà rendu compte, va!

— Mais non, maman! s'exclama l'intéressée en prenant place sur le banc. Enfin, oui, je suis enceinte, mais ce n'est pas le sujet dont nous voulions t'entretenir.

La jeune femme relégua d'autorité les légumes sur un coin de la table, tandis que Louise sortit verres et assiettes avant de s'asseoir avec sa famille. Jean prit à nouveau la parole pour annoncer qu'ils allaient partir s'installer dans une ferme de la Creuse, où ils avaient pu faire une bonne affaire.

— Partir… souffla la mère en devenant blême. Je ne verrai plus les petits? Et Gaston, qui ressemble tant à son grand-père!

Henriette lui assura qu'elle lui écrirait toutes les semaines et qu'elle pourrait leur rendre visite aussi souvent qu'elle le souhaiterait. La mère gardait malgré tout les yeux baissés vers son assiette, sans manger.

— Allez, ne soyez pas contrariée, reprit Jean. La ferme de mes parents ne vaut plus rien, nous aurions eu tort de la garder.

— Et si je vous vendais celle-ci? bondit la mère, le visage furtivement illuminé par l'espoir.

Henriette et Jean échangèrent un bref regard. La jeune femme répondit, un peu gênée:

— C'est qu'il n'y aurait pas assez de place pour tous nous loger.

— Alors c'est décidé, n'est-ce pas?

...

— Vous auriez pu la ménager, reprocha un peu plus tard Louise à sa sœur et à son beau-frère, tandis qu'ils cheminaient vers le village.

Les deux jeunes femmes se tenaient côte à côte dans la charrette, protégées par leurs ombrelles. Jean, assis à l'avant, dirigeait la jument. Henriette répondit, tout en caressant son ventre arrondi :

— Louise, toi qui es forte en calculs, tu as bien conscience que nous ne pouvons pas passer à côté d'une telle affaire !

— Mais enfin, vous êtes égoïstes ! explosa cette dernière. Qui s'occupera de la mère pendant que vous serez au fin fond de la Creuse ? Moi, toujours moi ! Et si moi aussi j'avais envie de partir ? Eh bien, vous seriez les premiers à me reprocher de l'abandonner !

— Ce n'est pas pareil, tempéra sa sœur. Tu n'es pas mariée, ta place est donc aux côtés de la mère. Si tu te déniches un mari, évidemment, ce sera différent.

Louise émit un rire d'amertume.

— Tu veux que je te dise, Henriette ? Le père avait placé tous ses espoirs en moi. Et finalement, je me retrouve coincée là, à devoir tout gérer. J'ai dix-neuf ans, les prétendants ne vont plus se bousculer longtemps.

— Si tu avais bien voulu faire comme tout le monde, aussi… Mais non, tu te considères au-dessus des travaux ménagers et des champs, rien ne compte plus pour toi que ces revues de mode et l'idée de te sortir de la ferme !

Jean, qui écoutait sans en avoir l'air la conversation houleuse entre les deux sœurs, toussota et les interrompit :

— Avant d'aller au café du Bourg, je souhaite rendre visite à un ami. C'est un ancien camarade de classe et il est revenu lui aussi de la guerre. Son père a eu moins de chance que lui, il est mort dès le début des combats. Il a laissé une petite somme d'argent à Martin, qui vient de racheter une affaire au village. Il vend des chapeaux, des gants, enfin vous voyez.

— Et alors? railla Henriette. Tu veux t'acheter un chapeau, peut-être?

— Non, répondit Jean sur un ton sérieux. Mais je pense qu'il est temps que ta sœur se dégote un mari. Et il se trouve que Martin est célibataire.

— Tu plaisantes? fit Louise, interloquée, en se redressant sous l'effet de la surprise. Tu me dis qu'il a fait un héritage, ouvert un magasin, et il serait célibataire? Il a quelque chose qui cloche?

— À la guerre, il a été en partie estropié par un obus. Une de ses jambes a été gravement brûlée. Il boitera à vie et sa peau n'est pas belle à voir dans l'intimité.

Un lourd silence tomba dans la charrette. Au bout de quelques instants, Louise interrogea d'une toute petite voix:

— Il a quel âge?
— Vingt-six ans.

...

Après avoir laissé le cheval et l'attelage près de la place du marché, les jeunes gens se dirigèrent vers la grande rue. Ils traversèrent la place pour arriver devant le magasin tenu par Martin, sur lequel était peint en lettres foncées: «Gestin Confection». Un banc en fer était placé contre la devanture. L'homme assis dessus se leva en les avisant, dépliant son mètre quatre-vingt-seize à l'approche des visiteurs.

— Jean, mon Jeannot ! Quelle surprise ! s'exclama-t-il.

— J'emmène ces dames manger une glace pour se rafraîchir, alors c'était l'occasion de venir voir comment marche ta boutique. Je te présente ma femme, Henriette, et sa ravissante sœur, Louise.

Cette dernière tendit la main au jeune homme blond qui s'appuyait sur une canne. Malgré le côté arrangé de la rencontre, elle ne put s'empêcher de lui trouver un certain charme, conféré en partie par ses intenses yeux bleu marine. Elle avait l'habitude de côtoyer des hommes au teint buriné par le travail dans les champs et s'étonna de trouver Martin si pâle qu'il en paraissait presque irréel. *On dirait un ange*, pensa-t-elle. Un ange de haute taille et de morphologie assez fine. Tandis qu'il lui serrait la main, Louise nota qu'il émanait de lui une certaine fragilité. Si Jean avait espéré les marier, il faisait certainement fausse route. La jeune femme était petite et avait développé une certaine musculature depuis qu'elle dirigeait la ferme. Sous ses boucles chocolat et son visage animé d'yeux ambrés, on devinait une force de caractère évidente. Nul doute qu'aucun couple ne serait plus mal assorti ! Martin lui rendit son sourire et leur proposa d'entrer afin de visiter le magasin. La porte tintinnabula de façon agréable sur leur passage.

— Je viens juste de refaire les sols, déclara-t-il. J'ai tenté de coller à la mode du moment, c'est toujours attrayant.

Louise s'exclama d'enthousiasme en remarquant le sol recouvert de carreaux en ciment à motifs géométriques, tant prisés alors. Elle avait entendu dire par Fanny qu'un mouvement confidentiel naissait dans certains quartiers de Paris. Les gens avaient besoin de s'amuser. Les femmes coupaient leurs cheveux à la garçonne, on dansait, fumait, buvait, riait, vivait pour l'art sans se soucier du lendemain. Louise n'était pas attirée par cette vie de débauchés, par les gens tapageurs ou vulgaires, mais elle ne pouvait s'empêcher d'admirer les dernières modes en matière d'habillement et de décoration intérieure. Elle avait entendu parler de cette Coco Chanel qui avait ouvert une grande maison de couture et cela la laissait complètement rêveuse.

Tandis que Jean et Martin conversaient, Louise prit Henriette par la main.

— Regarde comme ces présentoirs sont tristes! Cela ne parle qu'aux hommes. Des chapeaux, des gants, des écharpes… qui en a besoin, en plein été?

— Ses affaires semblent pourtant bien démarrer, chuchota Henriette tout en jetant des regards inquiets autour d'elles.

Les deux hommes se rapprochèrent des sœurs. Jean demanda ce qu'elles pensaient du magasin.

— C'est bien, c'est très bien, lança Henriette, dési-reuse de donner une opinion qu'elle n'avait pas.

— Et vous? murmura Martin en s'approchant len-tement de Louise.

La jeune femme pivota vers lui et le fixa avec intensité.

— Me permettez-vous d'être franche, monsieur?

Il opina du chef et Louise poursuivit:

— Je pense que les hommes trouveront ici tout le nécessaire pour compléter leurs tenues.

— C'est bien là le but.

Henriette envoya un coup de coude à sa sœur pour tenter de la faire taire, mais cette dernière continua sur sa lancée :

— Le problème, cher monsieur, c'est que cette boutique n'est pas bien joyeuse. Je vois que vous avez fait un effort de décoration, avec ce beau carrelage à la dernière mode. En parlant de mode, justement, avez-vous eu vent de ce qui se passe à Paris ? Les gens ont envie de s'amuser, ils veulent de la frivolité après l'austérité. C'est précisément la touche qu'il manque ici.

— Louise, tu vas trop loin, intervint Jean, gêné et dansant d'un pied sur l'autre.

— Pas du tout, répondit Martin en souriant légèrement. Continuez, mademoiselle, je vous en prie.

— Vous voulez que votre boutique vous rapporte de l'argent, monsieur ? Eh bien, proposez des frivolités que vous ferez passer pour utiles ! Vous avez un tailleur, situé juste en face de votre magasin. Vous pourriez travailler avec lui ; faire venir des tissus afin de copier les dernières modes de Paris. Vous les vendriez à vos clients, qui iraient faire tailler leurs vêtements en face. Ce serait rentable pour vous deux.

— Mais ce serait trop cher pour eux, objecta Martin.

— J'ai bien dit qu'il s'agirait de *copier* les modes. En vendant du tissu bon marché. Personne ne propose cela aux alentours. À la ville, certainement, mais pas ici. En attirant une clientèle plus féminine, vous gagneriez certainement mieux votre pain.

À présent, tout le monde la regardait. Henriette présenta ses excuses à Martin, en précisant que Louise avait dû prendre un coup de chaud.

— Non, c'est très intéressant, au contraire, l'interrompit Martin d'une voix douce mais ferme, avant de se retourner vers Louise. Mademoiselle, vous ne pouvez pas avoir pensé à tout cela en seulement cinq minutes, quand même ?

— Eh bien, je… Depuis que j'ai découvert des revues de mode, j'ai réfléchi à ce qui manquait au village.

— Ma boutique pourrait élargir ses services, en effet, fit Martin, songeur, en se frottant le menton. Je vais y réfléchir, je vous le promets. J'ai beaucoup de place, la maison est vaste, suffisamment pour que je puisse constituer une réserve de tissus. Jean m'a dit que vous deviez aller manger une glace. Laissez-moi fermer ma boutique pour quelques minutes et, si vous le permettez, je me joindrai volontiers à vous.

...

Les quatre comparses se dirigeaient à présent vers le café du Bourg. Maintenant que la guerre était terminée, il faisait bon se retrouver dans ce charmant endroit pour y deviser et y passer des moments conviviaux. Une tonnelle recouverte de roses violacées, dont les branches s'entrelaçaient de façon esthétique, entourait le chemin de pierre qui menait à l'entrée du café.

— Ne trouvez-vous pas cet endroit romantique ? souffla Martin à Louise, qui se sentit rougir tout en repliant son ombrelle.

— Romantique, je ne sais pas, mais très agréable du moins, répondit-elle en entrant à la suite de sa sœur.

Tandis que Louise et Henriette dégustaient de savoureuses crèmes glacées, Martin et Jean discutaient, abordant des sujets politiques. Louise avait espéré que le propriétaire de la boutique l'avait prise au sérieux, aussi se sentit-elle un peu désabusée de ne plus pouvoir bavarder avec lui, subissant avec ennui les babillages incessants de sa sœur concernant les ragots du village. Lorsqu'il fut l'heure de partir, la situation n'avait guère évolué et Louise se dit avec amertume qu'une nouvelle fois, elle devrait rentrer à la ferme et jongler entre moissons, élevages et ventes sur le marché.

Martin salua Henriette et Jean puis se tourna subitement vers Louise :

— Pourrais-je vous revoir ? J'ai été agréablement surpris par vos idées. J'aimerais beaucoup que nous puissions en discuter plus sérieusement.

Louise arrondit les yeux.

— Vous m'en voyez honorée. Je serai sur le marché samedi prochain pour y vendre les produits de la ferme. Peut-être aurez-vous l'occasion de passer par là ?

— L'occasion, il faut savoir la créer, et je n'y manquerai pas.

...

Le samedi suivant, Louise guettait fébrilement chaque nouvel arrivant sur le marché. Il était neuf heures et la matinée risquait d'être longue si Martin ne se décidait finalement pas à apparaître.

Toute la semaine, la jeune femme avait pensé, exaltée, au propriétaire de la boutique. Il ne s'agissait pas de pensées amoureuses, bien qu'elle devait admettre qu'il ne la laissait pas physiquement indifférente. Elle était bien consciente que Martin était bien trop raffiné pour former un couple avec elle. Elle se savait jolie mais parfois trop rustre, avec ses manières de paysanne. En revanche, s'il était prêt à accepter ses suggestions afin d'améliorer sa boutique, il pourrait peut-être lui proposer un emploi, ce qui lui permettrait de tirer un trait définitif sur la ferme. Louise avait passé de longues heures à se demander ce qu'il adviendrait de la mère si elle avait l'occasion de partir. Jacques était tout à fait capable de gérer la ferme, malgré son côté poltron, mais voudrait-il s'encombrer d'une femme rongée par le deuil ? Ou bien Louise devrait-elle emmener leur mère avec elle ?

Elle en était toujours là de ses réflexions, fébrile, tandis qu'elle vendait œufs, volailles et fromages. Les villageois passaient un à un, lui demandant des nouvelles de la famille, parlant de la guerre et ajoutant que c'était bien dommage qu'Henri n'en soit pas revenu, mais qu'enfin, c'était la vie. Maintenant, il fallait reconstruire ce qui avait été détruit. Louise piétinait, dans l'attente de celui qui occupait toutes ses pensées, faisant semblant d'écouter ce qu'on lui racontait.

Soudain, elle vit une haute silhouette frêle et boitillante se dessiner à l'entrée de la place. Le soleil dardait ses rayons au-dessus de l'homme, lui donnant davantage l'allure d'un ange. Il s'avançait lentement avec sa canne, saluant ses connaissances et prenant le temps de dire un mot à chacune d'entre elles.

— Quel gâchis, le pauvre Martin! soupira une femme âgée, dont Louise venait d'encaisser l'argent pour une douzaine d'œufs. Estropié alors qu'il avait tout pour lui!

— Mais je ne vois pas en quoi c'est un gâchis, répondit lentement Louise. Les filles ne sont quand même pas toutes sottes et ne devraient pas avoir peur de ses blessures.

— Vous ne savez vraiment pas? poursuivit la vieille, sur le ton de la confidence. On dit que sa blessure l'a rendu impuissant. D'autres choses se disent encore, mais… Chut, le voici qui vient vers vous. Ce qu'il est bel homme, tout de même!

Martin salua Louise avec enthousiasme.

— Je suis vraiment très heureux de vous revoir! J'ai longuement pensé à tout ce que vous m'avez dit, et vraiment, je crois que cela pourrait fonctionner ainsi. On pourrait proposer des tissus afin que ces dames se fassent confectionner de nouvelles robes, dans l'air du temps. On pourrait vendre également des bonnets, proposer d'autres choses encore…

— On? demanda malicieusement Louise.

— Il est évident qu'il me faudrait quelqu'un pour m'aider à la boutique. Louise, je ne veux pas parler de cela ici, retrouvez-moi quand vous le pourrez.

— Je crains de ne pas le pouvoir, je suis seule pour gérer tout cela, soupira-t-elle en désignant ses produits d'un vaste geste.

Devant l'air attristé de son interlocuteur, elle concéda:

— Peut-être que vous pourriez venir à la ferme demain, pour le déjeuner ?

Martin acquiesça vivement. Ils discutèrent encore un peu de choses et d'autres, riant et devisant selon les sujets évoqués. Chacun se rendait compte qu'un lien était en train de naître entre eux, une forme de complicité qui les poussa à tout faire pour que cet instant se prolonge quelques minutes de plus.

...

Le sommeil quitta Louise aussi brusquement qu'il l'avait cueillie. La jeune femme n'avait eu de cesse de tourner et retourner ses pensées, en cadence avec son corps qui ne se sentait bien dans aucune position. Sa mère avait bien réagi lorsqu'elle lui avait annoncé qu'elles auraient un convive à leur table pour le dîner dominical ; Louise avait même décelé une vague lueur d'espoir dans son regard. Pourtant, la jeune femme ressentait une forme d'appréhension, sans parvenir à mettre le doigt sur ce qui la rendait si fébrile. L'excitation se mêlait à une sourde angoisse, celle de ne pas faire assez bien. Elle ne cessait de se dire que son avenir dépendait de cette journée et qu'elle devait absolument faire la meilleure impression possible sur Martin, ignorant que cela était déjà le cas. Ces cogitations intérieures l'avaient tenue éveillée durant une bonne partie de la nuit et les premières lueurs de l'aube commençaient à poindre lorsqu'elle avait finalement réussi à s'endormir. La nuit avait été courte, ce qui n'arrangeait pas ses affaires.

...

Le dîner s'était passé sans l'ombre d'un faux pas. Martin était venu avec un gâteau qu'il avait acheté à la pâtisserie et avait été des plus agréables. Il avait beaucoup conversé avec Jacques, l'entretenant sur divers sujets d'actualité et sur le travail à la ferme. Il n'avait pas non plus manqué de flatter la mère de Louise sur la qualité du repas, dont le plat principal était un lapin aux champignons.

Après avoir servi le café, Louise proposa à Martin d'aller cheminer aux alentours de la ferme. La mère avait émis le souhait de se reposer, les fortes chaleurs la fatiguant au plus haut point. Le jeune homme avait réussi à la faire sourire plusieurs fois au cours du repas et Louise avait vu la vie qui revenait peu à peu dans les prunelles de sa mère. Les deux jeunes gens partirent à pied à travers la campagne baignée de soleil. Louise nota la beauté du paysage sous le ciel de juillet : les champs prêts à être moissonnés, les arbres remplis de gros fruits en attente d'être cueillis et dévorés, les tournesols qui avaient fleuri, l'odeur du blé touché par les rayons du soleil… La jeune femme pouvait reconnaître le charme de cette campagne d'un point de vue esthétique, mais y travailler ne lui apportait plus rien d'autre qu'une boule à la gorge, dans laquelle se bloquaient tous les sanglots qu'elle aurait voulu laisser échapper sur son avenir perdu.

— Êtes-vous attachée à cette ferme ? demanda brusquement Martin, comme s'il lisait dans ses pensées.

Louise soupira :

— Regardez-moi bien, est-ce que j'ai l'air de m'y épanouir ?

— C'est bien ce qui me semblait, Louise, répondit-il en envoyant rouler un caillou de sa canne. Je vais être honnête, Jean m'avait parlé de vous. Pardonnez-moi, mais il vous voit déjà comme une vieille fille sacrifiant sa vie.

— C'est charmant, fit-elle en grimaçant.

— Vous avez des capacités intellectuelles qui pourraient vous permettre de vous élever socialement. L'idée vous a-t-elle déjà effleuré l'esprit ? demanda-t-il, le visage plein d'espoir.

— Je ne pense qu'à cela, avoua-t-elle. Quitter la ferme et faire autre chose de ma vie, de plus gratifiant. Mon père y a cru très tôt pour moi. Sauf qu'entre-temps, il est mort à la guerre.

— Le mien aussi…

— Je le sais. Cette saloperie de conflit a laissé un sacré nombre de veuves et d'orphelins ! Ma mère a tendance à se laisser aller, depuis. Toute sa vie, elle s'est reposée sur son mari. Je ne veux pas devenir comme elle.

— Installez-vous au village et prenez-la avec vous. Vous pourriez vendre la ferme et inscrire votre jeune frère au collège. J'ai discuté avec lui ce midi, il me paraît tout à fait apte aux études. Il pourrait lui aussi aspirer à une vie meilleure, croyez-moi.

Louise s'arrêta et considéra Martin un long moment, avant de répondre :

— C'est vrai. Cela pourrait être une solution.

Le jeune homme se remit à marcher, se tordant les mains. Il semblait d'un coup comme embarrassé. Il pivota brusquement vers elle, et débita, comme s'il avait peur de ne pouvoir terminer son discours :

— Louise, je dois vous faire un aveu. Depuis notre première rencontre, j'ai pensé à beaucoup de choses. Vous avez les compétences nécessaires pour réussir votre vie. Moi, j'ai repris cette boutique pour faire quelque chose de mon héritage, et pourtant, force m'est de reconnaître que je n'ai pas le nez très fin en ce qui concerne les affaires, alors que vous avez des idées à revendre. J'aime la mode, mais pour tout vous dire, les chiffres et les calculs m'ennuient. Vous seriez pour la boutique un atout merveilleux si vous consentiez à y apporter votre raisonnement et votre savoir-faire.

Le regard de la jeune femme s'éclaira, avant que son visage ne se ferme à nouveau.

— Où m'installerais-je ? Il me faudrait un logement suffisamment grand pour y vivre avec maman et recevoir Jacques si je l'inscris au collège !

— Vous avez presque vingt ans ; c'est dur à dire, mais dans nos villages, passé un certain âge, les femmes sont vite considérées comme…

— Ne le dites pas, je vous en prie ! Ce serait terriblement…

— Grossier de ma part, je le sais. Pourtant, je ne suis pas mieux placé que vous. J'ai vingt-six ans et je suis toujours seul.

— Puis-je vous demander pourquoi ? fit-elle doucement, tout en triturant nerveusement sa robe. Il se murmure que vous êtes…

— Impuissant?

Il émit un rire sarcastique :

— C'est ce qui se dit, oui. Dès qu'une certaine partie du corps est touchée, on imagine vite bien des choses. Non, Louise, je ne suis absolument pas atteint dans ma virilité. Je n'ai jamais trouvé chaussure à mon pied, c'est tout. Lorsque j'étais plus jeune, je voulais monter à Paris, vivre comme je l'entendais, découvrir les arts, la mode et l'amour. Je suis parti à la guerre à vingt et un ans, pensant avoir encore tout l'avenir devant moi. Et puis j'ai été horriblement brûlé sur toute la jambe. Ma peau est hideuse. Je boite. Je suis très difficile et je ne pourrai jamais épouser une personne dont je serais follement amoureux ; je n'y crois plus.

Louise lui fit remarquer à quel point il paraissait désabusé.

— Je suis seulement réaliste. Louise, vous êtes jolie, vous avez la tête bien faite et je crois savoir que vous n'attendez pas non plus grand-chose des hommes. On ne peut nier ce lien évident qui naît entre nous et je suis sûr que si nous travaillions ensemble, nous réussirions à fonder quelque chose de solide. Ma maison est bien trop vaste pour moi et je suis prêt à y accueillir votre famille.

Il fit une courte pause avant de reprendre :

— Louise, accepteriez-vous de m'épouser ?

La jeune femme resta coite durant de longues secondes. Elle avait pensé que Martin souhaiterait parler des idées qu'elle avait évoquées pour la boutique, éventuellement lui proposer un emploi. Elle n'attendait absolument pas une demande en mariage. Se ressaisissant, elle objecta qu'ils se connaissaient à peine.

— Ne me dites pas que vous n'avez pas ressenti cette complicité entre nous, insista-t-il.

— Certes, mais de là à me parler de mariage…

— Auriez-vous préféré que je vous fasse la cour? demanda-t-il, étonné.

— Oh, mon dieu, non! se récria-t-elle. C'est juste que je ne pensais pas que vous nourrissiez de telles intentions à mon égard, je n'ai pas eu l'impression que vous vous soyez pris de passion amoureuse pour moi. C'est bien un mariage d'affaires que vous me proposez, non?

— Un mariage qui *arrangerait* nos affaires, Louise.

— Vous êtes conscient que je préférerais d'abord mieux vous connaître?

— Espérez-vous tomber éperdument amoureuse de moi, à la longue? railla le jeune homme, qui souriait à cette simple idée.

— Cela, je l'ignore. Je refuse simplement de me marier avec un quasi inconnu. Même si cela pourrait me permettre de quitter la ferme.

— Vous n'agissez pas par impulsion, c'est tout à votre honneur.

— Ce qui ne semble pas être votre cas, plaisanta-t-elle.

Ils cheminèrent encore durant quelques instants dans le silence de la campagne engourdie par la torpeur des lourdes journées d'été. Alors qu'ils retournaient sur leurs pas, Louise lui promit de réfléchir à sa proposition.

— Accordez-moi trois mois pour me décider, annonça-t-elle enfin.

# 7.

*1919-1920.*

Le délai de trois mois de réflexion demandé par Louise s'était écoulé à toute vitesse. Entre les moissons, le bétail à entretenir et le marché, la jeune femme n'avait pas eu le temps de voir défiler l'été, travaillant dur du matin jusqu'au soir. Elle pouvait réfléchir uniquement lorsqu'elle s'accordait une pause à l'ombre d'un noyer pour se désaltérer d'un miget, spécialité à la fois nourrissante et désaltérante qui consistait à tremper du pain dans du vin frais légèrement sucré. Cette collation lui apportait le coup de fouet nécessaire pour reprendre l'ouvrage qu'elle détestait avec tant de ferveur.

Martin venait la voir chaque samedi sur le marché, et parfois il passait à la ferme le dimanche en fin d'après-midi. Louise et lui n'épuisaient jamais les sujets de conversation. La jeune femme aimait s'enquérir des affaires de la boutique et prenait plaisir à le conseiller. Un dimanche, Martin lui avait même apporté son livre de comptes afin qu'elle puisse l'aider à y voir plus clair. La jeune femme s'était acquittée de la tâche en un tournemain. Ces rencontres hebdomadaires avaient scellé leur complicité. Louise était en joie lorsqu'elle le voyait arriver et elle sentait que c'était réciproque, malgré un manque évident de passion amoureuse. Elle ne savait comment interpréter les sentiments du jeune homme et avait peur qu'il ne change d'avis sur ses idées de mariage.

L'été était passé, laissant place à la saison des vendanges. Un matin, une ouvrière qui venait aider régulièrement à la ferme fit irruption dans la cuisine où se trouvait Louise et, essoufflée, lança :

— Louise, viens vite ! C'est ta mère ! Elle s'est effondrée dans le champ !

La jeune femme sortit en trombe, jetant le torchon qu'elle tenait dans ses mains.

— Quelqu'un est allé chercher le docteur ? s'enquit-elle, au fur et à mesure que son inquiétude grandissait.

— Jacques vient de partir au village.

Tout en accélérant le pas, Louise demanda ce qui s'était exactement passé.

— Eh bien, j'étais avec ton frère... pleurnicha l'ouvrière en se tordant les mains dans tous les sens. Oh, Louise, j'ai honte ! Nous avons entendu un cri et trouvé ta mère par terre. Jacques a donné l'alerte avant de partir, elle n'est pas seule.

Elles arrivèrent sur les lieux et Louise n'eut pas besoin d'attendre le docteur pour comprendre que sa mère ne vivait plus. Elle se laissa tomber à genoux, le cœur étreint par une douleur sans nom, à la fois gémissante et incrédule, auprès de celle qui lui avait donné la vie et dont le dernier souffle s'était échappé de ce corps épuisé par le chagrin.

...

La mère fut enterrée en toute discrétion, comme elle avait vécu. Louise reçut le soutien de toutes leurs connaissances et les propositions de rachat de la ferme affluèrent en même temps que les condoléances. La jeune femme avait évidemment longuement pleuré sa mère, se reprochant d'avoir peut-être été trop dure avec elle. Au bout d'une semaine, elle était parvenue à la conclusion que c'était certainement mieux ainsi. Plus rien ne la rendait heureuse depuis la mort de son mari, ses seules joies éphémères provenant de ses petits-enfants.

Martin faisait partie des appuis précieux de la jeune femme. Par une soirée d'octobre où il était resté souper à la ferme en compagnie de toute la famille, le jeune homme prit Louise à part, alors qu'elle le raccompagnait jusqu'à sa voiture motorisée, acquise récemment :

— Louise, tu sais que ma proposition est plus que jamais d'actualité. Je ne souhaite que le meilleur pour toi. Je t'estime énormément. Tu es devenue la personne dont je suis le plus proche. Depuis juillet, où j'ai appris chaque semaine à te connaître un peu plus, je ressens pour toi une profonde affection. Si tu veux vendre la ferme, tu ne seras pas seule.

— Je te remercie, Martin. Si c'est moi qui m'occupe concrètement des affaires, c'est Henriette, en sa qualité d'aînée, qui devra officiellement trancher. Mais je pense que la ferme sera vendue sans difficulté.

— Alors n'attends plus. Jacques peut encore entrer au collège, tu sais.

— Je dois respecter une certaine période de deuil, Martin. Je ne peux pas partir et me marier en l'espace de quelques semaines, ce serait inconvenant.

Ils décidèrent d'annoncer leurs fiançailles en janvier et de fixer la date du mariage en mai, ce qui laisserait largement le temps à Louise pour régler toutes les affaires. Martin insista toutefois sur un point :

— Laisse-moi inscrire Jacques dès demain au collège. Je m'occupe de tout et il sera pensionnaire. Il pourrait intégrer ses classes dès le mois prochain.

Louise le remercia tout en serrant chaleureusement les mains du jeune homme entre les siennes.

...

Les mois suivants furent particulièrement remplis pour Louise. Henriette était tombée d'accord avec sa sœur pour vendre la ferme lorsque cette dernière lui avait exposé ses projets.

— Ce que je suis contente pour toi ! s'était-elle exclamée en battant des mains. Ma Louise enfin mariée ! Et pas avec le plus laid des hommes, en plus !

Fanny, de son côté, rendait fréquemment visite à son amie. La jeune femme s'était installée avec son mari dans une vaste maison héritée de la famille de Gérald, située près du moulin. Elle était en pleins travaux pour remettre la décoration au goût du jour et avait invité Louise à lui rendre visite un dimanche. Une semaine plus tard, Louise se trouvait donc dans le salon coquettement décoré, dégustant une tasse de café accompagnée d'une religieuse au chocolat.

— Tu sais, lui confia Fanny, les mains croisées sur ses genoux, Gérald regrette énormément d'avoir été absent le jour où ta mère nous a quittés. Peut-être que s'il n'avait pas pris ses congés, Jacques aurait pu le faire quérir. Ta mère serait encore de ce monde.

Assise sur un canapé recouvert de velours gris et violet, Louise rassura son amie.

— Il n'y avait plus rien à faire. Je crois que maman est morte de chagrin, en vérité. Elle était rongée par le deuil. D'une certaine façon, elle aussi, c'est la guerre qui l'a tuée. C'est une victime collatérale.

— Oh, ma Louisette, je suis tellement désolée pour tout ce qui est arrivé! Toi qui étais promise à un si bel avenir!

Louise mordit avec gourmandise dans sa religieuse avant d'annoncer à son amie qu'elle allait se marier avec Martin. Fanny poussa une exclamation de joie.

— Me voici heureuse, à présent! Tu vas pouvoir t'échapper de cette vilaine ferme pour de bon. Et Jacques?

Les amies burent une gorgée de café et Louise répondit, fière de son effet:

— Jacques va entrer au collège le mois prochain, en pension. Il me semble très motivé. Il aimerait travailler aux services postaux.

— Alors c'est le champagne que j'aurais dû nous faire servir! Toutefois, je dois éviter. Moi aussi j'ai une merveilleuse nouvelle à t'annoncer, Louise: je suis enceinte! Nous sommes sûrs que ce sera un garçon!

Fanny exultait de joie et Louise ne put que se réjouir à son tour pour son amie. La jeune femme blonde n'était guère plus haute que Louise, tout en formes voluptueuses et semblait toujours irradier de bonheur, quoi qu'il arrive.

— C'est la journée des bonnes nouvelles, applaudit Louise. Ce petit grandira dans un vrai nid douillet! Je suis certaine qu'il aura une vie heureuse.

— Oui, n'est-ce pas? L'intérieur de cette maison était un peu vieillot, mais quel plaisir de tout refaire! Mon adorable mari m'a donné carte blanche! Cette maison, c'est un peu le manoir anglais de mes rêves, mais à Aubéry.

...

La fin de l'année arrivait paisiblement. Jacques avait pu intégrer le collège et ne se ménageait pas pour obtenir de bonnes notes. Louise s'occupait des derniers détails de la vente de la ferme. Elle avait prévu de partir en mai et cela semblait convenir à un potentiel acheteur qui souhaitait acquérir le terrain et le corps de ferme pour y venir en vacances, lui avait-il écrit. *Quelle drôle d'idée!* avait songé la jeune femme. Une correspondance régulière s'était finalement établie entre eux. L'homme, un dénommé Maurice Ledoux, était avocat à Paris et voulait posséder une résidence secondaire dans laquelle il pourrait s'établir avec femme et enfants durant les vacances estivales. Le reste de l'année, il comptait en confier la gérance à des ouvriers, que Louise était chargée de trouver. Chaque semaine, la jeune femme ouvrait ses missives avec enthousiasme et elle l'informait des résultats des affaires. À la mi-novembre, elle réalisa qu'elle attendait en réalité chaque lettre le cœur battant d'impatience. Elle se surprenait à fredonner, ce qui éveilla en elle un certain trouble. L'avocat était pourtant toujours formel, mais ses lettres lui semblaient exaltées. Le courrier qu'elle reçut le 1er décembre la chamboula : son correspondant arriverait dans dix jours afin de visiter la ferme. Il logerait au village, à l'Hôtel des Voyageurs et ne resterait que quatre jours.

Le 12 décembre, par une de ces froides matinées où la campagne se réveillait sclérosée sous le gel et la brume, Maurice se présenta à la ferme aux alentours de dix heures. Le cœur de Louise fit un bond dans sa poitrine lorsqu'elle le vit : l'homme était grand et d'une prestance indéniable. Ses cheveux d'un brun presque noir étaient gominés. Quant à ses yeux, ils étaient d'un bleu azur qui pouvait aussi bien vous fasciner que vous glacer d'effroi. Maurice était un très bel homme. Les veines de la jeune femme battaient contre ses tempes. Ses mains, malgré le froid glacial, se firent soudainement moites et elle crut que son estomac allait lui tomber sur les talons lorsqu'elle serra la main de l'avocat, qui sentait un mélange d'eau de Cologne, de savon et de tabac. Louise ne le savait pas, mais elle était victime d'un véritable coup de foudre.

— Mademoiselle, commença Maurice en lui adressant un regard plein d'admiration, enfin je vous rencontre ! C'est un plaisir de visiter la ferme, tenue par une hôtesse si agréable que vous.

— J'espère que vous avez fait bon voyage, monsieur, parvint-elle à articuler, la bouche sèche, consciente de son trouble grandissant.

— Oui, je vous remercie. Le village est fort charmant, par ailleurs. Je suis certain que c'est là l'endroit que je cherchais pour nos vacances.

Ils échangèrent quelques banalités et Louise lui proposa ensuite de visiter la propriété, sans vraiment avoir conscience de ce qu'elle faisait. Ses sens étaient en émoi, elle se rendait compte que ses idées n'étaient pas convenables. Elle espérait que l'avocat n'allait pas s'apercevoir de son trouble, car elle ne voulait en aucun cas compromettre la vente. La politesse aurait exigé qu'elle le fasse entrer dans la maison pour lui proposer de boire un café, mais elle ne parvenait à s'y résoudre. Maurice Ledoux posait ses yeux sur elle, semblant la déshabiller du regard et attendre d'elle d'autres faveurs qu'une boisson chaude. Jamais un homme ne l'avait encore regardée ainsi! Ses reins ne demandaient qu'à se cambrer et elle cherchait comment meubler la conversation. Par chance, une voiture arriva; c'était Martin. Louise fit les présentations et lorsque Maurice quitta la ferme, le jeune homme ne put s'empêcher de remarquer, en le regardant s'éloigner:

— Marié, des enfants, mais coureur de jupons. Heureusement que je suis arrivé.

— Tu le connais? s'enquit-elle, les joues rosies.

— Non, j'ai juste vu comment il te dévorait des yeux.

Il se tourna, plus grave, vers Louise:

— Et je crois que je suis arrivé à temps pour t'empêcher de commettre une bêtise. Je suis venu car j'avais justement peur pour ton honneur en sachant que tu recevais seule cet homme.

— Oh, Martin, que vas-tu t'imaginer, enfin? se récria Louise, un peu coupable.

— Il est beau et il le sait. Il en joue. Je connais les hommes, Louise. Il te veut.

La jeune femme se jeta au cou de Martin, enfouissant son visage dans l'odeur d'eau de lavande du jeune homme.

— J'ai hâte de venir vivre avec toi!

— Eh bien, voici une déclaration inattendue! Est-ce pour me rassurer?

— Non, c'est la vérité. Ces derniers mois ont été si pénibles pour moi! Mais Martin, dis-moi, serais-tu jaloux, par hasard?

Le jeune homme lui sourit tendrement.

— Prends-le comme tu veux, mais c'est pour toi que je me fais du souci, Louise. Je ne veux pas qu'on te brise.

...

En attendant son mariage, Louise continuait à s'occuper de la ferme et du recrutement des ouvriers, mais elle avait espacé ses échanges épistolaires avec l'avocat parisien. Elle n'aurait su définir ce qui lui avait pris le jour de la visite de ce dernier. Martin avait raison, au fond: si ce jour-là, Maurice lui avait fait des avances, elle aurait succombé. Elle se souvenait des sensations physiques qu'elle avait ressenties à la vue de l'avocat. Outre ses mains moites et son cœur qui battait à tout rompre, une chaleur s'était réveillée dans son bas-ventre, irradiant dans tout son bassin. Elle savait qu'elle avait éprouvé un désir charnel et espérait sincèrement que Martin lui produirait un jour le même effet. La vente n'avait toutefois pas été compromise et la jeune femme brûlait d'impatience d'en terminer au plus vite. Elle avait trouvé des ouvriers, aménagé des dépendances pour les loger. Chaque jour elle regardait sans regrets cette petite maison qu'elle quitterait bientôt.

Mars était là, l'hiver allait peu à peu être chassé par l'arrivée du printemps. Fanny mettrait son enfant au monde le mois prochain et pourrait assister au mariage de Louise et Martin. À cette évocation, Louise n'en revenait pas ; elle allait se marier pour de bon, elle qui n'avait jamais envisagé la chose comme possible. Elle avait hâte de commencer à travailler à la boutique et était persuadée qu'ils allaient être heureux en ménage, grâce à leur bonne entente. Tous deux formeraient assurément une belle équipe.

Un dimanche, Martin lui suggéra de transporter quelques-unes de ses affaires dans sa maison.

— N'est-il pas inconvenant que je vienne seule chez toi, alors que nous ne sommes pas mariés ? s'inquiéta Louise, tout en jetant des regards affolés autour d'elle.

— Tu as bien reçu seule cet avocat parisien, alors crois-moi, tu n'as rien à craindre en ce qui concerne ta réputation.

Ils chargèrent la voiture de quelques malles et divers objets. Puis ils entrèrent dans la boutique, à la vue de tous les villageois qui passaient par là. Martin proposa à Louise d'entreposer quelques malles dans l'immense cave qui courait tout le long de la maison, en attendant de leur trouver une place définitive. Ils descendirent l'étroit escalier en pierre et Louise découvrit qu'en guise de cave, c'était un vrai labyrinthe de pièces en enfilade qui s'étendait face à elle. Martin remonta chercher une dernière malle, laissant la jeune femme. Un frisson la parcourut et elle se sentit soudainement vraiment seule dans cette suite de pièces, oppressée par les plafonds bas. En s'avançant dans la dernière pièce, elle remarqua une ouverture béante dans le mur, affublée de quelques barreaux. Elle s'approcha pour prendre une petite bouffée d'oxygène, afin de chasser définitivement sa sensation de malaise. C'est alors qu'elle entendit des voix provenant de la ruelle sur laquelle donnait l'ouverture. Elle fit encore quelques pas, jusqu'à distinguer clairement les mots qu'échangeaient deux commères :

— Oui, la fiancée est en train de déposer des affaires, je l'ai vue, disait l'une.

— Je n'aurais jamais cru qu'il se marierait, le Martin, répondit la deuxième. Moi aussi, on m'avait pourtant dit que c'était sur nos hommes qu'il fallait veiller. C'est un précieux.

— Il se marie sûrement pour se donner bonne conscience, va. À mon avis, la descendance n'est pas assurée. La pauvre fille !

Horrifiée par ce qu'elle venait d'entendre, Louise recula, une main plaquée sur la bouche pour s'empêcher de crier. Elle se heurta à Martin, qui descendait la dernière malle.

— Je t'ai cherchée partout, Louise ! Je ne pensais pas que la visite de la cave était ta priorité. Mais que se passe-t-il ? On dirait que tu as vu un fantôme.

Louise cessa d'écarquiller les yeux. Martin la tenait par la taille mais elle se dégagea et lâcha, presque malgré elle :

— Est-ce que tu aimes les hommes ?

Le visage du jeune homme devint tout à coup sérieux et il hocha la tête de façon presque imperceptible :

— Démasqué. Viens au salon, Louise, je te dois la vérité.

...

Quelques heures plus tard, alors que Louise se retournait dans son lit afin de tenter de trouver le sommeil, les explications fournies par Martin ne cessaient d'assaillir ses pensées. Si elle se sentait toujours quelque peu abasourdie par ces révélations, la colère ne faisait pas partie de ses sentiments. Elle était plutôt surprise de ne pas avoir compris plus tôt de quoi il retournait.

— Louise, je suis homosexuel dans un monde où l'on tolère seulement l'image d'un patriarche régnant sur ses affaires et sa famille, lui avait-il confié. J'ai connu la passion plusieurs fois, mais jamais une femme n'a su m'inspirer des sentiments exaltés comme ceux que j'ai connus dans les bras d'un amant. J'ai été éperdument amoureux d'un homme, mais il n'est jamais revenu de la guerre. Porté disparu. Pas déclaré mort, ni même déserteur ; simplement disparu. La douleur des débuts s'estompe au fil des mois, mais elle est toujours présente. Il faut vivre avec, en plus des douleurs physiques dues aux blessures de cette foutue guerre qui m'aura enlevé l'amour, une part de ma motricité et mes illusions sur l'humanité.

Martin avait longuement monologué, priant Louise de lui pardonner de ne pas lui avoir révélé plus tôt la vérité.

— En aucun cas je n'ai voulu jouer avec tes sentiments, car j'ai compris que tu n'étais pas amoureuse de moi. Louise, je t'aime, pas comme un époux, mais je tiens immensément à toi. Notre mariage sera notre salut à tous les deux. Je te promets d'assurer une descendance à notre union, même s'il se peut que je manque de passion.

Elle se revit rougir à cette simple allusion, mais il avait continué sans ciller un instant :

— En plus de ta formidable amitié, tu pourras m'apporter un appui précieux pour faire prospérer ce qui sera d'ici peu *notre* affaire. De mon côté, je t'offre une vie à laquelle tu n'osais plus rêver, loin de ces travaux champêtres que tu exècres. Je suis certain qu'au fond de toi, tu t'es toujours doutée que je n'étais pas comme les autres hommes.

Louise avait relevé la tête et répondu, de manière presque imperceptible :

— Comment feras-tu pour consommer notre mariage si tu préfères… les hommes ?

— Louise, il m'arrive d'éprouver du désir pour les femmes. Et crois-moi, tu es très belle. Tu seras ma femme, Louise, tu seras un trésor précieux, ma protégée et jamais tu ne seras malheureuse si tu sais tolérer quelques incartades de ma part.

Louise avait finalement reconnu que, si elle partageait l'affection de Martin, elle ne pouvait pas prétendre être amoureuse. Qu'était-ce que l'amour, finalement? N'était-ce pas ce sentiment qui faisait perdre la tête aux plus terre à terre et leur faisait commettre les actes les plus fous? Tous deux pourraient s'offrir un semblant de vie normale qui leur avait manqué à cause des tourments de la guerre. Faire de la boutique l'endroit où les villageois se presseraient. Forte de son raisonnement, Louise avait redressé fièrement la tête et déclaré:

— Je te pardonne de ne m'avoir rien dit plus tôt et je vais t'épouser. À ma façon, je t'aime.

— Je te promets que tu ne le regretteras jamais, Louise.

# 8.

*Lola.*

Confortablement appuyée contre les oreillers, les jambes étendues devant moi, je replie la dernière feuille avant de ranger ces confessions dans la boîte où je les ai trouvées.

Je suis plutôt partagée sur ce qui a été la première partie de la vie de mon arrière-grand-mère, ayant cette forte impression d'avoir pénétré l'intimité de personnes que je ne connais pas. Un vague sentiment gênant de voyeurisme s'est installé au cours de ma lecture. Toutefois, j'ai été aussi captivée par la vie de Louise que si j'étais en train de lire un bon roman et je n'ai pas vu les heures s'écouler. Un mélange de curiosité et d'excitation m'anime désormais et je suis fermement décidée à savoir ce qu'il est advenu de Louise et Martin, presque frustrée de devoir attendre pour connaître la suite. J'aimerais tant les voir en photos, pour savoir à quoi ils ressemblaient! Je crois bien que je me sens comme ces archéologues lorsqu'ils font une découverte capitale; je sais désormais tout des émotions qui ont traversé Howard Carter lorsqu'il a déterré le tombeau de Toutânkhamon. À la différence près que mes découvertes ne sont capitales que pour mon monde.

La première mission que je me donne pour le lendemain est de visiter la maison puis de fouiller quelques cartons. Peut-être parviendrai-je à dénicher un portrait de mes aïeuls. Leur destin me passionne déjà !

Tout en m'étirant, je me fais la réflexion que ma vie d'avant me paraît bien terne à présent que j'ai commencé à découvrir des pistes plus qu'intéressantes menant à mon passé. Comment ai-je pu supporter de n'être que spectatrice des événements, tandis que, des décennies auparavant, dans un monde qui n'était pas tendre avec les femmes, mon arrière-grand-mère a joué de son intelligence pour se faire une place dans la société ? J'aime ma famille, mes amis, mais qu'en est-il de l'avenir ? La seule idée de vendre des sandwichs jusqu'à ma retraite me déprime. Je secoue la tête pour tenter de chasser ces pensées. Il ne tient qu'à moi de mettre un peu de piment dans ma vie, de vivre pleinement, comme me le dit si souvent Tristan. La lecture de ces feuilles trouvées dans la boîte a fait naître en moi une nouvelle détermination, comme j'en ai rarement connu auparavant. Je dois aller de l'avant. Si mon aïeule a pu le faire en 1920, presque cent ans plus tard ce n'est forcément qu'une broutille, et je viendrai sans mal à bout des obstacles, qui ne sont plus les mêmes.

Histoire de me dégourdir les jambes et de ne pas arriver les mains vides chez le notaire, je file acheter un dessert à la boulangerie du coin, juste à temps avant la fermeture, puis je regagne vite l'auberge.

Avant de me doucher, je téléphone à Tristan afin de tout lui relater, depuis cet héritage complètement fou jusqu'aux premières bribes de mon passé.

— Ce que j'aimerais être avec toi, ma chérie! me confie-t-il. C'est sensationnel!

— J'ai l'impression d'être prise dans un tourbillon. Tout au fond de moi, j'ai le sentiment que plus rien ne pourra jamais être comme avant. J'en ai d'abord voulu à Rose de m'avoir laissé cette espèce de cadeau empoisonné. Finalement je me sens grisée, comme après avoir bu une coupe de champagne cul sec et à jeun.

— C'est sûr que ta vie risque de prendre un nouveau tournant, acquiesce Tristan. Te voici propriétaire d'une maison, cousine avec un type pas très sympa, et dans la foulée tu apprends que ton arrière-grand-père était gai. Bon, mais tu ne m'as pas dit l'essentiel : il est comment, ce notaire?

— Marié. Et je vais dîner avec sa femme et lui ce soir.

Tristan redevient sérieux et me demande si je tiens le coup. Je reconnais que c'est dur de gérer cela toute seule, malgré l'excitation que je ressens.

— Je suis là, ma chouquette, si tu as besoin. Tu sais que tu as tout mon soutien.

...

Avant de me rendre chez Frédérick, je suis tentée de faire un détour par la maison de mes ancêtres. *Ma* maison, selon les dernières volontés de cette grand-mère que je n'ai pas connue. J'ai encore du mal à intégrer

127

pleinement cette idée. Peut-être que je pourrais aller y flâner cinq minutes, pour m'imprégner davantage des lieux et me les approprier un peu plus ? Non, c'est une mauvaise idée. Je suis consciente que si je cède à cette pulsion, je ne vais pas pouvoir m'empêcher de commencer à fouiller les cartons et que je ne saurai m'arrêter qu'au bord de l'épuisement, tard dans la nuit.

En quittant ma chambre, j'informe Évelyne, plongée dans un magazine, que je dîne à l'extérieur. Je me dirige tranquillement vers la place du champ de foire, quasi déserte et pleine du parfum des fleurs qui ornent les rebords des fenêtres. Tout est si paisible et tranquille ! Je suis soudain emplie du sentiment qu'Aubéry et moi ne faisons qu'entamer notre histoire commune. Il doit y avoir de la magie dans cet air-là, je ne vois pas d'autre explication, à moins que je ne perde progressivement la tête, comme un effet secondaire des informations que j'ai assimilées depuis plusieurs jours. Quelques voitures stationnent le long du trottoir. Je me souviens alors du bar mentionné ce matin par le notaire, d'où émane une musique sourde et de joyeux éclats de voix.

Une voiture se gare près de moi et je n'y aurais pas prêté attention si la silhouette de celui que je dois désormais considérer comme mon cousin n'en sortait pas au même instant. Vincent est accompagné par un ami d'apparence aussi peu engageante que la sienne, pour le peu que j'ose regarder. Peut-être qu'il existe une sorte de club de rencontres amicales pour les ours, à Aubéry. Je n'ai pas le temps de sonner à la porte de la maison de Frédérick que mon cousin me remarque et ne peut s'empêcher de me lancer un regard chargé d'amertume. Je m'avance machinalement vers lui, tentée de tout faire pour apaiser la tension. Après tout, pourquoi nous faire la guerre? Mais il m'arrête d'un geste sec.

— Tu m'oublies! lâche-t-il, avant de s'engouffrer dans le bar.

Son ami reste un bref instant aussi pantois et démuni que moi, puis nos regards se croisent. Le temps me paraît comme suspendu, mais avant que je ne puisse me justifier, il hausse les épaules et, sans un mot, file rejoindre Vincent, me laissant sur le trottoir, incapable de comprendre la scène qui vient de se produire. Une voix m'interpelle doucement; c'est Frédérick, qui m'a aperçue par sa fenêtre ouverte.

— Si vous tenez vraiment à souper dehors, j'ai un jardin, plaisante-t-il, mais il fait un peu frais, vous ne trouvez pas?

Je relâche mes épaules et suis le notaire à l'intérieur de sa charmante maison aux poutres apparentes et aux murs en pierres recouverts de portraits récents. Une petite fille blonde, joufflue et souriante, revient régulièrement. Une petite Stella, m'apprend-il. Je ne peux m'empêcher de le complimenter.

— Votre maison est chaleureuse, et votre fille magnifique.

— Merci, Lola. Ma petite bâtisse date d'il y a au moins deux siècles, s'enorgueillit Frédérick. J'aurais aimé vous dire qu'elle possède une extraordinaire histoire ou que le fantôme de l'épouse du premier propriétaire la hante, mais rien de tout cela.

— Estimez-vous heureux de n'avoir pas de colocataire fantôme alors ! Pour ma part, j'ai fait connaissance avec quelques spectres, aujourd'hui.

— Je suis impatient d'entendre cela ! Mais venez au salon, ma femme ne va pas tarder à descendre. Nous avons décidé de vous faire découvrir un peu notre gastronomie locale ; Nora a cuisiné une tourte aux pommes de terre.

Il va ranger la tarte aux framboises que j'ai achetée à la boulangerie avant de venir puis me fait asseoir sur le canapé recouvert d'un tissu bleu.

— Vous n'êtes pas tombée sur la femme du boulanger, parce que sinon vous y seriez encore ; Nathalie est la reine des potins, ici, et elle se montre souvent bien trop curieuse. Faites attention, si vous la croisez.

Je le remercie et il veut savoir pourquoi j'avais l'air si perturbée, quelques minutes plus tôt, sur le trottoir.

— Je suis tombée sur mon nouveau cousin. Et j'ai bien cru que j'allais me faire mordre.

— Je ne peux pas prétendre le connaître beaucoup, il m'est arrivé de le croiser plusieurs fois mais nous n'avons jamais fréquenté le même cercle amical. Pour ce que j'en sais, votre cousin ne me paraît pas méchant, mais renfrogné. Dans sa lettre, votre grand-mère l'a elle-même qualifié de *tourmenté*…

— C'est vrai. Mais je n'ai pas demandé à me retrouver dans cette situation.

— Lui non plus. Vincent est quelqu'un de plutôt solitaire, il me semble. Il a des amis avec lesquels il sort de temps en temps mais il n'est pas du genre à fanfaronner. Il est marié et père de famille, donc il ne doit pas être complètement asocial. Je présume qu'il aura besoin de temps avant de vous accorder une chance.

— Qui vous dit que j'ai envie d'avoir une chance?

— Le fait que vous ayez tenté une approche, peut-être?

Je me frotte les mains l'une contre l'autre, avant de me lancer dans une longue explication. Je comprends un peu Vincent, forcément, et j'imagine que lorsque l'on mène une petite vie bien ordonnée et rangée, il est dur de voir tout chamboulé, c'est un peu ce que je vis aussi.

— Mais cette haine à mon encontre, je dois vous avouer que ça me perturbe vraiment et me donne, paradoxalement, envie d'en savoir plus sur lui. C'est comme si, malgré tout, j'étais attirée vers lui.

— Le mot «haine» me paraît un peu exagéré. Les liens du sang ne sauraient mentir, c'est pour cela que vous ressentez ce besoin de le connaître; il est le seul lien vivant avec votre famille biologique. Si vous voulez, je peux me renseigner à son sujet.

Une grande et fine jeune femme blonde fait alors son entrée dans la pièce. Ses cheveux sont coupés dans un carré flou, elle arbore une robe bleu saphir qui met parfaitement en valeur son teint hâlé et ses yeux sombres, en amande. Frédérick se lève, plein de fierté, et fait les présentations entre sa femme et moi. Le dîner se déroule dans la bonne humeur. Nora est institutrice à l'école primaire du village. Elle me dit de sa voix grave et chaleureuse qu'elle est heureuse de découvrir une nouvelle tête à Aubéry.

— Frédérick m'a un peu parlé de vous, sans entrer dans les détails, puisqu'il est tenu au secret professionnel. Vous ne connaissiez pas votre famille, si j'ai bien compris?

Je tente de résumer brièvement la situation et en profite, tout en dégustant ma part de tourte copieusement garnie de pommes de terre et de champignons, pour leur relater le fruit de mes premières découvertes.

— Mais c'est fantastique! s'enthousiasme le notaire. Votre arrière-grand-mère était pratiquement une pionnière au village! Partie de rien, elle épouse le propriétaire d'une petite boutique sans prétention. Vous ne le savez pas encore, mais la boutique s'est développée et a fermé ses portes seulement quelques années avant son décès.

— En plus, ajoute pensivement Nora, elle n'a apparemment pas fait grand cas de l'homosexualité de son mari. Elle a accepté le fait que son mari ne lui serait pas toujours fidèle, et qu'il aurait des aventures avec des hommes. Pour l'époque, c'est inimaginable.

— C'est ce que je dis, affirme Frédérick avec joie, une pionnière! Faites-moi savoir si vous trouvez une photo d'elle, Lola. Je serais curieux de découvrir ses traits.

J'aide le couple à desservir puis nous apportons le dessert, accompagné de café. Frédérick veut savoir de quelle manière je compte poursuivre mes investigations. Je lui fais part de mon intention de commencer à ouvrir quelques cartons, même si je risque d'avoir du pain sur la planche.

— Si vous avez besoin de quoi que ce soit, n'oubliez pas que mon étude est à côté.

— Je vous remercie. D'ailleurs, Rose a mentionné dans sa lettre une certaine Béatrice ; savez-vous où je pourrais la trouver ?

— Elle vit près de l'ancien moulin, dans une des plus vieilles maisons. Vous savez qui est Béatrice, n'est-ce pas ?

— Non, fais-je, tentant vainement de comprendre où il veut en venir.

Frédérick sourit et me révèle que Béatrice n'est autre que la fille de Fanny, la meilleure amie de Louise.

— Ce n'est pas possible. Elle a sept ans de moins que Rose. Pourtant Fanny était enceinte avant le mariage de Louise, Rose n'était donc pas née.

— Béatrice est en effet plus jeune que votre grand-mère. Mais elle avait un frère aîné.

Évidemment, je n'y avais pas pensé. Je crois que je vais devoir me dessiner des schémas si je veux tout retenir. Nous calculons que Béatrice doit être âgée de quatre-vingt-trois ans.

— Elle est très vive et active, m'assure le notaire. L'air du village est si sain que nous pouvons également nous vanter d'avoir une centenaire.

— Une centenaire ? Elle a donc forcément connu Louise et Martin !

— Si vous voulez lui rendre visite, elle est pension-naire à la maison de retraite du village. Demandez mamie Huguette, tout le monde saura de qui il s'agit. Elle est encore plutôt alerte pour son âge, même s'il ne faut pas trop la fatiguer. Quant à Béatrice, je pense que le moment venu, elle pourra également vous venir en aide.

Pleine d'espoir, je lui demande s'il est en possession d'anciennes photos du village.

— Je n'ai que ça! s'exclame-t-il, ravi de pouvoir partager sa passion. Désirez-vous en voir quelques-unes?

— Oui, vous avez des vues entre 1910 et 1920?

Tandis que Frédérick part fouiller dans son bureau pour m'apporter les précieuses reliques, Nora et moi discutons un peu de choses et d'autres, en sirotant notre café. Nous nous entendons plutôt bien, toutes deux passionnées de littérature, et lorsque le notaire revient dans la pièce, il nous surprend en pleins éclats de rire.

— Le café vous rend bien joyeuses, mesdames.

— Oh, Nora me racontait un de vos accès de somnambulisme, quand vous avez préparé votre matériel de pêche pour chercher du poisson en pleine nuit.

— Mon épouse sait toujours vanter mes mérites, plaisante-t-il en grimaçant. Je vous assure que quand je ne dors pas, je suis plutôt doué pour la pêche. Mais revenons à nos moutons; j'ai trouvé des photos qui devraient vous intéresser. Elles ont été prises pour devenir des cartes postales, c'était monnaie courante à l'époque. Les gens s'écrivaient beaucoup. Regardez la première, elle date de 1880 et on y voit votre maison. L'entrée de la boutique n'a pas changé, mais on ne distingue presque pas le reste de la bâtisse. La photographie n'était pas encore au sommet de sa précision. Au premier plan, on voit l'ancienne église.

Je passe lentement mes doigts sur ce cliché d'un autre temps, comme pour le rendre encore plus réel.

Le cliché suivant a été pris dix ans plus tard et représente une scène de marché, sur la même place de l'église. Là encore, ma maison s'érige, fière, au second plan, et on distingue même des personnes juchées au balcon, probablement les anciens propriétaires, avant qu'ils ne cèdent l'affaire à Martin. Au premier plan, des charrettes et des badauds venus pour le marché. Cette scène me rappelle le rêve qui me hante depuis des années et je suis à présent certaine que mes songes me supplient en réalité depuis toujours d'explorer mon passé. Les vues de la place à différentes époques se succèdent. Ce qui me frappe le plus, c'est le visage des gens photographiés dans des scènes de leur vie quotidienne, et qui n'imaginaient probablement pas que, des décennies plus tard, je serais là, en train de scruter la moindre expression de leurs visages marqués par le labeur et la rude vie d'alors. Je vois des jeunes femmes souriantes aux fenêtres, des hommes discutant dans la rue, ignorant le photographe, leurs propos figés à jamais. Qui était cet homme portant un chapeau canotier et qui se tenait les bras croisés, regardant le photographe d'un œil perplexe ? Il arbore à tout jamais moustache et nœud papillon, entouré par quelques femmes vêtues de robes sombres et de bonnets. Des cartes postales de 1910 montrent la nouvelle église, qui trône fièrement sur la petite place. C'est la période où Louise a suivi pour la première fois son père sur le marché.

— Regardez, souffle Frédérick, ces photos datent précisément de 1920.

La première représente l'Hôtel des Voyageurs. Des familles sont assises autour d'une table, sur le pas de la porte, semblant attendre des rafraîchissements. À côté, des femmes de ménage se tiennent droites, dans leurs tenues irréprochables, les cheveux remontés en chignon. Un homme est accoudé nonchalamment contre un fiacre qui arbore des lettres peintes au nom de l'hôtel. Sur un autre cliché, c'est le café du Bourg qui est immortalisé, probablement au printemps ou à l'été 1920. La tonnelle du café est parée de fleurs grimpantes, ce qui lui donne un air romantique à souhait. La photo suivante montre l'inauguration du monument aux morts. Une procession remonte la rue, passant juste devant la maison de mes ancêtres. La vue a été prise d'en haut et, à ma grande déception, je ne vois qu'une paire de jambes appartenant à un homme assis devant la boutique. S'agit-il de Martin ? Louise se trouve-t-elle parmi la procession ?

Frédérick déplore le fait de ne pas posséder davantage de clichés de cette période, mais c'est déjà beaucoup à mes yeux. Nora, penchée au-dessus de moi, tente vainement de chercher un détail qui aurait pu nous échapper, puis soupire de frustration.

— Vos recherches sont vraiment passionnantes, mais il est vrai que ces photos nous laissent sur notre faim. Nous avons une petite médiathèque dans la rue principale, avec un accès à Internet. Si vous avez besoin d'effectuer des recherches approfondies, cela pourrait peut-être vous aider.

...

Il est presque minuit lorsque je regagne ma chambre. L'excitation causée par mes diverses découvertes me tient éveillée et je dois me faire violence afin de ne pas déranger mes parents ou Tristan au téléphone. Je m'assois lourdement sur mon lit, pour me relever aussitôt. Je m'empare du carnet vert et du stylo que j'ai achetés pour mon voyage, m'installe en tailleur sur le sol et commence à noter ce que j'ai appris, ainsi que les différentes démarches à effectuer pour en connaître davantage sur mon histoire. C'est forcément dans la maison que je dénicherai le plus gros de ce témoignage familial. Interroger Béatrice ne m'apportera sans doute rien pour l'instant ; ce n'est pas le rôle d'une parfaite inconnue de me relater mon histoire, même si cette dernière en détient quelques clés. Je me promets de visiter Aubéry d'un bout à l'autre dès que j'en aurai l'occasion ; le charme de ce village opère définitivement sur moi et l'idée que mes ancêtres aient pu fouler les mêmes rues que moi des décennies auparavant m'émeut quelque peu, alors que, trois jours plus tôt, je n'en aurais rien eu à faire.

## 9.

Je sors dès neuf heures, non sans avoir avalé un solide petit déjeuner. Ma nuit s'est avérée plutôt paisible et si les veuves ont à nouveau assailli mes songes, je n'en garde aucun souvenir. Le ciel semble décidé à s'assombrir et l'air est lourd, comme si un orage se préparait. Munie de la précieuse clé, je me dirige d'un pas sûr vers la maison de mes ancêtres et manque de me heurter à Frédérick, qui s'apprête à ouvrir son étude.

— Je ne suis pas très en avance, ce matin, me confie-t-il. Je crois que j'ai un peu trop abusé du bon vin, hier soir, et j'aurais vraiment besoin d'une perfusion de caféine.

Nous nous quittons et j'ouvre la maison, remarquant pour la première fois l'enseigne peinte « Gestin Confection », presque complètement effacée et illisible. Le temps a fait son œuvre, oubliant jusqu'au passé rayonnant de la bâtisse. J'aère complètement la pièce dans laquelle se tenait autrefois la boutique et remarque que le soleil tente de percer à travers les lourds nuages. L'ancien magasin à présent totalement éclairé par la lumière extérieure, j'essaie d'imaginer les rayons garnis de bonnets, gants et chapeaux, mais cela appartient à une époque révolue, que je ne peux pas superposer avec ce que j'ai sous les yeux, à savoir une pièce chargée de cartons et sentant le renfermé.

Je rejoins la cour par la porte du fond. Une cour qui aurait bien besoin d'être désherbée et entretenue. Des pots vides de fleurs font triste mine, alignés à côté d'une espèce de petite cabane à la porte recouverte d'une peinture verte partiellement écaillée, qui servait probablement de remise. La cour dessert également une dépendance. Il s'agit de la cuisine, reliée en L à l'autre partie de la maison par un couloir. Ce corridor se révèle similaire à celui de mon rêve, avec l'escalier qui s'élance et s'enfonce dans les étages supérieurs. Je n'en suis pas vraiment surprise, même si cela me perturbe tout de même un peu. Je reviens à la cuisine. La pièce s'avère plutôt exiguë et il est visible que la famille Gestin n'y prenait pas ses repas. Louise devait y préparer les plats et tout monter à l'étage. La pièce est pourvue d'un évier en pierre à bac unique. Une cuisinière sortie d'un autre temps gît abandonnée contre un mur, jouxtant un buffet en formica jaune et blanc. Je note la présence de trois cartons semblant contenir de la vaisselle.

Je retourne au pied de l'escalier, décidée à visiter l'étage, mais commence à me sentir mal à l'aise. Je ne suis absolument pas du genre à croire aux fantômes, du moins plus depuis que mes parents m'ont emmené voir *Casper* au cinéma lorsque j'étais enfant, mais tout de même, cette bâtisse garde une forte empreinte du passé et je sens des frissons naître le long de ma colonne vertébrale. Le souvenir de Louise et Martin prend pleinement forme dans mon esprit. Ils ont foulé eux aussi ce carrelage, les marches de cet escalier. J'ai l'impression qu'en fermant les yeux, je pourrais me retrouver plongée en 1919. Quels secrets renferment donc ces murs? Je commence à monter avec précaution les marches en bois qui, comme dans mon rêve, grincent sous mes pas. Parvenue en haut, je me retrouve sur un palier, transition entre deux étages. D'un côté s'élance un couloir bordé de portes fermées tandis que, de l'autre, l'escalier poursuit sa montée. Je prends une inspiration et ouvre la première porte, qui dessert ce qui devait être un grand salon. Un tapis sombre aux motifs floraux délavés jonche le sol. Des cartons s'entassent et je dois me frayer un chemin pour accéder à la porte-fenêtre et en ouvrir les volets. Le jour pénètre dans la pièce et je découvre avec ravissement le balcon en fer forgé qui domine la rue. Je sors et profite de la vue ; en me penchant un peu, je peux suivre des yeux la rue principale.

En rentrant, je repère contre le mur un large et superbe canapé club en cuir fauve, typique des années trente. Il ne paraît pas abîmé, bien que poussiéreux et vieilli par le poids des ans, ce qui lui confère un charme supplémentaire. Quelques étagères vides et une cheminée s'encastrent dans le mur opposé et, au milieu, des cartons, toujours des cartons. Rose a-t-elle passé ses derniers jours à ranger sa vie dans des cartons ? Je visite ensuite les quatre autres pièces de l'étage : trois chambres et une salle de bains. Les chambres donnent sur la cour intérieure et ne contiennent que du vieux mobilier en vrac. Une grande opération de nettoyage s'impose ! Il me faudra trouver un aspirateur et de quoi récurer les sols. Curieusement, ces projets me procurent un certain enthousiasme, alors que l'idée de faire le ménage dans mon studio à Paris n'arrive qu'à me tirer de profonds soupirs d'ennui. Je poursuis mon exploration en montant au deuxième étage, qui s'avère être un immense grenier dans lequel d'innombrables vieilleries s'entassent. Il y règne une formidable odeur d'ancien. L'odeur des vieux meubles m'a toujours rassurée. Ils sentent les secrets qu'on a voulu y enfermer. Le grenier est dépourvu de volets, mais j'ouvre tout de même en grand les cinq petites fenêtres mansardées, quitte à faire partir un peu de cette odeur pleine d'années passées, alors que j'aimerais la capter et la garder à jamais capturée dans un flacon. Il me faudra plusieurs jours avant de pouvoir reconstituer entièrement mon histoire et de retaper cette maison. Des semaines, peut-être même des mois. Je me laisse glisser sur le sol poussiéreux, soudainement découragée par l'ampleur de la tâche. C'est sûrement stupide, mais je m'étais attendue à des choses aussi faciles que la boîte en marbre posée en évidence sur la cheminée. Apparemment, Rose en a décidé autrement. Quelle logique a-t-elle bien pu suivre pour disséminer un peu partout notre histoire familiale ? Vais-je devoir fouiller chaque pièce de fond en comble ? Une sorte d'abattement est sournoisement en train de me tomber sur les épaules ; Rose s'est-elle moquée de moi, en fin de compte, en me laissant une maison poussiéreuse et remplie de vieilleries ? Il est presque onze heures et j'ai déjà l'envie de prendre mes jambes à mon cou. Pourtant, pas question de flancher maintenant. Je veux découvrir la suite de cette histoire. Je n'ai pas lu les lettres de Rose sans raison. Il y a un but véritable et je me dois de trouver le chemin pour l'atteindre, même s'il est semé d'embûches. Avant de m'attaquer aux premiers cartons, j'envoie un texto à Tristan afin qu'il me motive. Je sais qu'il aura les mots justes pour que je tienne bon. Je lui écris, tapant rapidement sur l'écran :

Rose m'a laissé une maison peu entretenue, pleine de cartons et de meubles empilés. Je vais devoir acheter un aspirateur et tout le nécessaire de la parfaite ménagère. Le rêve éveillé ! Je veux rentrer.
Persuade-moi du contraire.

Manque de chance, Tristan ne me répond pas. Je n'ai plus qu'à compter sur moi-même afin de mener ma tâche à bien. Je redescends pour ouvrir les cartons qui sont empilés dans le magasin. Je m'accorde une heure de fouilles. Sourcils froncés, je parcours la pièce du regard, au cas où un indice m'aurait échappé ; mais à part des cartons, il n'y a rien. Je vais devoir les ouvrir un à un.

...

Deuxième soupir. Puis troisième. Il est un peu plus de midi et je viens d'explorer le contenu de mon sixième carton. Je n'ai rien déniché d'autre que d'anciens livres de comptes, témoignant de l'essor du magasin. Je peux toujours les mettre de côté pour Frédérick. Une bribe d'idée me vient alors en tête, avant de s'enfuir aussitôt. Je hausse les épaules. Avec tout ce travail à abattre, de toute façon, je n'ai pas trop le temps de réfléchir. Un dernier carton. La septième boîte – j'en ai compté dix –

recèle des éléments déjà plus intéressants. Sous une robe de coton bleu marine à pois blancs, coupée dans un style propre aux années quarante, je découvre une petite boîte pleine de photographies. Je m'apprête à y jeter un œil, lorsque j'entends de légers coups frappés à la vitrine, avant d'apercevoir le notaire qui se tient dans l'encadrement de la porte.

— Je ne vous dérange pas, j'espère?

Je me redresse, non sans mal.

— Pas du tout. Je crois que je commence à avoir des crampes, à force d'être accroupie.

— Au moins, vous avez pensé à aérer toute la maison. Je me suis dit que je ferais peut-être mieux de vous avertir qu'il est l'heure de déjeuner. Je vais prendre mon repas à l'auberge, désirez-vous vous joindre à moi?

Mon estomac me rappelle que le petit déjeuner est déjà loin et j'accepte sa proposition de bon cœur. Après avoir fermé portes et fenêtres, je m'empare de la boîte de photographies et suis Frédérick. En pénétrant dans la salle de restaurant de l'auberge, je me dirige d'emblée vers le mur du fond, où sont accrochées diverses vues anciennes du village.

— On dirait bien que ces vieux clichés vous attirent, constate le notaire.

La plupart des reproductions sont semblables à celles que possède Frédérick, mais je remarque une vue prise de la rue principale, qui laisse voir une partie entière de l'auberge, alors recouverte de lierre. La maison d'en face porte l'enseigne d'un coiffeur, qui se tient lui-même sur le pas de la porte, son épouse penchée à la fenêtre. Au premier plan, deux adolescentes semblent avoir été surprises par le photographe : l'une, discrète, reste en retrait de son amie ; cette dernière, qui paraît plus exubérante, regarde fixement le photographe, figée dans un éclat de rire et retenant son chapeau qui menace de s'envoler.

— Cette photo est très surprenante, dis-je. La jeune fille blonde semble décidée à montrer que le photographe ne l'impressionne pas. On dirait presque qu'elle le met au défi de réussir à l'immortaliser.

— Vous paraissez complètement transportée.

Je me tourne vers le notaire et lui avoue :

— Je cherche toujours si l'un des visages de ces villageois appartient à un membre de ma famille. En même temps, j'ai cette sensation de faire partie intégrante de ces scènes, comme si j'avais connu ce lieu, à cette époque précise. J'ai l'impression que ces vies figées vont s'animer pour continuer le cours de leur existence. Oh, mon dieu, vous devez me prendre pour une folle, maintenant !

— Pas du tout, venez vous asseoir.

Nous prenons place autour d'une table. Évelyne vient noter notre commande et le notaire me lance, une fois la patronne partie :

— Avez-vous entendu parler de la psychogénéalogie, Lola ?

— J'ai déjà certainement lu quelques lignes à ce sujet, oui.

— Bien. Selon certains psychologues et autres spécialistes, nous transmettons génétiquement nos souvenirs. De la même façon que l'on transmet un trait de caractère ou encore une couleur de cheveux, les impressions et les ressentis pourraient également traverser les générations. J'ai lu les résultats de certaines recherches menées par des scientifiques, et c'est absolument époustouflant. Il semblerait que des événements traumatiques peuvent affecter notre ADN en modifiant le cerveau et les comportements des générations suivantes.

Voilà qui est intéressant, mais flou. Je lui fais signe de poursuivre.

— Au cours d'une des recherches, des souris entraînées à éviter une odeur ont transmis leur aversion à deux générations suivantes. Il y a même eu des changements observés dans la structure cérébrale. Allez savoir comment cela peut se traduire chez les humains. J'ai lu que les erreurs de nos ancêtres peuvent nous scléroser complètement, des décennies après.

Je lui explique alors une partie de mon rêve récurrent, avec toujours cette même scène de marché, qui fait qu'Aubéry me semble quelque peu familier. Évelyne pose nos assiettes sur la table, puis repart en direction de la cuisine.

— Ce marché a été un élément déterminant dans la vie de Louise, nous le savons maintenant, reprend le notaire. Une partie de son destin s'est forgée sur cette place. Si Louise ne vit plus aujourd'hui, ce souvenir semble persister en vous. Il doit y avoir une raison à cela et je pense que tant que vous n'aurez pas en mains toutes les clés de votre histoire, ces impressions de déjà-vu seront toujours très fortes.

Tandis que nous entamons nos entrecôtes, je lui fais part du grand nettoyage qui m'attend dans la maison.

— Je n'ai que deux semaines devant moi. Je vais avoir besoin d'un aspirateur et je ne sais même pas s'il y a encore l'électricité dans la maison.

Un petit sourire moqueur se dessine sur les lèvres de Frédérick.

— Vous n'avez même pas pensé à le vérifier ?

— Je dois bien vous avouer que non. Je suis une parfaite idiote.

— J'ai une bonne nouvelle pour vous. Votre grand-mère avait prévu le coup ; l'électricité sera coupée à la fin du mois de mai. Ensuite, ce sera à vous de voir si vous en avez besoin ou non.

Je ne peux m'empêcher de pousser un nouveau soupir, en réalisant les frais inattendus que je vais devoir gérer.

— À la fin de votre enquête, vous pourrez toujours mettre la maison en vente. Votre grand-mère était un sacré phénomène. Elle ne fréquentait pas beaucoup de monde, vous savez, c'était une personne très renfermée, mais elle pouvait se targuer de posséder un caractère particulièrement affirmé.

— Il semblerait qu'elle m'ait réservé une vraie chasse au trésor, en tout cas. J'ai seulement trouvé une boîte remplie de photographies, ce matin. Et peut-être que cela vous intéressera, beaucoup de cartons contiennent des carnets de compte. J'ai l'impression qu'on y suit toute l'histoire du magasin.

L'œil du notaire pétille d'intérêt.

— J'y jetterai volontiers un œil, à l'occasion. Qu'allez-vous faire de votre après-midi ?

— Découvrir les photos qui sont dans la boîte. Visiter le village aussi, car j'ai besoin de marcher.

— Voilà une très bonne idée. J'avais peur que vous ne restiez enfermée dans cette maison avec les fantômes de votre passé.

— Peut-être que je vais rendre visite à votre centenaire. Je ne sais pas encore, à vrai dire. J'y vais un peu de façon instinctive. Et vous, vous avez beaucoup de rendez-vous dans la journée ?

— Deux dossiers à régler, ce sera terminé à seize heures. Je vais en profiter pour chercher des infos sur votre cousin.

## 10.

Notre déjeuner terminé, j'ai regagné ma chambre et téléphoné à mes parents pour leur relater mes toutes dernières découvertes. Maman m'a fait part de sa déception de n'avoir pas pu m'accompagner dans cette étape de ma vie et m'encourage à prendre tout le temps dont j'ai besoin.

Assise sur mon lit, je scrute à présent la boîte dans laquelle se trouvent les photos. L'objet en lui-même n'a rien d'exceptionnel, c'est une boîte publicitaire qui date probablement des années soixante. À vue d'œil, il y a là une bonne trentaine de clichés, que je renverse sur mon lit. Un petit froissement attire mon oreille, mais ne remarquant rien de particulier, je passe en revue les clichés un à un. Une main inconnue a écrit au dos les noms des personnes qui figurent sur les photos, ainsi que l'année de la prise de vue. Je rencontre physiquement Louise pour la première fois et découvre un visage aux traits doux mais aux expressions affirmées. Sur les premiers clichés, elle est représentée petite fille, en compagnie de ses parents, affichant déjà un air farouchement déterminé. Un document précieux, qui me fait presque jubiler. Viennent ensuite des portraits représentant la sœur de Louise, Henriette, entourée de sa progéniture. Une autre photo capte mon attention ; sur le cliché en sépia, Louise et Martin figurent en mariés. Je n'ai pas besoin de la retourner pour vérifier, je sais qu'il s'agit d'eux. Je passe un doigt sur la photo, suivant les contours des visages de mes aïeuls. Le couple est beau, bien que les jeunes gens me paraissent diamétralement opposés. Louise arbore des cheveux sombres coupés à la garçonne, sur un visage à l'ovale parfait. Elle sourit mais ses yeux renvoient un air grave. Je trouve Martin indéniablement et merveilleusement beau, malgré son visage émacié et sa minceur. Tous deux ressemblent davantage à des proches amis qu'à un jeune couple marié. Je compte bien conserver précieusement ce cliché.

Les autres photos montrent des repas dominicaux en famille, des pique-niques sur les berges de la rivière, des scènes de promenades autour du moulin. Puis ce sont des clichés de bébés joufflus qui défilent. Je lis au dos : *Léonie, 1921* et *Rose, 1925*. Avec émotion, j'observe ces moments immortalisés, qui témoignent d'un amour sans faille entre le couple et ses deux fillettes. Louise, Léonie et Rose sourient beaucoup, semblent même parfois rire aux éclats. On voit plus rarement Martin, qui faisait office de photographe. Toutefois, une photo les représente tous les quatre, se tenant droit devant la boutique, dont la vitrine contient des chapeaux de toutes formes. La dernière photo de la boîte est datée de 1938. Le couple a légèrement vieilli, les sœurs sont devenues des adolescentes à l'aube de la Seconde Guerre mondiale, qui ne va pas tarder à faire de terribles ravages. Je range ces photos, à nouveau frustrée. J'ai pu découvrir une famille heureuse, mais je ne sais finalement rien de ce qu'a été leur quotidien. Je vais devoir reconstituer un casse-tête dont il me manque beaucoup de pièces. Je jette un regard par la fenêtre, en remarquant que le ciel se couvre à nouveau. Je ne vais pourtant pas pouvoir rester là sans rien faire, à me retourner le cerveau afin de comprendre mon histoire. Je dois sortir, marcher pour me changer les idées.

...

Je remonte en flânant vers la sortie du village, que je n'ai pas encore eu l'occasion d'explorer. Quelques regards curieux se tournent vers moi, mais je décide de les ignorer, affichant sur mon visage un sourire que j'espère serein. Si on me demande qui je suis, je pourrai toujours répondre : Mona Lisa. Je passe sur un petit pont de pierre, sous lequel coule un ruisseau au lit peu profond. Un pont de chemin de fer se dresse en haut de la rue et je bifurque à gauche, en direction de la gare. Le bâtiment se révèle être complètement à l'abandon. L'ancienne bâtisse garde ses volets de bois clos. La porte par laquelle entraient et sortaient autrefois les usagers est condamnée et difficile d'accès, barrée par les herbes hautes qui s'érigent devant elle. Il est dommage que cette vieille gare soit ainsi tombée en désuétude, au fil des ans. Ce bâtiment de briques a été témoin du passé et n'est plus désormais qu'une vieille bicoque à l'abandon. Comme ma maison. Autour de moi, tout est silencieux, il n'y a pas âme qui vive.

Un panneau indique que la maison de retraite est proche. Si je rendais visite à la centenaire ? Puis-je interroger et embêter une vieille femme sur le passé d'un couple mort et enterré depuis des années ? Je ressens pourtant ce besoin complètement fou de rencontrer des personnes qui ont connu mes arrière-grands-parents, et sans vouloir faire dans le cynisme, elles ne doivent plus être très nombreuses. Mes pas me mènent devant *Les Grands Chênes*, le bâtiment qui abrite la maison de retraite. Le contraste avec la gare à l'abandon est impressionnant. Le ruisseau continue sa course en contrebas et c'est dans un véritable cadre de verdure que se tient l'institut, entouré par un parc. Tout paraît étonnamment vivant, en ce lieu où des personnes viennent mourir. J'avance vers la porte grande ouverte, le gravier crissant sous mes pas. Je pénètre dans le hall d'accueil et patiente un instant, tandis que la secrétaire discute avec une aide-soignante. Je feuillette distraitement une brochure vantant les chambres individuelles et salles de bains privatives des lieux. Les petits vieux peuvent presque se croire en vacances ici et leurs enfants ont sûrement ainsi la conscience tranquille.

— Est-ce que je peux vous aider ?

Je sursaute en entendant la secrétaire s'adresser à moi et lui résume pourquoi le notaire m'a conseillé de venir voir Huguette.

— Oh, vous avez de la chance, mamie Huguette est particulièrement en forme aujourd'hui ! s'exclame mon interlocutrice en faisant claquer sa langue. Elle est en promenade dans le parc, venez. Elle adore égrener ses souvenirs !

Nous traversons une salle dans laquelle plusieurs pensionnaires suivent passionnément un jeu télévisé tandis que d'autres jouent aux cartes, puis nous sortons par une porte-fenêtre et trouvons la vieille femme assise dans son fauteuil roulant, face à une fontaine. Une aide-soignante se tient à côté d'elle. La centenaire me paraît frêle, soutenue par des coussins et les épaules couvertes d'un châle. Ses petits yeux vifs ont été recouverts d'un léger maquillage, qui s'est incrusté dans les sillons creusés par ses rides. Sa peau me fait penser à du parchemin. Je ne tarde pas à comprendre que, si elle jouit d'une santé relativement bonne pour son grand âge, elle est un peu sourde. Sur un signe de l'aide-soignante, je m'adosse à la fontaine pour lui faire face et m'adresse à elle avec douceur, mais d'une voix plus forte que d'habitude, pour me présenter.

— Oh! je sais bien qui vous êtes, répond Huguette. Vous le portez sur vous; votre regard est le même que celui de madame Louise. Ses yeux étaient ambrés, comme les vôtres.

Je n'avais pas spécialement remarqué que je ressemblais à Louise. J'enchaîne, cherchant mes mots:

— Je suis désolée de venir vous déranger pour ressasser de vieux souvenirs alors que vous devez être fatiguée…

— Parce que je suis vieille, je devrais être fatiguée? J'aurais tout le temps de dormir quand le bon Dieu me rappellera à lui! Que voulez-vous savoir?

Je lui demande si elle peut me parler du couple formé par Louise et Martin.

— Ils s'entendaient bien, ma foi. J'étais présente à leur mariage, me raconte la vieille dame, en roulant les *r*. Tout le village était là ; les événements heureux étaient devenus si rares après la Grande Guerre. C'était une belle cérémonie.

— Est-ce qu'ils étaient amoureux ?

Huguette me lance un regard incrédule.

— Oh, ça m'étonnerait bien ! Ma mère racontait que Martin était peu porté sur les femmes. On faisait tous comme si on ne savait pas, parce qu'on les respectait, les Gestin ! Il y avait aussi sa blessure de guerre... Il ne pouvait plus se déplacer sans sa canne, le pauvre homme. Il paraît qu'il pouvait souffrir de douleurs terribles quand il pleuvait et qu'il serrait les dents pour ne pas crier, parfois.

Elle m'apprend ensuite que la famille de Martin a toujours vécu à Aubéry. Sa mère avait été emportée à vingt ans par une mauvaise grippe, alors qu'il n'avait que deux ans. J'essaie de revenir à Louise, mais la centenaire me fait signe de me taire et me détaille longuement, avant de reprendre :

— Oui, vous avez les mêmes yeux que madame Louise. Mais votre visage est plus joufflu, comme celui de Rose...

Elle semble se perdre un instant dans ses pensées, puis se redresse et poursuit son récit :

— Louise ne faisait pas dans les sentiments, elle était même plutôt sans scrupules quand c'était nécessaire et cela lui a servi pour les affaires. C'était une sacrée petite bonne femme. Martin était un rêveur alors que Louise avait davantage la tête sur les épaules. C'était elle, la vraie chef de famille. Ma sœur a travaillé pour elle et l'a parfois redoutée.

— Elle était si autoritaire que cela?

— Elle décidait pour tout et pour tout le monde. Louise pouvait être un ange, mais elle était également capable de se montrer implacable sur certains sujets, elle était particulièrement stricte avec ses filles, si je me souviens bien. Léonie est vite partie, d'ailleurs.

Huguette dodeline de la tête et l'aide-soignante me fait remarquer qu'il est temps pour moi d'abréger ma visite. Elle me précise que je pourrai revenir un autre jour, la centenaire adorant évoquer le passé. Je quitte *Les Grands Chênes* tandis que les cloches de l'église sonnent dix-sept heures. Je suis la route qui me mène face à la mairie. J'arrive devant la maison de mes aïeuls et me souviens, dépitée, que j'en ai laissé la clé à l'auberge. Je m'apprête à aller la récupérer lorsque mon téléphone sonne. Je fouille dans mon sac à main pour répondre au notaire, qui me paraît complètement affolé.

— Lola, est-ce que vous êtes à proximité de mon étude?

— Juste en bas, à vrai dire.

— Pouvez-vous monter? J'ai trouvé quelque chose d'assez déroutant.

Déroutant. Je n'aime pas ce mot. Je sens que la nouvelle qu'il souhaite partager avec moi ne va pas me faire sauter au plafond. Je rejoins en un rien de temps le bureau de Frédérick, imprégné de l'odeur des pastilles à la menthe qu'il mastique régulièrement depuis qu'il a arrêté de fumer. Il m'invite à m'asseoir;

je suis aussitôt sur mes gardes, voulant savoir si la procédure est à refaire.

— Non, pas du tout, me rassure-t-il. J'ai relu la paperasse parce que je ne savais pas par où commencer pour pêcher des informations sur votre cousin. J'avoue que ce que j'ai déniché est très perturbant…

Mon cousin est un tueur en série recherché par la police. À tous les coups, c'est un dangereux individu et il va m'éliminer dans les heures qui suivent. Qu'est-ce qui pourrait être pire que ça? Frédérick ne me fait pas attendre :

— Lola, vous êtes bien née le 18 octobre 1987? L'information n'est pas erronée?

— Si j'en crois le certificat délivré par l'orphelinat, oui, c'est exact.

Le notaire prend une inspiration et lance :

— Nom de dieu, Vincent est également né le 18 octobre 1987! C'est écrit noir sur blanc, sur les papiers que je vous ai fait signer, et pourtant aucun de nous trois n'y a fait attention. Il se pourrait bien que Vincent ne soit pas votre cousin, mais votre frère jumeau.

11.

— **M**on frère *jumeau*?
Hier, Frédérick me présentait un cousin, qui serait en fait mon *frère jumeau*? J'ai besoin de boire quelque chose de fort avant de m'évanouir pour de bon. Le notaire préfère m'apporter un verre d'eau, que j'avale d'un trait en fixant les livres de droit et les dossiers qui s'empilent sur une étagère. Je reste sans voix face à cette nouvelle information. J'aurais un frère jumeau, élevé par mon oncle? Par *notre* oncle? Pourquoi a-t-il eu le droit de rester et grandir dans la famille Garnier et pas moi?

— Reprenons, me ressaisis-je. On a raté quoi, là? Comment de cousin il passe au grade d'éventuel frère jumeau? Vous pensez qu'il est au courant?

— Oh, ça, je ne crois pas. Et à un moment ou à un autre, il faudra bien le lui apprendre.

— Il va me tuer. Déjà qu'il n'était pas ravi à l'idée de m'avoir pour cousine. Et puis, si ça se trouve, il est au courant et préfère opter pour la politique de l'autruche. Que sait-on de lui, après tout?

— Vincent tient son caractère de son père, enfin de votre oncle, décédé il y a neuf ans. Votre oncle pouvait se montrer renfermé de prime abord, mais généreux avec ses amis. Il menait une petite vie tranquille et il est mort d'une crise cardiaque, en plein travail.

Comme je m'enquiers de ce qu'il faisait dans la vie, Frédérick me répond :

— Il a travaillé comme jardinier, au château qui appartenait au frère de votre grand-père.

*Château. Frère. Grand-père.* Je suis perdue, là.

Frédérick avale à son tour un verre d'eau et reprend, arpentant la pièce de long en large :

— Votre grand-père était le fils d'un directeur de banque. Il est devenu jardinier tandis que son frère, lui, a suivi la même carrière professionnelle que le patriarche. Votre arrière-grand-père a même été maire du village. Il possédait un château, qui surplombe Aubéry, et un village voisin.

Je griffonne quelques notes sur mon carnet, afin de ne rien mélanger.

— En résumé, votre grand-père était jardinier au château familial et votre oncle a suivi la même voie. Aujourd'hui c'est la veuve de votre grand-oncle qui possède cette demeure. Je pense que c'est une très vieille femme. Rose Garnier m'a seulement mentionné qu'ils ne se fréquentaient plus depuis des années.

Quel casse-tête ! Frédérick en revient au père de Vincent, qui est resté employé au château jusque dans les années quatre-vingt, avant de travailler jusqu'à la fin de sa vie dans un manoir de la région. Je tente d'assimiler tout cela :

— D'un côté, la famille de Rose, des commerçants qui ont prospéré, de l'autre, celle de mon grand-père, des banquiers châtelains...

— Cela reste entre vous et moi, mais votre grand-mère les nommait *les parvenus*. Ses sentiments à leur égard n'étaient pas tendres.

OK. Visiblement, il y a eu une véritable guerre des clans au sein de cette famille. J'aurais préféré apprendre que j'ai été abandonnée à la naissance car mes parents étaient des artistes bohèmes, trop pauvres pour m'éduquer. Mais non. Je viens d'une famille apparemment très à l'aise, dont les principales occupations de certains membres étaient de faire des jumeaux et d'en abandonner un sur les deux. Peut-être même qu'ils ont tiré à la courte-paille pour savoir qui de Vincent ou moi allait dégager. Génial.

Je demande au notaire s'il sait où vit la mère de Vincent. Peut-être qu'elle serait disposée à m'apporter quelques réponses, après tout. Frédérick se fige, soudainement tendu.

— Lola, ne précipitez pas les choses… Ne vaut-il mieux pas attendre d'avoir d'autres pièces du casse-tête en mains ?

— Ce casse-tête est si compliqué ! Je ne sais même pas où Rose a caché les autres indices.

Il me conseille alors de suivre logiquement les pièces de la maison, en commençant par la boutique jusqu'aux pièces du haut, plutôt que d'y aller au hasard. Soupirant, je me laisse aller contre le dossier de mon fauteuil.

— Rose semble m'avoir choisie pour se libérer de lourds secrets. C'est un comble, car je n'ai jamais cherché à savoir d'où je venais. Ça me rend dingue, et en même temps plus j'en apprends, plus ma vie de petite Parisienne débordée me paraît bien fade.

— Vous avez de quoi être bousculée, acquiesce lentement Frédérick. Accordez-vous du repos pour cette fin de journée ; allez faire un tour près des berges de la rivière, l'endroit est très joli. Passez une bonne nuit réparatrice, et demain vous y verrez plus clair.

Je crois que je vais surtout commencer par téléphoner à ma mère. Ensuite, je verrai.

...

— Bon, pas de panique, me répond maman, pragmatique. C'est peut-être une énorme coïncidence. Peut-être que ta mère biologique et sa belle-sœur ont réellement accouché le même jour.

— Une chance sur combien, maman ?

— Sur des millions, d'accord, mais cela reste tout de même une probabilité.

Je soupire en raccrochant ; j'ai comme l'impression que maman cherche à se voiler la face. Je me dirige sous la douche et tente de me mettre à la place de ma mère ; elle a peut-être seulement peur de perdre une partie de la fillette qu'elle a élevée avec tant d'amour. Depuis mon arrivée à Aubéry, pas une seule fois je ne lui ai exprimé ma gratitude ni daigné lui demander comment elle allait. Pas étonnant que maman tente de se rassurer sous couvert de me protéger d'une éventuelle déconvenue ! Mais, après tout, peut-être qu'elle a raison et qu'il existe une infime chance pour que Vincent soit bien mon cousin. Après m'être enroulée dans un peignoir, je la rappelle, mais elle doit être occupée avec la fermeture de la sandwicherie. Je lui laisse un message affectueux, puis cherche à joindre Tristan, qui ne décroche toujours pas. Cela commence à devenir inquiétant. Nous passons rarement une journée sans nous donner de nouvelles. Serais-je allée jusqu'à négliger aussi mon meilleur ami, qui, vexé, me snobe ? Ce n'est pourtant pas le genre de Tristan. Il a peut-être enfin rencontré l'homme de ses rêves… Mais ça ne colle pas, car il n'aurait pas pu s'empêcher de m'en parler.

La soirée se déroule lentement ; après avoir soupé, je lis un peu et me rabats ensuite sur la musique du MP3 que m'a offert Tristan. Je regarde à nouveau les clichés de la boîte, cherchant encore et toujours des indices sur mon histoire et les secrets de cette étrange famille. Finalement, je m'endors bercée par la voix de Norah Jones et rêve de deux enfants courant à travers les couloirs sombres de la maison.

...

Mercredi. D'un pas ferme, je traverse l'ancienne boutique. Il n'y a plus rien à y trouver, hormis tout ce qui est relatif aux activités commerciales jusqu'à la fin des années soixante-dix. Résolue à démêler les fils de mon passé, je me dirige vers la cour intérieure. D'après les photos que j'ai pu contempler, le sol en piteux état était autrefois recouvert d'une pelouse entretenue. Louise devait étendre son linge ici, contre le mur du fond, Léonie et Rose jouant à la poupée ou encore aux quilles. Peut-être que Martin se plaisait à se reposer sur une chaise longue, à l'ombre d'un parasol. Des parterres de fleurs rendaient sûrement l'endroit encore plus plaisant et vivant. En tout cas, il ne subsiste plus rien et je vais finalement inspecter la cuisine, tandis que quelques gouttes d'une pluie fine commencent à tomber. Je bâille en déplorant de ne pas avoir de quoi préparer du café. Je m'active et ouvre un premier carton de vaisselle. Les pièces fragiles sont soigneusement emballées dans du papier journal. Je jette un œil à la date inscrite sur les feuilles de la gazette locale : 2008. Rose s'est certainement décidée à trier les affaires de famille peu après la mort de son fils. Voir ses deux enfants mourir a dû constituer de sacrées épreuves pour cette femme. Il n'est pas dans l'ordre des choses d'enterrer la chair de sa chair.

Je ne découvre que quelques assiettes et verres ornés de motifs fruitiers. Je passe à un autre carton et m'amuse de trouver une collection assez importante de tasses à café, les unes décorées de grosses fleurs, les autres de pois blancs sur fond de couleurs diverses. Si tout cela est vraiment à moi, je vais en offrir une partie à Tristan, qui a souvent écumé avec moi les brocantes afin de dénicher certains de ces trésors sortis d'une autre époque. Je n'ai absolument pas la motivation de fouiller le carton étiqueté *Livres de recettes*. Je ne pense pas y dénicher quoi que ce soit d'intéressant. Par où continuer ? Mes yeux errent, à la recherche d'un indice inexistant.

— Mais bien sûr !

Je me tourne vivement face au buffet en formica. Ce meuble me réserve peut-être autre chose que de la vaisselle ancienne. Avec un peu de chance, Rose aura laissé ici d'autres lettres. Je fais coulisser le tiroir central et, sans surprise, j'y trouve quelques couverts.

Je m'attaque aux placards du haut, désespérément vides. En bas, je découvre un service à café en porcelaine fine, enrichi de scènes asiatiques. Une note est collée sur l'une des tasses et je reconnais l'écriture désormais familière de Rose : « *Fais très attention à ce service, Lola, il m'a été offert pour mon mariage et j'y tiens beaucoup.* » Rien d'autre.

Je continue vainement à fouiller de fond en comble la pièce exiguë. Le désespoir menace à nouveau de s'abattre sur moi. Quel message a voulu me faire passer cette énigmatique Rose ? Il est un peu plus de midi. Je n'ai vraiment pas envie de rentrer déjeuner à l'auberge, aussi je sors de la maison pour aller acheter un sandwich à la boulangerie.

— Vous êtes la petite-fille de la mère Garnier, c'est ça ? m'interroge sans ménagement la femme du boulanger, tout en me servant.

Sa voix me fait désagréablement penser à une sirène de police. Je me sens mal à l'aise sous le regard insistant de cette femme indiscrète, la parfaite commère dont m'a parlé Frédérick. Elle n'est pas très grande, ses cheveux rouges sont coupés court et n'importe comment, ses joues cramoisies luisent de sueur. Elle porte sous son tablier une robe bariolée, qui boudine ses rondeurs au lieu de leur faire honneur. Ses petits yeux noirs me détaillent sans aucune gêne. Je suis prête à parier qu'elle ne me laissera pas partir sans avoir obtenu de moi n'importe quel ragot qui fera sa journée.

Je m'éclaircis la voix et réponds :

— Oui, c'est moi.

— Eh bien, on peut dire qu'elle nous avait caché ce beau brin de petite-fille! En même temps, avec le comportement de Nadège, on peut comprendre.

— Nadège?

— Bah, votre maman, tiens!

Je déglutis avec difficulté, tandis que la commère poursuit sur sa lancée:

— J'étais à l'école avec elle. Elle était de 1965, comme moi. C'est vrai qu'elle faisait déjà de drôles de manières, étant petite. C'est après qu'on a su. Vous n'en avez pas trop souffert?

Je ne comprends pas un traître mot de ce qu'elle me dit et ne peux que répondre que je n'ai pas connu ma famille.

— Pauvre petite! Vous n'avez jamais eu les mêmes maux que votre mère, au moins?

— Euh, non.

Un sourire ravi s'affiche sur le visage de la boulangère, comme si je lui avais tendu une gourmandise.

— Tant mieux pour vous, va. Vous vous en êtes bien sortie. Si vous avez besoin de quoi que ce soit, n'hésitez pas. La maison dont vous avez hérité doit contenir bien des choses intéressantes!

Je réponds de façon évasive que je m'en sors très bien pour l'instant. Son visage se départit alors de tout sourire. Elle comprend qu'elle n'obtiendra rien de plus de ma part pour aujourd'hui, mais m'offre la canette de soda. J'imagine qu'elle tente de me garder dans ses bonnes grâces, au cas où je serais d'humeur plus bavarde la prochaine fois.

Je quitte la boulangerie, perplexe. Il me semble saisir que ma mère biologique était peut-être malade, ce qui pourrait expliquer son décès lors de son accouchement. Je réalise alors que, pour la première fois en vingt-sept ans, j'ai enfin entendu le prénom de ma mère. *Nadège.* L'idée qu'elle est peut-être enterrée au cimetière communal m'effleure, mais il est encore trop tôt pour moi. Je ne me sens pas prête à me rendre sur la tombe de personnes dont j'ignore tout.

La pluie a cessé de tomber et je m'assois sur le perron de la cour intérieure. J'envoie un nouveau texto à Tristan. Je frôle le harcèlement, mais je suis vraiment inquiète de ne plus avoir de ses nouvelles.

Tu as été enlevé par des extraterrestres ?
Je m'inquiète !

La réponse me parvient au bout de quelques minutes :

Ma chouquette, ne t'inquiète pas. Les jours fériés arrivent et je suis débordé de travail. Je t'appelle demain soir, promis.

...

Assise sur le perron, le regard sans doute aussi expressif que celui d'un bovin en pleine digestion, je vide ma canette de thé glacé. Je ne sais plus vraiment sur quel pied danser, trop d'éléments s'ajoutent les uns aux autres, sans que je parvienne à les relier entre eux. Je me sens déplacée, comme une étrangère qui débarquerait pour déterrer cette histoire de famille.

D'un autre côté, je ressens le besoin d'assembler les pièces de ce casse-tête afin de comprendre qui je suis vraiment, d'où je viens et pourquoi je n'ai toujours pas les réponses à ces questions.

Le plus perturbant pour moi reste ma gémellité possible avec Vincent. Je ne vais pas me la jouer à prétendre que j'ai toujours senti au plus profond de moi-même que j'avais un jumeau et que l'on m'a séparée de lui à la naissance. En revanche, il est vrai que j'ai toujours cherché la notion de fraternité dans mes amitiés, depuis l'enfance; mais n'est-ce pas un peu le cas de tous les enfants uniques? La fatalité veut que, même si j'arrive à déterrer complètement toute cette histoire, je ne pourrais jamais revenir en arrière pour changer le cours des événements, que Vincent soit mon frère ou mon cousin. Une voix me souffle toutefois que si l'on ne peut pas réparer le passé, on peut forcément apprendre à vivre avec sans regrets et aller de l'avant. Peut-être qu'il n'est pas trop tard pour construire un début de relation avec Vincent.

J'ai envie de faire quelques recherches sur Internet. Mon téléphone pourrait faire l'affaire, mais Nora a mentionné l'existence d'une médiathèque. Je n'ai pas de plan précis en tête, ces recherches me sortiront au moins des cartons poussiéreux laissés par Rose. Je ferme la maison, rassérénée à l'idée d'agir.

Je longe le trottoir de la rue principale et arrive dans une sorte de *no man's land*: une ancienne boulangerie à la vitrine bouchée de vieux journaux, une quincaillerie à la peinture bleue écaillée définitivement fermée, une station essence éventrée de ses pompes, un magasin de chaussures aux stores défoncés, une pharmacie qui ne propose plus que des toiles d'araignées dans sa vitrine, le tout dans un état de délabrement qui ferait presque passer Aubéry pour un village fantôme. La rue principale ressemble à un véritable cimetière de briques. Une voiture passe de temps à autre, se dirigeant vers les hauteurs et la sortie du village, comme pour quitter à tout prix ce bourg désaffecté. Le plus surprenant, c'est l'atmosphère de vide qui règne dans la rue, à cette heure de la journée. Un silence de plomb domine et m'angoisse, ajouté à la torpeur de l'air particulièrement lourd. Je me sens si petite dans cette rue étroite, pleine de maisons à l'abandon! Au cinéma ou dans les livres, c'est toujours dans ce genre d'ambiance que le monstre tapi dans les égouts surgit sur sa proie sans défense. OK, j'ai trop lu Stephen King. Les gens sont partis là où ils ont trouvé davantage d'opportunités. Plus de choix de travail, d'âme sœur, d'amis. Comme bien d'autres villages, Aubéry a dû souffrir de la crise.

La médiathèque se situe au fond d'une cour, installée dans un bâtiment qui fait face à des appartements récents. Enfin un peu de vie!

...

Je pousse la porte vitrée du petit bâtiment moderne et me présente devant une jeune femme d'apparence avenante dont le badge annonce: «Élise, à votre service». Je lui précise que je viens sur les conseils de Nora Chalus, afin d'effectuer des recherches sur Internet. Élise ne semble pas plus âgée que moi, ce qui me surprend. Je m'attendais plutôt à trouver une vieille femme bénévole pour faire l'accueil. Je le lui dis et ça la fait rire.

— Il n'y a que les touristes qui s'attendent à trouver une sorte de grand-mère bienveillante pour les guider. Je suis bénévole ici et je gère également la comptabilité du club de canoë-kayak. Nous ne sommes plus beaucoup de jeunes à résider dans le bourg, c'est vrai, mais nous essayons tant bien que mal de continuer à faire vivre Aubéry.

Je lui fais part de la forte impression que m'a laissée la rue déserte.

— Vous n'êtes pas la première, ni la dernière à trouver cela lugubre. Moi, j'ai grandi ici, alors ça me fait juste un peu de peine.

Élise paraît heureuse de pouvoir bavarder un peu et me confie avec énergie qu'elle est fermement décidée à ne pas voir son village mourir peu à peu. Son regard se perd dans le vague, elle hausse les épaules et reprend :

— Trêve de bavardage, vous n'êtes pas là pour ça, je suppose.

— Oh, cela ne me dérange vraiment pas. Je suis contente de pouvoir me changer un peu les idées.

— Si vous avez besoin de vous divertir, la fin de semaine, on aime tous se retrouver entre amis dans le bar sur la place du champ de foire. Vous pourriez vous joindre à nous.

Je la remercie pour sa proposition et elle me conduit au coin informatique, ajoutant :

— Je pars dans un quart d'heure, mais Jim, mon collègue, va me remplacer. Si vous avez besoin de quelque chose, n'hésitez pas à vous adresser à lui.

Je m'installe devant un ordinateur. Tandis que la page Internet s'ouvre lentement, je jette un regard autour de moi ; les murs blancs s'agrémentent de joyeux dessins d'enfants. Un coin lecture est d'ailleurs dédié aux petites têtes blondes, le sol recouvert de tapis et coussins douillets. Le rayon littérature s'annonce plus classique, avec un fauteuil, deux tables et quatre chaises à la disposition des lecteurs. Deux ordinateurs posés sur des tables complètent l'ensemble.

Pour commencer mes investigations, je tape dans le moteur de recherche *Garnier + Aubéry*, mais il n'en résulte rien d'autre que l'adresse et le numéro de téléphone de Vincent. Je ne trouve rien concernant le mandat de maire de mon arrière-grand-père, pas de faits divers non plus. Je lance ensuite une recherche globale sur le village, qui ne m'apporte rien d'autre que d'anciens clichés d'Aubéry, identiques à ceux que j'ai déjà pu voir chez Frédérick. Rien d'intéressant ne sort du lot. Le village possède un site officiel, que je visite par acquit de conscience. Il n'a pas été mis à jour depuis quelques mois et met en avant les initiatives dont m'a parlé Élise, afin de tirer Aubéry de sa torpeur. Je cherche alors quelques renseignements sur le château dont le notaire m'a parlé hier. J'apprends ainsi que l'édifice a été mentionné dès l'an mille comme un important château, laissé ensuite plus ou moins à l'abandon dès le seizième siècle. Il est habité depuis le début du vingtième siècle. « *Le château d'Aubéry est resté entre les mains des descendants de l'ancien maire de la commune, Armand Garnier. Son fils aîné en était l'unique propriétaire jusqu'à sa mort, en 2003. Aujourd'hui, c'est la veuve de cet ancien directeur de banque qui occupe les lieux durant une partie de l'année. Le château est un domaine privé et ne se visite pas, au grand dam des passionnés d'histoire et de culture locale. »*

Je m'étire de tout mon long et me laisse aller contre le dossier de la chaise. Tout cela est terriblement frustrant et grisant à la fois. Le fait d'avoir vu des photos de mes ancêtres, mais également d'avoir trouvé des traces du château sur Internet me rend tout cela plus concret et attise mon besoin de découvrir la vérité. Mes pensées reviennent fatalement vers Vincent. Cousin ou frère ? Je vérifierais bien s'il est présent sur les réseaux sociaux, mais est-ce vraiment là le meilleur moyen de me faire une idée de sa vie ? Pourtant, mes doigts tapent déjà son nom sur Facebook. Il me faut évidemment faire avec une foule de Vincent Garnier. J'entre le nom du village dans la case *Localisation* et pousse un soupir de lassitude ; rien ne sort.

— Si tu as besoin de renseignements sur mon pote, tu peux me demander, tu sais.

Je manque d'envoyer la souris de l'ordinateur en l'air en entendant la voix si près de moi ; je pivote et me retrouve nez à nez avec l'homme qui accompagnait Vincent le soir où j'ai dîné chez Frédérick. Je suis un instant pétrifiée par son regard incroyablement bleu. Le feu monte rapidement à mes joues et je balbutie, comme prise en faute :

— Ce n'est pas ce que vous croyez… J'ai découvert un lien de parenté entre Vincent et moi… et comme il n'est pas très facile à aborder, je pensais que…

Mon interlocuteur reste les bras croisés, le visage impassible, à me détailler. J'aimerais juste pouvoir disparaître dans un trou de souris. Je me sens comme un lapin pris dans les phares d'une voiture en pleine nuit. Je trouve malgré tout le courage de faire comme si je rangeais mes affaires puis, étonnée par ma propre audace, je rétorque :

— Mais vous lisiez par-dessus mon épaule, au fait ?

Il décroise ses avant-bras musclés et hausse les épaules, m'accordant ce qui ressemble à un demi-sourire en coin.

— Tu as soupiré tellement fort que j'ai cru que tu avais fait planter l'ordinateur, lance-t-il en guise d'excuse, d'une voix basse et claire.

Je me lève pour le toiser ; il me dépasse d'environ quinze bons centimètres et a une allure sportive. Il est même plutôt baraqué, en fait. Une barbe châtaine recouvre la totalité de sa mâchoire. Mes yeux s'arrêtent sur le badge accroché à son t-shirt et j'y lis le prénom « Jim ». Mon regard remonte lentement vers le sien ; ses yeux semblent sonder mon âme. Je réalise qu'il est temps pour moi de prendre congé avant qu'il ne me demande ce que j'ai à le dévisager ainsi. Je marmonne un bref au revoir et commence à me diriger vers la sortie, mais il me rappelle déjà :

— Attends, je ne voulais pas te mettre mal à l'aise !

Je me retourne vers lui, indécise.

— Merci de me le préciser, mais c'est raté. D'ailleurs, je n'ai pas vu le temps passer et j'ai beaucoup de choses à faire.

Je quitte la médiathèque sans demander mon reste et rentre à l'auberge comme si j'avais le diable aux trousses. Ce Jim m'a vraiment troublée! L'horloge de l'église affiche quinze heures. Le temps est toujours aussi lourd et j'espère que l'orage va finir par éclater, apportant avec lui une pluie rafraîchissante. Voilà exactement ce dont j'aurais besoin. Évelyne rentre juste du jardin, un magazine sous le bras et m'apostrophe avant que je n'emprunte l'escalier qui mène à l'étage. Elle s'approche de moi et me touche affectueusement le bras.

— En faisant le ménage, ce matin, j'ai trouvé un papier tombé sous votre lit. Je me suis dit que vous ne vous en étiez peut-être pas rendu compte.

— Je suis vraiment désolée, il a certainement glissé.

— Oui, c'est ce que j'ai pensé. Je l'ai posé sur la table de chevet.

— Merci, Évelyne.

Je ne vois absolument pas de quel papier elle peut bien me parler, aussi je monte l'escalier quatre à quatre. J'ai beau réfléchir, je ne me souviens pas d'avoir eu la moindre feuille de papier sur moi, ni même d'avoir arraché un feuillet de mon carnet. Je me dirige droit vers la table de chevet et y trouve en effet une feuille, pliée en quatre. Je la défroisse pour y découvrir l'écriture de Rose :

« *Lola,*
*Maintenant que tu as regardé ces vieilles photos et décrypté la moindre expression de chaque visage, tu t'es imprégnée des personnages principaux de notre roman familial et tu*

172

*as peut-être envie de connaître la suite de notre histoire. Ma mère écrivait beaucoup de lettres, qu'elle échangeait avec sa sœur et son frère, mais aussi mon père, qui partait une à deux fois par an en cure thermale, ou encore son amie Fanny lorsque cette dernière s'en allait en vacances. Avec l'aide des personnes concernées, j'ai pu réunir une bonne partie de sa correspondance. Maman se confessait si facilement à ses proches! Je pense qu'elle était plus à l'aise à l'écrit pour mettre son cœur à nu. Ces lettres, tu les trouveras dans l'unique meuble resté dans la chambre de mes parents. Quelques heures de lecture t'attendent si tu souhaites poursuivre cette aventure. »*

Je laisse échapper un petit cri de victoire; enfin, une petite avancée! Je vais sauter au cou d'Évelyne dès que je la reverrai! La feuille a dû s'échapper du tas de photographies que j'ai renversées sur mon lit, sans aucune précaution. Je me réprimande intérieurement; la prochaine fois, il me faudra être plus soigneuse avec ces précieux témoignages du passé! Sans plus attendre, je décide de faire un saut à la maison afin de dénicher ces lettres. Je compte bien consacrer le reste de ma journée à la lecture de la correspondance de Louise.

D'un pas sûr, je me précipite dans la maison, au premier étage, dans la chambre présumée de Louise et Martin. Une vieille armoire de campagne, unique meuble de la pièce, est adossée contre un mur. J'ouvre l'un des battants, en priant pour que rien ne me tombe dessus, mais l'armoire ne déborde pas de choses inutiles. Cette fois-ci, deux larges boîtes à chapeaux m'attendent, au milieu de vêtements enfermés dans des housses de protection. Je ne vais pas passer inaperçue, à l'auberge, avec ces deux grosses boîtes rondes sous les bras! Je les ouvre et découvre avec émerveillement plusieurs paquets de lettres reliées entre elles par de la ficelle. Je n'ai finalement absolument aucune envie de sortir ces vieilles feuilles de la maison, je ressens plutôt le besoin d'être seule dans cet endroit qui a tout connu des secrets de Louise et Rose. Je porte les lettres dans le salon et, après l'avoir épousseté rapidement de mes mains, m'installe sur le vieux canapé en cuir. Je commence ainsi ma lecture, me sentant délicatement observée par les souvenirs qui ont été fabriqués dans cette vieille maison.

# 12.

*Louise, 1920-1921.*

Les jeunes mariés sortirent de l'église au son d'une joyeuse envolée de cloches. Le mariage entre Louise et Martin s'était déroulé par une journée ensoleillée de mai 1920, une de ces journées qui ne laissent présager que le meilleur pour l'avenir. Louise paradait, ravissante, dans une magnifique et miroitante robe de taffetas blanc. Le corsage long enserrait délicatement son buste menu tandis que la tulipe de la jupe se faisait plus évasée. Sur le front lisse de la jeune femme, des roses retenaient les plis vaporeux du voile. Louise avait fait couper sa chevelure à la garçonne, qu'elle portait crantée, en accord avec l'air du temps. Le résultat lui convenait à merveille, mettant son regard vif particulièrement en valeur. Martin, quant à lui, portait un costume blanc rehaussé d'une veste blazer d'un bleu foncé gansé de blanc. Le couple paraissait radieux et resplendissant en sortant de l'église, sous les vivats de leurs invités et de la foule des villageois massés devant l'édifice. Tout le monde voulait à tout prix voir la jolie mariée.

Le photographe d'Aubéry les immortalisa, tout à leur bonheur, d'abord devant la tonnelle fleurie du café du Bourg, puis dans son studio. Louise souriait, ne pensant qu'à la façon dont elle avait réussi à se sortir de sa condition de paysanne. Pour rien au monde elle ne ferait marche arrière et renoncerait à la vie qui s'offrait désormais à elle. Nul ne pourrait deviner le secret que les époux partageaient, le pacte qui les unissait. Ils feraient en sorte que plus personne ne parle de Martin comme d'un impuissant ou d'un précieux. Louise comptait bien tout mettre en œuvre pour lui donner des héritiers et travailler dur pour que le magasin se développe, fasse la renommée et la puissance de leur famille.

Un souper intime fut donné après la cérémonie ; seuls la famille et les témoins furent conviés. Ils discutèrent et s'amusèrent jusqu'à plus de minuit, Louise n'osant pas lâcher son frère du regard tant il lançait d'œillades à une cousine de Martin. Un scandale dans la famille ne serait pas le bienvenu pour démarrer leur nouvelle vie. Jacques repartirait dès le lendemain pour son collège. En attendant, il fallait garder ce garnement bien à l'œil. Le jeune homme restait studieux dans ses études, mais passait son temps libre à flirter avec toutes les filles qui avaient la mauvaise idée de passer sous son nez. Il avait déjà brisé bien des cœurs, avec sa belle gueule et son insouciance ! Louise inspira calmement et décida qu'elle se ferait du souci pour son cadet un autre jour. Son regard s'arrêta alors sur sa meilleure amie. Fanny avait donné naissance quelques semaines plus tôt à un beau garçon prénommé Richard. Le bébé accentuait encore davantage sa joie de vivre et la plongeait jour après jour dans une forme de béatitude. Elle était justement en train d'en discuter avec Henriette.

Les deux sœurs n'avaient plus grand-chose en commun, l'une ayant préféré continuer à travailler dans une ferme, l'autre s'étant sortie de cette condition. Si Henriette ne nourrissait aucune jalousie envers sa sœur, elle ne comprenait toutefois pas toujours ses choix. Selon elle, une vie méritante était fondée sur les prières, de douloureux enfantements et de durs labeurs. L'enseignement religieux ne leur avait-il pas appris que c'était uniquement sous ces conditions que l'on accédait au salut de l'âme? Henriette était bien consciente que sa sœur cadette était douée, mais l'intelligence était-elle vraiment une qualité? Enfin, la responsabilité de sa sœur revenait désormais à Martin, et puisqu'ils avaient accepté de s'occuper de Jacques, il ne s'agissait pas de se montrer trop exigeante… À vrai dire, Henriette se sentait libérée d'être partie pour la Creuse. Elle n'avait jamais développé de grands sentiments pour ses cadets; quant à ses parents, ils étaient morts et enterrés. À présent, seuls son mari et ses enfants comptaient à ses yeux. Et puis, Louise semblait heureuse, ce soir, tout en beauté malgré le massacre qu'elle avait fait subir à sa belle chevelure. Non, elle n'avait vraiment pas besoin d'Henriette.

La jeune mariée ne se départait pas de son sourire. L'espoir et la satisfaction la dominaient complètement, elle savait qu'elle avait fait le bon choix en épousant Martin. Son passé s'en allait déjà loin derrière elle. Ce soir-là, en observant en douce la lourde silhouette de sa sœur et son teint déjà buriné par le labeur, Louise se fit le serment que rien ne viendrait jamais compromettre ses ambitions. Elle ferait tout ce qui serait en son pouvoir pour s'assurer une bonne place au sein de la société, et plus jamais elle ne retournerait au travail de la terre et des champs. Plutôt se poignarder en plein cœur.

...

Il était un peu plus de huit heures lorsque Louise ouvrit les yeux, le lendemain matin. C'était la première fois qu'elle se réveillait dans cette chambre meublée quelques mois avant par son époux, qui la changeait du confort sommaire qu'elle avait toujours connu à la ferme. Le couple dormait dans un vrai lit, recouvert de draps et de couvertures dans lesquels on se sentait parfaitement à son aise. Un lourd édredon de plumes orné de romantiques motifs floraux complétait la parure. Une immense armoire gravée de roses entrelacées était assortie au lit nuptial. En cadeau de mariage, Martin avait offert à Louise une coiffeuse dont rêvait la jeune femme. Elle pourrait se maquiller et se coiffer selon les dernières modes. Elle avait découvert dans une revue prêtée par Fanny que l'actrice du moment se nommait Lillian Gish. Louise lui avait trouvé une expression grave et mélancolique, peut-être trop pour que les femmes veuillent lui ressembler. Elle allait devoir trouver d'autres modèles. Louise voulait absolument se tenir au fait des dernières tendances pour renouveler en connaissance de cause les marchandises de la boutique. Elle était certaine que les clientes seraient fières de porter des toilettes similaires à celles des plus grandes vedettes.

La jeune femme s'étira dans le lit conjugal, réjouie de ces belles perspectives d'avenir. À l'aube de sa carrière professionnelle qui s'annonçait des plus passionnantes, elle avait épousé de surcroît un homme doux qui, pour leur nuit de noces, s'il ne s'était pas montré un amant fougueux, n'en avait pas moins fait preuve d'une extrême délicatesse. Louise rougit à l'évocation de ce souvenir de la nuit passée ; si la flamme de l'attrait physique n'avait pas été immédiate, le plaisir s'était finalement emparé d'elle, la laissant vide et comblée à la fois. Martin l'avait ensuite tenue durant de longues heures dans ses bras.

Elle descendit au salon et contempla le gramophone qui leur avait été offert par Fanny et son mari. Elle admira ensuite de la fenêtre la place du marché. Cette place où tout avait commencé dix ans auparavant, lorsque son père avait décidé de lui confier les ventes des produits de la ferme. Elle songea que, de là-haut, Henri devait la regarder avec fierté, lui qui avait cru en elle si tôt. Il serait certainement heureux de voir que sa fille avait su sortir de cette ferme pour mettre ses capacités au profit d'un commerce !

— Comment se porte ma petite épouse ?

La jeune femme accueillit son mari par un sourire éclatant :

— Oh, Martin, ce que je suis comblée ! Je crois que je vais très rapidement m'accoutumer à cette nouvelle vie !

...

En effet, les choses prirent rapidement leur place au sein du couple. Louise porta leur premier enfant dès les semaines qui suivirent leur mariage. La nouvelle les mit en joie et se répandit sans tarder dans les rues d'Aubéry. Les deux jeunes gens préparaient l'arrivée de ce premier enfant tout en travaillant au nouvel essor du magasin. Louise chargea Fanny de lui rapporter des échantillons de tissus de Paris, elle en commanda des mètres afin de les présenter aux clientes. Des chapeaux, des gants, des bonnets arrivaient également et ils réorganisèrent la boutique afin qu'elle constitue un attrait incontestable. La jeune femme présenta dans la vitrine une robe qu'elle avait fait confectionner chez le tailleur, avec un tissu à la dernière mode ; elle alignait à côté chapeaux et bérets, puis refaisait tout le mois suivant. Afin de réduire les coûts, elle se mit elle-même à la couture, le soir, s'essayant à divers modèles et rêvant à ces boutiques des grandes villes qui innovaient en proposant du prêt-à-porter. Louise avait réussi à apporter la nouveauté dans ce magasin austère et elle tenait les comptes avec une exactitude qui aurait fait pâlir de jalousie un professeur de mathématiques. Elle n'oubliait pas le serment qu'elle s'était fait, devenu son principal leitmotiv.

Lorsque Léonie naquit, en février 1921, le magasin rentrait tout à fait dans ses frais et la suite s'annonçait des plus prometteuses. Louise se remit promptement de ses couches et Léonie restait avec elle au magasin, dans son berceau, tandis que la jeune femme continuait à travailler avec acharnement à l'essor de leur affaire. Martin avait accueilli avec joie sa petite fille, qui avait hérité de ses cheveux blonds et de ses traits délicats. Si leur complicité restait intacte, la proximité conjugale du couple avait diminué et Louise avait émis un consentement silencieux sur les aventures de son mari, pas si nombreuses que cela ; en dix mois de mariage, il ne s'était absenté que deux fois, se rattrapant ensuite du mieux qu'il le pouvait avec son épouse. Un soir, il lui avait même confié :

— Tu sais, Louise, si parfois tu as des besoins passionnels, tu as tout à fait le droit de faire comme moi.

La jeune femme s'était redressée prestement sur leur lit.

— Cherches-tu à me pousser dans d'autres bras alors que j'ai tout pour être heureuse ici ?

— Est-ce qu'un homme qui chérirait ton corps comme un trésor ne te manque pas, parfois ?

— Je n'ai pas le temps pour ce genre de choses, Martin. La situation me convient tout à fait comme elle est, je t'assure. Les attentions que tu m'accordes me suffisent.

Louise était fermement décidée à garder la tête froide, toute sa volonté étant concentrée sur le magasin ; elle voulait qu'il traverse les décennies et les générations, comme une espèce d'institution. L'amour restait bien la dernière de ses préoccupations, tant elle travaillait dur afin de ne jamais devoir redevenir une petite paysanne. La vie s'organisa donc ainsi, Louise devenant populaire au sein du magasin de confection, toujours avenante envers les clientes, de plus en plus nombreuses. Les hommes, eux, ne s'attardaient guère, mais la jeune femme n'en avait pas fait son cœur de cible. Elle se sentait heureuse lorsque les villageoises touchaient les tissus, rêveuses et pleines d'idées sur les vêtements qu'elles pourraient faire tailler. Louise leur proposait alors chapeaux et gants qui se marieraient à la perfection avec leurs futures toilettes et c'est ainsi que le chiffre d'affaires ne chutait jamais. Elle espérait attirer prochainement les habitantes des villages voisins, qui ne manqueraient pas d'entendre parler de la boutique et de sa pétillante patronne. Martin s'était totalement désintéressé du magasin, laissant son épouse gérer cette affaire qu'elle maîtrisait si bien.

Il aimait s'asseoir sur le banc, devant la vitrine et discuter avec les uns ou les autres. Parfois, il plongeait dans des accès de nostalgie, se demandant si celui qu'il avait considéré comme l'amour de sa vie avait vraiment trouvé la mort à la guerre ou s'il s'était simplement offert une nouvelle vie, dans un endroit meilleur. Lorsque Louise était trop occupée avec des clientes bavardes, Martin emmenait la petite Léonie se promener sur les berges de la rivière. S'il était heureux de voir sa femme s'épanouir et se donner entièrement à leur commerce, il s'inquiétait toutefois qu'elle ne finisse par faire passer leur fille en dernier. Ne l'avait-il pas trop poussée en avant, en lui confiant les rênes de la boutique ? Louise avait des idées à revendre : des peintures à refaire, de nouveaux tissus à commander, un miroir en pied qui permettrait aux clientes de mieux se rendre compte du tombé des futures robes sur leurs silhouettes. Douce mais obstinée Louise, qui ne pensait qu'à offrir le meilleur d'elle-même au magasin ! Tout le monde ne voyait plus en elle qu'une femme résolue et une patronne intransigeante, oubliant que ce n'était là qu'une carapace. Pourtant, la nuit, lorsqu'elle se réveillait avec la tête pleine de doutes, seul Martin savait la consoler et la rassurer.

Louise avait su saisir l'air du temps : au sortir de la guerre, les gens avaient besoin de légèreté. Mais seule une minorité d'entre eux s'autorisait à vraiment profiter de l'insouciance tout juste retrouvée. La population avait beau avoir l'intention de se divertir, les traumatismes de la guerre restaient bien présents. Les rescapés et mutilés suffisaient à rappeler que la victoire avait un prix ; Martin avait lu que le nombre d'uni-jambistes était évalué à vingt-cinq mille, quant aux hommes qui avaient le visage complètement défiguré, les gueules cassées, ils pouvaient être dans les quatorze mille.

La population était amputée par les pertes de très jeunes hommes, les veuves se faisaient nombreuses et les bébés ne se bousculaient pas. La France vieillissait et le village d'Aubéry ne faisait pas exception à la règle. On encourageait les familles nombreuses. Néanmoins, la rare jeunesse encore intacte se souciait peu de fonder une famille, préférant aller danser, boire, rire. Sur l'impulsion du gouvernement, une politique d'immigration fut mise en place et le pays accueillit dans ses grandes villes des Polonais, Italiens et Portugais, attirés par les perspectives qu'offrait un pays à reconstruire. Les dommages maté-riels de la guerre étaient colossaux. La vie politique inté-rieure restait assez agitée et cette guerre avait laissé tant de traumatismes que l'on vivait avec la peur que cela recommence.

Si Martin était plutôt soucieux par rapport à cette situation, Louise, quant à elle, ne s'en préoccupait absolument pas, allant toujours de l'avant. Elle se sentait attirée vers l'émergence du music-hall et des musiques joyeuses qui arrivaient sur les gramophones. Elle observait avec intérêt cette mode des garçonnes, que pas une villageoise n'oserait copier, réprouvant elle-même la vie désorganisée des bohèmes de Montparnasse. Quelques jeunes femmes d'Aubéry se faisaient couper les cheveux, mais pour le reste, elles avaient surtout un pays à reconstruire. Louise ne pouvait que leur apporter de brèves distractions dans leur quotidien dicté par les règles et elle comptait bien les conforter dans cette voie-là. Après tout, c'était ce qui faisait tourner sa boutique.

## 13.

*1930.*

Louise souffla d'un seul coup les bougies qui ornaient son gâteau d'anniversaire. Pour fêter ses trente ans, elle avait seulement souhaité être entourée des siens. Elle ferma les yeux, songeant brièvement que cela faisait dix ans qu'elle menait cette vie parfaite et peu conventionnelle, rongée par la peur que tout cela s'arrête d'un coup.

Pourtant, les années s'étaient écoulées sans l'ombre d'un problème. La boutique avait tant prospéré que la famille Gestin était désormais considérée comme l'une des plus aisées d'Aubéry. On parlait d'eux avec respect et leur ascension en faisait rêver plus d'un. Ils avaient fait l'acquisition d'une petite maison et la louaient à un jeune couple récemment installé au village. Marie, la femme, travaillait pour eux, s'occupant du ménage, parfois de la cuisine, et venait aider Louise à la boutique pour des menues tâches. Léonie s'était prise d'affection pour cette femme douce et simple, aimant passer de longues heures en sa présence.

En 1925, Louise avait donné naissance à une seconde fille, Rose. C'était une victoire pour elle, qui avait toujours redouté d'avoir un enfant unique. Combien de fois lui avait-on demandé quand Léonie aurait la chance d'avoir un petit frère! Elle craignait plus que tout les ragots concernant la virilité de Martin. Louise avait redoublé d'efforts afin de rester désirable aux yeux de son mari, dont les élans se portaient toujours pour un genre avec lequel elle était incapable de rivaliser. Lorsque la petite Rose était née, la joie en avait été semée dans tous les cœurs. En grandissant, Léonie avait conservé le frêle aspect de son père et développé un caractère lent et conciliant. Rose, elle, s'était avérée l'exacte opposée de sa sœur. Elle avait les boucles châtaines de Louise et deux yeux vifs qui annonçaient un tempérament déterminé. Ses iris tiraient sur le bleu marine, comme ceux de son père, et son visage avait les traits fins, le tout lui conférant une beauté presque slave. Toutefois, elle avait pris une bonne partie de la personnalité de sa mère : très tôt, elle s'était montrée volontaire, intrépide et sûre d'elle, malgré une tendance à la rêverie.

Tous les quatre formaient une famille heureuse et unie. Lorsque Louise ne travaillait pas, elle consacrait son temps libre à ses deux fillettes, jouant avec elles jusqu'à en perdre haleine, organisant des pique-niques et des parties de danse effrénées dans le salon familial. Les disques de Mistinguett et Maurice Chevalier côtoyaient ceux de jazz et de swing, dont raffolait Louise. Les deux fillettes aimaient par-dessus tout danser le charleston avec leur mère. Une fois par an, la famille se joignait aux autres villageois afin d'assister aux « cavalcades » qui se tenaient depuis quelques années dans les rues, des défilés de chars décorés, qui faisaient le bonheur de Léonie et de Rose. Toutes deux rêvaient de prendre place un jour sur l'un des véhicules, en tant que « Reine de la cavalcade ».

...

— Maman, on va se promener au bord de la rivière !

Louise débarrassait les restes de son dîner d'anniversaire. Ce dimanche de juillet s'avérait brûlant et les deux fillettes avaient naturellement envie d'aller se jeter dans la fraîcheur du cours d'eau.

— Laissez-moi terminer la vaisselle, au moins, protesta-t-elle.

— Mais papa est prêt, lui !

— Eh bien, partez devant avec lui et je vous rejoins.

Léonie et Rose sortirent de la cuisine dans de stridents cris de joie.

— Tout va bien, Louise ? demanda Martin, qui observait sa femme, appuyé nonchalamment contre le chambranle de la porte. Je te sens soucieuse.

— Je vieillis, c'est tout. Trente ans ! Ces dix dernières années sont passées à une vitesse complètement folle, tu ne trouves pas ?

La jeune femme récurait énergiquement une casserole.

— Tu pourrais faire ça plus tard, lui suggéra son mari, et venir te baigner avec nous.

— Je vous rejoindrai, ne t'inquiète pas. Je ne veux pas partir en laissant la vaisselle sale.

— Très bien, comme tu voudras, capitula Martin en haussant les épaules. Nous serons près du moulin, comme d'habitude.

Il lui déposa un baiser sur le front, tout en songeant que Louise devenait de plus en plus obsessionnelle, rongée par ce besoin de tout bien faire. Au bout de dix ans de mariage, elle craignait toujours que Martin ne se lasse d'elle et la renvoie dans une ferme. Il n'en était évidemment pas question, l'affection qu'il éprouvait pour elle depuis tout ce temps était restée intacte. Martin savait qu'il était pour sa femme une sorte de mentor, et sans lui elle s'effondrerait sans doute dans un premier temps, avant de rebondir. Quant à lui, il considérait Louise comme sa meilleure amie, celle sur qui il pouvait se reposer. Jamais rien ne viendrait détruire ces liens infaillibles, pas même un homme. Toutefois, il avait préféré lui cacher qu'il était tombé amoureux quelques mois auparavant. Léon, son amant, avait compris que Martin ne quitterait jamais Louise pour lui et la situation leur convenait tout à fait ainsi à tous les deux.

...

Louise longeait d'un pas vif les berges de la rivière. Elle suivait le sentier avec précaution, redoutant toujours de voir surgir un serpent. Pourtant, il y avait tellement de monde qui venait se prélasser ici que les reptiles restaient forcément éloignés. Le soleil se tenait haut dans le ciel, les enfants s'ébattaient dans l'eau fraîche. Comme il faisait bon de venir flâner ici, sous le feuillage touffu des arbres, avec le débit du moulin en fond sonore! Aubéry bénéficiait d'un joli cadre de vie. Il arrivait parfois que cette rivière d'apparence calme connaisse des épisodes de crue. Le barrage avait déjà cédé, ce qui avait contraint la plupart des habitants d'Aubéry à se déplacer en barque à travers les rues du village. Toutefois, ces crues restaient rares et, en cette après-midi magnifique, ces souvenirs étaient loin. Louise aperçut rapidement, près du moulin, son mari installé avec leurs deux petites filles. Tout à coup, un cri affolé attira son attention:

— Oh, mon dieu, il se noie!

Sans réfléchir, Louise demanda énergiquement qui se noyait. Une adolescente au bord de la crise de nerfs pointa du doigt son petit frère en train de lutter pour ne pas couler. Se baigner sans aucune surveillance, là où l'eau tourbillonnait le plus fort, relevait d'un acte purement inconscient. Louise se débarrassa prestement de ses chaussures et sauta à l'eau, afin de secourir le garçonnet. Elle était une bonne nageuse, même si ce n'était pas une activité qu'elle pratiquait souvent. En quelques brasses, elle rejoignit le jeune garçon, qui continuait à se débattre.

— Ne panique pas, lui souffla-t-elle en le serrant contre son torse. Tu ne crains rien, je suis là, laisse-toi faire.

Le garçonnet s'en remit entièrement à sa sauveuse, qui nagea pour deux et les ramena sains et saufs sur la rive. Plusieurs badauds qui avaient assisté à la scène s'étaient regroupés et aidèrent Louise à hisser le garçon dans l'herbe. Martin accueillit sa femme en la serrant dans ses bras.

— Aubéry a une nouvelle héroïne, murmura-t-il en lui déposant un baiser sur la tempe.

Quelqu'un était allé quérir le mari de Fanny, leur maison étant situé à quelques pas de là. Le médecin ausculta le garçon, qu'il déclara en pleine forme malgré sa frayeur.

— Il faut qu'il se repose, toutefois. Où sont ses parents ?

L'adolescente qui avait donné l'alerte répondit :

— Papa et maman sont allés marcher un peu, ils ne devraient plus tarder.

Louise demanda à voix basse à Martin qui étaient ces deux gamins, qu'elle n'avait jamais vus auparavant. Son époux laissa échapper un petit rire gêné en lui expliquant :

— Ces deux petits garnements occupent durant l'été la ferme que tu as vendue à leur père, Maurice Ledoux.

La jeune femme ne put s'empêcher de tressaillir à l'évocation de ce seul nom. Elle n'eut pas le temps de répondre car l'avocat et son épouse se pressaient déjà vers leurs enfants.

— Que s'est-il passé ? criait la mère, au désespoir. Hélène, je croyais que tu devais surveiller ton frère !

— J'ai failli me noyer, clama le garçon, presque fier de son accident, mais la dame, là, m'a sauvé la vie !

Louise se retrouva à nouveau au centre de l'attention et le regard de l'avocat se posa inévitablement sur elle.

— C'est donc vous que nous devons remercier ? interrogea-t-il en avançant lentement vers Louise, tandis que sa femme restait en retrait.

Les yeux de Louise croisèrent ceux de l'avocat, qui n'avaient rien perdu de leur attrait malgré les dix années écoulées depuis leur première rencontre. S'il la reconnut, il n'en laissa rien paraître et lui serra chaleureusement la main.

— Laissez-moi vous inviter à dîner dans notre maison de vacances, avec votre mari et vos enfants. Ce ne sera qu'un simple repas, même si nous vous devons bien plus que cela.

Louise consulta Martin du regard et ce dernier répondit :

— Ma femme n'exigerait jamais d'être récompensée pour son acte de bravoure, mais nous acceptons ce dîner de bon cœur.

Il fut décidé que le souper aurait lieu le samedi suivant, dans l'ancien corps de ferme que Louise s'était évertuée à rayer de ses souvenirs. Le soir même, alors qu'ils se couchaient, elle ne put s'empêcher de morigéner légèrement Martin :

— Qu'est-ce qui t'a pris d'accepter cette invitation ?

— Louise, se récria-t-il en posant son journal sur la table de chevet, ces gens peuvent être des clients potentiels pour le magasin et en parler autour d'eux. Tu ne voudrais quand même pas rater une telle occasion ?

— Mais je n'ai pas envie d'aller partager un repas avec eux ! soupira-t-elle.

— D'habitude, lorsqu'il s'agit des affaires de la boutique, tu ne fais pas tant de manières ! D'ailleurs, je me rends compte qu'en dix ans, pas une seule fois tu as souhaité savoir ce qu'ils avaient fait de la ferme de tes parents. Tu n'es pas curieuse ?

— Non, fit-elle, la mine boudeuse.

Martin n'était pas dupe. Du haut de ses trente-six années, il avait pu se forger une certaine expérience de la nature humaine et devait bien reconnaître que Maurice Ledoux restait un homme fort séduisant. Là où l'âge avait tendance à affaisser les hommes, l'avocat restait haut et charismatique. Si Louise avait ressenti un trouble lors de leur première rencontre, il était naturel qu'il se manifestât à nouveau une décennie après. Peut-être avait-elle besoin de ressentir à nouveau les affres du désir physique. Jamais il ne lui en voudrait de vouloir connaître le plaisir dans les bras d'un autre, même si ce n'était pas moral. Même si Louise allait certainement tout faire pour lutter contre ce corps qui allait la supplier de céder.

...

La semaine était passée trop rapidement au goût de Louise. C'est à peine si elle avait pu supporter les jeux et les cris de ses filles, tant elle était obnubilée par le souper qui s'annonçait. Elle aurait à la fois voulu suspendre le temps et l'avancer pour en finir une bonne fois pour toutes. La jeune femme était en proie à de terribles agitations intérieures qui l'empêchaient de se concentrer sur ses tâches habituelles. Elle mourait d'envie d'expédier ses clientes et aurait donné n'importe quoi pour retrouver son calme, d'habitude si constant.

Pourquoi Martin, qui l'avait protégée des avances de l'avocat dix années auparavant, avait tant tenu à ce qu'ils aillent dîner chez lui ? Elle allait devoir lutter de toutes ses forces, résister au charme dévastateur de Maurice qui, d'un simple regard, pouvait lui faire perdre la tête. Elle devait se concentrer sur le magasin, les affaires, ses filles. Oh, bien sûr, Martin lui avait dit qu'il ne verrait aucun mal à ce qu'elle ait un amant, mais elle n'en ressentait aucune envie et ne souhaitait pas que son couple s'apparente à ces libertins sans mœurs qui fleurissaient dans les grandes villes. Jamais elle ne s'éloignerait de son but, sa volonté de s'élever toujours plus haut dans les rangs sociaux d'Aubéry. Pour cela, elle se devait de conserver une moralité sans faille.

Après avoir récité plusieurs prières afin de garder tout son courage, elle se rendit enfin avec son mari chez les Ledoux. Les filles étaient restées à la maison, sous la surveillance de Marie, ce qui l'arrangeait bien. Il lui aurait été trop difficile de contrôler à la fois ses enfants et ses émotions. Ils se mirent en route tandis que le jour ne déclinait pas encore tout à fait, à l'heure où la terre était encore chaude des rayons du soleil dardés toute l'après-midi. Un léger vent faisait onduler le blé comme des petites vagues. Martin conduisait lentement, conscient du trouble grandissant de sa silencieuse épouse. Ils traversèrent la calme campagne avant d'arriver en vue de l'ancienne ferme. Des années entières s'étaient écoulées et si la propriété avait été modifiée, Louise s'attendit pourtant presque à voir sortir sa mère sur le perron de la maison, auquel avait été ajoutée une verrière, qu'elle détesta aussitôt.

Maurice les accueillit chaleureusement. Son épouse avait décidé de servir le repas à l'extérieur, derrière la maison, qui donnait sur les champs de tournesols.

— Cela doit vous paraître bizarre, madame, de revenir ici, après tant d'années! lança-t-il de manière un peu trop appuyée.

Ainsi, il avait donc parfaitement reconnu Louise. Elle serra si fort la main de Martin qu'elle eut un instant peur de lui broyer les os. L'avocat leur fit contourner le corps de ferme et ils se retrouvèrent assis autour d'une table dressée pour un dîner faussement champêtre.

— Comment se porte votre fils? s'enquit Martin.

— Antoine a connu une grosse frayeur, mais grâce à votre épouse, il s'en est bien tiré. Il n'a même pas peur à l'idée de retourner se baigner.

— Vos deux filles auraient pu se joindre à nous, lança Germaine, leur hôtesse.

— Oh, elles sont aussi bien chez nous, soyez-en sûre, répondit un peu trop vivement Louise.

En vérité, la jeune femme n'avait pas eu envie d'expliquer aux deux fillettes que c'était là qu'elle avait grandi, à l'époque où la ferme ne ressemblait pas encore à une charmante maison de vacances.

— Vous semblez avoir réalisé des travaux colossaux, ajouta-t-elle en désignant l'ensemble de la propriété par un geste vague.

— Nous y avons pris un plaisir fou, révéla Maurice, en insistant beaucoup trop sur ses paroles. Ne trouvez-vous pas ce cadre merveilleux?

— Non.

Tous les regards convergèrent vers Louise, qui poursuivit, faisant fi des convenances:

— C'est ici que j'ai sué à effectuer des travaux de ferme que je détestais. C'est encore dans cette maison que j'ai passé des nuits à dormir blottie contre mon petit frère, sur une paillasse. C'est là que j'ai appris la mort de mon père à la guerre et que j'ai vu ma mère perdre foi en la vie avant de rendre l'âme, âgée d'à peine cinquante ans. Alors non, monsieur, je ne trouve pas ce cadre merveilleux.

— Louise, murmura Martin, je crois que tu as abusé de l'apéritif.

— Laissez, répondit l'avocat, le point de vue de votre épouse me paraît très pertinent, d'autant plus qu'elle m'avait vendu cet endroit comme idéal pour y abriter nos vacances estivales, à l'époque.

Louise leva des yeux frondeurs vers son interlocuteur.

— Parce que, monsieur, j'étais si pressée de fuir cette ferme que j'aurais pu vous la décrire comme l'une des merveilles du monde s'il l'avait fallu.

Il ne pouvait échapper à personne autour de la table qu'il émanait d'eux une certaine tension. Si Germaine se disait probablement que le courant ne passait pas entre son mari et cette femme un peu trop prompte à dire le fond de sa pensée, Martin comprit sans mal que, bien au contraire, c'était un courant électrique qui dominait leur conversation, une attraction quasi chimique, qui poussait Louise à affronter verbalement l'avocat pour tenter de le repousser loin d'elle. C'était bien évidemment l'inverse qui se produisait et Martin se demanda alors si son épouse allait suivre les instincts de son corps ou tout refouler au fond d'elle-même.

...

Des semaines entières s'étaient écoulées depuis ce fameux souper et Louise était toujours aussi bouleversée. Si elle avait réussi à ne jamais plus croiser Maurice depuis lors, elle s'en sentait soulagée autant que tiraillée par le besoin d'aller le trouver. Mais elle savait aussi que se donner à une passion vouée d'avance à l'échec, c'était laisser l'essentiel de côté. Jamais elle ne se contenterait de n'être qu'une maîtresse, elle valait tellement plus que cela! Si seulement ce fichu avocat pouvait ne jamais remettre les pieds dans le coin! Un beau jour, son épouse vint pourtant choisir du tissu pour confectionner une robe de soirée. Elle opta pour une soie d'un somptueux vert émeraude, qui éveillait parfaitement son regard marron, un peu fade de nature. Germaine annonça qu'ils donnaient une soirée avant de repartir pour Paris et que les Gestin étaient naturellement invités. Louise se figea; cette femme était-elle donc sotte au point de ne pas avoir compris ce qui menaçait d'arriver entre son mari et elle, si tous les deux venaient à se retrouver seuls?

Martin entra dans la boutique à cet instant et lança:

— J'ai entendu parler d'une soirée?

Germaine réitéra son invitation, ajoutant que de nombreux notables des villes alentour seraient présents.

— Bien sûr que nous serons là! s'exclama-t-il. Ce sera une aubaine formidable pour la boutique.

— Nous nous comprenons bien, lui assura la femme de l'avocat.

Louise se sentit blêmir et se demanda comment elle allait à nouveau tenir jusqu'au moment fatidique.

Les journées passèrent désormais lentement. La jeune femme ne tentait même plus de lutter contre cette impatience qui montait en elle un peu plus à chaque heure. Puisque Martin avait résolu de la pousser dans les bras de Maurice, elle n'allait plus chercher à cacher cet état de fébrilité dans lequel elle se trouvait plongée. Toutefois, elle ne céderait pas à la passion. L'avocat ne l'aurait pas. Jusqu'au bout elle tiendrait, dût-elle en mourir.

La soirée arriva enfin. Louise parut chez les Ledoux tout en beauté, drapée dans une robe de soie mauve qui descendait juste sous le genou. Ses cheveux arboraient toujours le même carré court pour lequel elle avait opté dix ans auparavant, popularisé depuis par Louise Brooks. Martin se tenait à son côté, toujours très élégant malgré les souffrances qu'il endurait à cause de sa jambe blessée. Il allait d'ailleurs partir en cure dès la fin du mois.

Louise aperçut avec soulagement Fanny parmi la foule des invités qui étaient dehors, sur la pelouse parée d'un buffet et pourvue d'un orchestre. Les Ledoux voulaient en mettre plein la vue à leurs invités, tout était si ostentatoire! La jeune femme songea que ses parents n'en auraient pas cru leurs yeux s'ils avaient encore été de ce monde. Elle discuta avec divers commerçants et notables de la région. Il se murmurait que le maire d'Aubéry était attendu d'un instant à l'autre. Louise resta aussi longtemps qu'elle le put à bavarder et à plaisanter avec Fanny et son mari. Martin avait pris place sur une chaise, pouvant ainsi soulager sa jambe. La conversation avait abouti sur Jacques, le frère de

Louise, qui était parti exercer le métier de facteur à Limoges.

— Est-il décidé à se fixer ? voulut savoir Fanny.

— Nous parlons de Jacques, répondit Louise en exerçant une légère pression complice sur le bras de son amie. Il papillonne, pour sûr, mais n'envisage aucune relation sous un angle sérieux. Cela en devient désespérant, il a tout de même vingt-cinq ans ; il va finir vieux garçon à ce rythme-là.

— Mais laissez-le donc, intervint le mari de Fanny, en attrapant une coupe de champagne, il a bien le droit de s'amuser, ce pauvre garçon.

Fatalement, le moment arriva où Maurice se dirigea d'un pas décidé vers Louise. Elle n'aurait su discerner si son cœur s'arrêtait ou si au contraire ses battements s'accéléraient. La jeune femme sentit ses mains devenir moites et le monde autour d'elle disparaître, tandis que l'avocat vint à sa hauteur.

— Bien le bonsoir, madame. Vous êtes particulièrement ravissante, ce soir. M'accorderiez-vous une danse ?

— Je ne sais pas danser, se renfrogna-t-elle.

— Mais qu'est-ce que tu racontes ? intervint Fanny. Tu es bien meilleure danseuse que moi !

— Oui, mais…

Maurice s'empara d'autorité de sa main.

— Allez, venez. Juste une danse.

À contrecœur, afin de ne pas créer de scandale, Louise se laissa entraîner par les deux bras puissants de l'avocat et ils tournoyèrent au rythme d'une valse chantée. Elle tentait d'ignorer les effluves de son parfum frais et boisé, qui ne faisait qu'attiser son trouble. Maurice tentait de la serrer encore davantage contre son corps, laissant ses mains viriles errer dans le dos décolleté de la jeune femme. S'il n'y avait pas eu tout ce monde, elle aurait déjà succombé à la douce chaleur qui se répandait dans son bas-ventre. Pourtant, elle se tint droite tout au long de la danse, même lorsqu'il lui susurra à l'oreille :

— Oh, Louise, vous me plaisez tant, petit bout de femme autoritaire et si jolie !

— Taisez-vous ou je m'en vais, lança-t-elle d'un ton qu'elle espérait convaincant.

Il insista pourtant, la suppliant de ne pas lui laisser croire que son attirance n'était pas réciproque.

— Taisez-vous, je vous ai dit. Il n'y aura rien de possible entre nous. Jamais.

La valse touchait à sa fin et Louise prétexta une envie pressante pour se sauver. Elle se faufila parmi les invités et n'hésita pas à se réfugier dans la maison. Elle reçut un véritable choc en constatant à quel point on l'avait transformée. Des briques en terre cuite recouvraient désormais le sol. Ce qui avait constitué autrefois la cuisine rustique dans laquelle sa mère préparait des repas avec les produits de la ferme jouissait aujourd'hui du confort le plus moderne. La grande chambre où tout le monde dormait était à présent un salon agréablement meublé. Un canapé se tenait à la place du lit de ses parents et des meubles hors de prix remplaçaient les paillasses. Le *tic-tac* d'une horloge rappelait les minutes qui s'écoulaient dans ce décor si calme. Des chambres avaient dû être attribuées dans l'ancien grenier. Elle resta là, les bras ballants et bouche bée, à contempler tous ces changements et n'entendit pas Maurice qui s'était approché d'elle.

— Louise, murmura-t-il.

Elle se retourna vers l'avocat et, en croisant son regard, se dit que cette fois-ci c'était trop tard. Elle était prise à son propre piège.

— Ce que vous avez fait à ma maison... souffla-t-elle.

— Louise, as-tu vraiment envie de parler de cela? murmura-t-il.

Elle se laissa tomber dans les bras puissants de Maurice et s'offrit à ses baisers, tout en essayant de se persuader qu'elle ne le devait pas.

— Arrêtez, on pourrait nous surprendre, tenta-t-elle de se dérober.

— Personne n'entrera ici, Louise, vous le savez tout aussi bien que moi.

La jeune femme se laissa aller sous les supplications de l'avocat et ne chercha pas même à se débattre lorsque, d'une main, il souleva le pan de sa jupe. Sa bouche plongea dans son décolleté et s'empara avidement d'un de ses seins. Elle perdit complètement pied sous ses caresses, et tandis que les doigts experts de Maurice s'agitaient d'une cadence de plus en plus folle dans son humidité, l'emmenant vers des sommets jamais atteints, elle poussa un ultime cri d'extase, tout en ayant en même temps un sursaut de lucidité :

— Non! Non!

Elle se recula vivement, rouge et essoufflée, réajustant sa robe.

— Louise… supplia-t-il en faisant un pas en avant.

— Ne m'approchez plus.

Elle prit la fuite et traversa la pelouse au pas de course, comme si sa vie était en jeu. Trouvant Martin toujours assis sur le même siège, elle s'arrêta à sa hauteur et lui ordonna :

— Nous rentrons.

— Mais, le maire vient d'arriver et il souhaitait te rencontrer.

— J'ai dit nous rentrons, Martin, insista-t-elle. Le maire attendra.

Il comprit alors au visage empourpré de sa femme qu'il s'était passé quelque chose avec Maurice. Sans l'interroger, il la conduisit à leur voiture. Lorsqu'il prit place à côté d'elle et démarra le véhicule, Louise lâcha sans préambule :

— Il n'y aura plus jamais rien entre lui et moi. C'est ainsi, c'est ma volonté.

Martin la dévisagea un bref instant avant de se concentrer à nouveau sur la route.

— Ne te justifie pas. Je ne suis pas jaloux et tu le sais.

— Je ne me justifie pas. Je te demande seulement de ne plus chercher à me précipiter entre ses griffes. Je ne veux plus, tu m'entends ? Je ne le veux plus ! s'emporta-t-elle, encore sous le coup des sensations d'extase et de frustration.

Cette même nuit, elle connut entre les bras de Martin un plaisir plus intense que les fois précédentes et pleura ensuite sur ce qu'étaient devenus les lieux de son enfance.

— L'enfance… murmura Martin tout en la serrant contre lui. L'enfance, c'est un ensemble de souvenirs éphémères, que l'esprit retranscrit avec plus ou moins d'exactitude. Il ne reste de l'enfance que ce que nous voulons en conserver, ma Louise.

— Ils ont détruit la maison où j'ai grandi, Martin, renifla-t-elle.

— Oui, mais ils n'ont pas détruit tes souvenirs. Ils continuent d'exister à travers toi.

Louise s'endormit apaisée, résolue à ne plus jamais accepter d'invitations de la part des Ledoux. Elle comptait sur le fil des années pour que le souvenir des mains de Maurice parcourant son corps s'estompe peu à peu, jusqu'à seulement devenir de vagues réminiscences.

# 14.

*1938.*

Huit années s'étaient écoulées depuis le bref éga-
rement de Louise dans les limbes de la passion
charnelle. Les premiers mois n'avaient pas été faciles
à vivre pour la jeune femme, qui avait cruellement
souffert du manque physique, tel un drogué forcé de
se sevrer du seul poison qui apaisait ses tourments.
Son quotidien l'avait finalement aidée à surmonter
cette épreuve, qui l'avait étonnamment rapprochée de
Martin. Louise n'était pas sans ignorer que son mari
entretenait une liaison qu'il tentait de lui cacher, mais
les étoiles qui brillaient dans ses yeux lorsqu'il partait
pour plusieurs jours et la mélancolie qui s'emparait de
lui quand il rentrait ne trompaient pas. Il restait abattu
deux ou trois jours, durant lesquels elle s'inquiétait de
le voir si déprimé. Puis les choses reprenaient leur cours
normal. Elle avait appris à vivre avec cette situation
si particulière, qui faisait pourtant leur force, au lieu
de les plonger dans une relation malsaine. La passion
ne les gouvernait pas, mais leurs sentiments mutuels
s'avéraient profonds et sincères, même au bout de dix-
huit ans de mariage.

Au fil des ans, le caractère de Louise s'était forgé pour devenir de plus en plus dur et affirmé. Son corps était devenu menu tant elle se dépensait pour la boutique, oubliant parfois de manger. Plus elle vieillissait, plus Louise devenait une petite femme à l'énergie redoutable, que Marie peinait à suivre dans ce rythme éprouvant. Heureusement, la plupart du temps, cette dernière s'occupait de la maison et des filles, ce qui constituait pour elle un véritable repos à côté du rythme effréné mené à la boutique. Chaque jour Louise mesurait, coupait des tissus, cousait, sortait gants et chapeaux, satisfaisait les moindres désirs des clients. Le soir venu, elle se penchait sur les comptes et élaborait de nouvelles stratégies commerciales. Marie se demandait comment sa patronne parvenait à tenir debout, dans cette frénésie qui ne la quittait jamais. Louise était une personne dure en affaires, qui savait exactement comment mener sa barque. Grâce à sa détermination sans faille et à son flair, le couple Gestin s'était attiré les bonnes grâces du maire et des bourgeois des villages alentour, tout en sachant conserver ses clients plus modestes. Martin avait pu faire l'acquisition de quelques terrains et leurs affaires ne souffrirent pas franchement de la crise économique partie des États-Unis en 1929, avant de s'abattre sur le reste du monde.

Des mouvements fascistes s'étaient multipliés çà et là, menaçant les gouvernements en place, comme en Espagne ou en Italie. En France, les principales crises appartenaient au passé, notamment grâce aux accords de Matignon, signés en 1936 et qui prévoyaient une hausse des salaires et la reconnaissance des droits syndicaux. La semaine de quarante heures de travail et deux semaines de congés payés avaient également été octroyées, ce qui avait entraîné les hauts cris de Louise :

— Mais quelle nation de fainéants ! Ils auront bien le temps de se reposer quand ils seront morts, pourtant !

Martin, surtout, ne voyait pas d'un bon œil ce petit nerveux d'Hitler, qui imposait son idéologie nazie à l'Allemagne et semblait représenter une menace considérable. Comment tout cela allait-il bien pouvoir évoluer ? Les accords de Munich maintenaient momentanément la paix, mais qui pouvait assurer que le führer s'en tiendrait là ?

Tandis que la situation politique du pays en inquiétait plus d'un, Louise affirmait également son caractère auprès de ses filles depuis qu'elles avaient atteint l'âge délicat de l'adolescence. Le glas avait sonné la fin des jeux joyeux entre la mère et les filles. Plus de danses à en perdre haleine, ni de parties de cache-cache ou de poupées à habiller. Terminées, les longues heures passées assises au soleil, à rire et à jouer. Rose avait développé une personnalité déroutante, affichant haut et fort ses opinions et désaccords. Elle n'hésitait pas à faire claquer les portes à la moindre querelle avec sa mère – ce qui arrivait assez régulièrement –, et conservait, malgré son tempérament, une âme d'artiste. Léonie, de son côté, s'était sentie très tôt attirée par la religion. Alors que sa cadette ne rêvait que de peindre et de danser, l'aînée avait annoncé à ses parents son intention de rentrer dans les ordres le plus rapidement possible. Naturellement, la volcanique Louise ne l'avait pas entendu de cette oreille. Pour la première fois de sa vie, l'aînée s'était rebellée.

— Tu ne comprends pas, maman, tu ne comprendras jamais. Ma foi est inébranlable et tu as beau vouloir toujours tout contrôler, cette fois-ci, tu ne pourras rien y faire. À jamais je serai liée à Jésus. Je compte entrer au couvent l'année prochaine et personne ne m'en empêchera. Pas même toi.

À la suite de cette scène, les villageois avaient pu voir, médusés, Louise traverser la place pour vociférer sur le curé d'Aubéry :

— C'est vous qui avez mis ces sornettes dans le cerveau de ma fille ?

Le pauvre curé ne comprit jamais le sermon qu'il lui fut donné d'entendre ce jour-là et ce fut finalement Fanny qui parvint à calmer Louise :

— Il n'y a rien de mal à la voir entrer dans les ordres, enfin, tempéra-t-elle autour d'un café et de biscuits fins. Ma Louisette, tu ne veux donc pas le bonheur de ta fille ? Comment aurais-tu réagi si l'on t'avait empêché d'épouser Martin ? Tu peux bien la laisser épouser Jésus si elle en a envie, elle ne risque pas grand-chose.

Comme Louise haussait les épaules, Fanny reprit :

— Pense à ton frère, qui ne s'est jamais marié et ne fait que papillonner ici et là. Tu aimerais que Léonie suive ce chemin ?

Sage Fanny qui s'évertuait toujours à voir le verre à moitié plein ! Cette dernière avait surpris tout le monde en annonçant une grossesse inattendue en 1932, plus de dix ans après avoir mis au monde son premier enfant. Une petite Béatrice avait vu le jour, portrait craché de sa mère, qui s'épanouissait dans cette maternité tardive. La petite était choyée de tous et sa compagne de jeux favorite restait Rose, pourtant bien plus âgée qu'elle.

Si cette dernière acceptait d'occuper la fillette, c'était surtout parce que son cœur battait la chamade pour le beau Richard, le frère aîné de Béatrice, qui se destinait à devenir médecin. Le jeune homme âgé de dix-huit ans était en effet l'un des plus beaux garçons d'Aubéry ; il avait pris le teint mat et la ligne musclée de son père. Ses cheveux bruns bouclaient autour de son doux visage. Ses yeux intelligents s'animaient quand il parlait, et il pouvait discourir durant des heures, passionné par l'évolution sociale du monde. Rose lui vouait une admiration aveugle et mignonne pour ses treize ans, se plaisant à griffonner son portrait dans l'un de ses carnets à dessins.

Louise accepta finalement la vocation de son aînée. Au moins, il lui restait encore une de ses filles auprès d'elle. Elle escomptait bien que Rose finirait par s'intéresser aux affaires florissantes du magasin et suivrait son chemin. Elle écrivait d'ailleurs dans de longues lettres à sa sœur tous les projets qu'elle envisageait pour sa cadette. Elle comptait surveiller la jeune adolescente de très près, afin de s'assurer qu'elle n'aille pas s'acoquiner avec le premier type venu. Elle nourrissait déjà pour Rose un projet de mariage qu'elle tenait pour l'instant secret, par peur de tout compromettre.

## 15.

*Mai 1947.*

Louise observait Rose qui dormait, insouciante, dans son lit. La jeune femme saurait-elle un jour pardonner à sa mère l'acte dont cette dernière venait de se rendre coupable ? Comprendrait-elle que l'autorité dont elle faisait preuve était avant tout une forme d'amour, et non une punition ? Léonie et Rose pensaient que Louise n'avait d'intérêt que pour sa boutique. Elles ignoraient totalement qu'elle ne pensait en réalité qu'à leur assurer un avenir confortable, dans lequel elles ne manqueraient jamais de rien. Louise vivait éternellement dans la crainte que tout ce qu'elle avait construit ne s'écroule et elle ne ménageait pas ses efforts pour maintenir la boutique en tête des magasins les plus fréquentés de la région. Elle avait conscience d'agir au détriment de sa vie de famille, mais les derniers événements n'avaient fait que renforcer sa détermination.

La guerre les avait tous épuisés. Aubéry n'avait pas souffert comme tant d'autres communes, malgré les maigres rations de nourriture autorisées dans les foyers. Aucune famille n'avait connu d'arrestation, aucun combat n'avait été à déplorer. C'était une chance inespérée. Dans une lettre à ses parents, Léonie avait vu là une explication mystique ; elle leur avait relaté qu'en 1940, alors que la période s'annonçait des plus risquées, les curés d'Aubéry et des deux plus proches communes alentour avaient demandé protection à la Vierge et formulé un vœu : si aucune famille de ces trois villages n'avait à subir de préjudices de la part des soldats ennemis qui traversaient la région, une statue dédiée à la Vierge Marie serait érigée sur les lieux de passage des troupes.

Pendant toute la durée de l'Occupation, aucun habitant du village n'eut à subir les désastreuses consé-quences de cette guerre, malgré le mouvement de Résistance qui s'était développé dans la région. Cela tenait presque du miracle puisque, dans la nuit du 29 au 30 août 1944, dix-huit mille hommes appar-tenant au général Elster, des troupes réputées pour semer la mort, occupèrent le village durant huit heures sans faire aucune victime. Cette terrible guerre n'était pas terminée depuis deux ans que la paroisse recevait déjà des dons pour faire réaliser leur statue de la Vierge, si bien que l'inauguration aurait lieu dans les mois à venir. L'emplacement était fixé à la sortie du village, non loin de la maison de Fanny, qui avait tant tremblé pour son fils durant toute cette triste période. En effet, Richard avait tout d'abord été fait prisonnier de guerre, avant d'être déporté à la frontière pour y travailler. Il avait réussi à s'échapper, tentant le tout pour le tout lors de l'assoupissement d'un gardien. Le jeune homme avait erré des jours durant, hébergé le plus souvent par des fermiers, dans le seul but de rejoindre Aubéry. Sa volonté n'avait jamais failli et il avait fini par rallier le village. Fanny avait été partagée entre la joie de retrouver son aîné sain et sauf, bien qu'amaigri par la faim et les longues heures de marche, et la crainte de voir les soldats allemands débarquer et l'arrêter. Louise avait alors pris les choses en mains et contacté une cousine de son défunt père; la vieillarde vivait au fin fond de la campagne, là où personne n'aurait songé à aller chercher Richard. Fanny s'était résignée à voir son fils partir une nouvelle fois et avait manqué s'évanouir quand, en juin 1943, elle avait appris qu'il s'était engagé dans le premier maquis constitué dans la région.

Durant toute cette période, l'admiration que Rose portait au jeune homme depuis sa plus tendre enfance n'avait cessé de croître. Richard était devenu à ses yeux un véritable héros et elle ne tarissait pas d'éloges à son sujet. Rêveuse Rose, qui en grandissant s'était métamorphosée en un magnifique papillon, prenant la haute taille et le regard intense de Martin. Ses boucles châtaines tombaient librement au-dessus de ses épaules. Rose était devenue une très belle femme à l'ossature fine et aux goûts sûrs, éprise d'arts en tous genres. Son tempérament se voulait aussi passionné qu'exalté. Louise avait eu espoir que sa cadette s'intéresse aux affaires du magasin, puisque cette dernière se plaisait à repriser et transformer les vieilles robes de sa mère pour les remettre au goût du jour. Toutefois, ses passions se multipliaient et ne duraient qu'un temps éphémère, faisant d'elle une touche-à-tout.

Richard, tout juste échappé d'Allemagne, s'était inévitablement épris de la jeune femme et ils avaient passé ensemble de nombreuses heures à se promener au bord de l'eau, à flirter et élaborer des projets d'avenir. Louise n'avait pas vu d'un bon œil cette amourette naissante, mais n'avait pas osé faire part de ses craintes à Fanny, par peur de perdre son amitié. Rose avait connu des moments de profonde déprime lors du départ de Richard pour la campagne, errant comme une âme en peine à travers la maison et les rues d'Aubéry. La jeune femme flânait sur les rives, près du moulin, observant le roulis incessant de l'eau qui s'écoulait bruyamment du barrage. Elle aimait rouler à bicyclette jusqu'à la sortie du village, traversant les routes bordées par les bois, foulant des lieux encore sauvages, découverts lors de ses promenades avec Richard. Puis elle s'apercevait qu'il était temps de rentrer dîner et de se coucher pour enfin rêver à celui qu'elle aimait. À la Libération, leurs retrouvailles avaient été intenses et passionnées. La jeune femme lui avait offert ce qu'elle avait de plus précieux, sa virginité, lors d'une de leurs promenades bucoliques. Tous deux se répétaient à quel point ils s'aimaient et ne se lasseraient jamais l'un de l'autre.

Richard projetait toujours de devenir médecin, mais il souhaitait poursuivre ses études à Paris. Ainsi, il pourrait étudier à loisir et profiter des plaisirs de la capitale, de l'insouciance retrouvée au sortir de cette guerre. Les Américains avaient apporté des boissons, de la nourriture et de la musique qui donnait irrémédiablement envie de danser. Peut-être que Rose pourrait le suivre, demander à ses parents l'autorisation d'étudier les beaux-arts?

— Mon père se laisserait fléchir, lui avait-elle révélé, je peux lui demander tout ce que je veux. Mais ma mère ne sera jamais d'accord. Et c'est elle qui décide.

— Alors enfuis-toi avec moi! avait-il répondu, enjoué. Nous nous débrouillerons. Lorsque je serai médecin, nous verrons le monde; l'Asie m'a toujours attiré, ainsi que l'Afrique. Je suis sûr que tu adorerais, mon amour!

Bien entendu, Rose n'avait parlé de ce doux projet à personne, pas même à ses amies. La jeune sœur de Richard apportait souvent en cachette des missives enflammées à la jeune femme lorsque Louise n'était pas en vue. Qu'il était bon de se dire que, bientôt, au moindre signal de Richard, elle quitterait Aubéry! Elle serait déjà loin lorsque sa mère se rendrait compte de son départ, et elle n'aurait pas à subir sa colère.

Rose laissait Louise radoter sur les projets de mariage qu'elle fomentait pour elle. Elle observait la petite femme tyrannique, qui approchait des quarante-sept ans, en se jurant de ne jamais devenir comme elle. Elle ignorait bien sûr que sa mère avait fait un vœu similaire au même âge. Louise s'infligeait toujours un rythme de vie infernal, mais une énergie incroyable la tenait plus que jamais animée. Elle portait les cheveux plus longs que par le passé, remontés en chignon la plupart du temps. De minces fils blancs commençaient à se mêler à ses boucles. Des rides s'étaient formées autour de sa bouche, accentuées par les cigarettes qu'elle fumait avec avidité depuis une quinzaine d'années. C'était une femme toujours passionnée par son travail, qui dévorait les revues de mode auxquelles elle s'était abonnée. Le tailleur situé en face avait finalement fait faillite – il en avait d'ailleurs tenu rigueur aux Gestin –, si bien que Louise redoublait de travail, cousant elle-même et avec l'aide de deux employées les vêtements qui lui étaient commandés. Elle envisageait sérieusement de proposer du prêt-à-porter, certaine que cela représenterait, à l'avenir, un marché plus florissant.

À la fin mars 1946, Louise avait pour la première fois consenti à baisser les stores du magasin pour une semaine entière. Il n'avait pas été question de vacances pour autant ; elle avait prévu de sillonner Paris afin de trouver de nouvelles inspirations pour la boutique, découvrir ces enseignes qui vendaient du prêt-à-porter, dénicher de nouveaux tissus, et pourquoi pas lorgner du côté des nouveautés apportées par les Américains. Martin, Louise et Rose étaient donc arrivés à Paris sous une chaleur étonnante, avoisinant les vingt-cinq degrés. Ces températures étaient exceptionnelles pour la saison, d'autant plus que, trois semaines plus tôt, la capitale avait subi des chutes de neige atteignant les cinquante centimètres. Louise avait été frappée par ces jeunes gens exposant leur corps au soleil, sur les bords de la Seine. Toutefois, durant tout leur séjour, elle n'avait pas manqué de remarquer la tristesse qui s'était abattue sur Paris depuis la fin de la guerre. On était bien loin des clichés touristiques ! Les Parisiens n'étaient plus que des ombres assaillies par les horreurs de l'Occupation et en subissaient encore les conséquences, ne pensant qu'à leur survie. La détresse mêlée à la détermination se lisait sur leurs visages fermés et dans leurs yeux graves.

Malgré la chaleur et certains jeunes gens qui tentaient de relativiser, personne n'avait le cœur à la fête. Tout n'était que restrictions, rationnements, contrôles des prix. La capitale était à reconstruire, certains bâtiments portant encore les stigmates des combats et des fusillades.

Louise avait organisé un emploi du temps précis, et lorsqu'elle ne prospectait pas pour les affaires du magasin, elle consentait à accompagner Martin et Rose à la découverte de la capitale. Elle se rendait bien compte que sa fille était totalement comblée par les quartiers artistiques, Rose paraissant des plus extatiques au gré de leurs flâneries à Montmartre, Montparnasse, ou encore Saint-Germain. La jeune femme soupirait d'aise et entamait de longues discussions avec son père sur ces artistes qui avaient pu laisser libre cours à leur inspiration, profitant de la vie de bohème entre les deux guerres.

— Ces temps sont terminés, ma chérie, tentait de la tempérer Martin. La guerre a tout fait voler en éclats, une nouvelle fois.

— Certes, papa, répondait-elle avec passion, mais les artistes sont comme les phénix, ils renaissent toujours de leurs cendres. D'ici peu, je suis certaine qu'un nouveau courant les animera, qu'ils se réuniront dans des cafés et entameront de longs débats sur la peinture, le cinéma ou la photographie. Sans parler de la musique. N'as-tu pas entendu parler du Caveau des Lorientais, situé près du Panthéon ? Oh, ce que j'aimerais avoir la chance d'y aller, papa! Il paraît qu'on y danse sur de la musique américaine et que s'y pressent tous les écrivains!

— Je te trouve bien trop rêveuse, avait tranché Louise. Ces gens sont insouciants et n'ont aucune idée de ce que l'avenir peut leur réserver. Faire la fête est une chose, assumer des responsabilités en est une autre. Tu n'as rien à faire dans ce genre d'endroit.

Les Gestin s'en étaient donc tenus à la visite des monuments historiques avant de rentrer à Aubéry, Louise avec plein de projets et de nouveaux tissus pour la boutique, Martin avec une nostalgie propre à lui-même et Rose la tête pleine de songes, s'imaginant écumer avec Richard ce Paris des artistes qui la faisait tant rêver. Louise voyait bien que sa cadette fuyait la réalité en se plongeant dans des rêveries sans fin. Elle ne savait plus comment s'y prendre pour amadouer Rose, ni comment la ramener à la raison. Elle avait bien songé à en parler à Jacques, à qui Rose était très attachée, mais elle n'était pas tout à fait certaine que ce fêtard fût du meilleur conseil. Jacques menait sa vie à Limoges, leur rendant parfois visite. Il avait compris que sa nièce était bâtie sur le même modèle que lui, éprise de passions et de liberté. Quant à Léonie, elle-même avait préféré s'échapper et s'en remettre aux mains de Jésus, elle paraissait heureuse dans son couvent, jardinant et fabriquant du fromage de chèvre. Que pourrait-elle bien dire à Rose ? L'inciter à prendre le voile, elle aussi ?

Rose était très proche de son père, tous deux avaient des sensibilités artistiques évidentes. Louise savait pertinemment que si elle demandait son aide à Martin, il lui répondrait que c'était à leur fille de choisir son destin. Leurs désaccords se faisaient rares, la complicité était toujours intacte, Louise appréciant les bras réconfortants de Martin, son odeur rassurante de lavande, même si sur le plan conjugal ils n'avaient pas grand-chose en commun. Les filles, pour l'instant, ignoraient tout des penchants de leur père, et si elles s'en doutaient, elles n'y avaient jamais fait allusion. Si Martin et Léonie se toisaient comme des personnes qui se rendent compte qu'elles sont de la même famille mais ne comprennent pas bien pourquoi, Rose entretenait des rapports affectueux et respectueux avec son père, qui toujours prenait sa défense. Jamais Martin n'imposerait sa volonté à Rose. Louise savait qu'elle ne pouvait compter que sur elle-même en ce qui concernait sa cadette et elle s'en épanchait longuement dans les lettres qu'elle écrivait à Fanny lorsque cette dernière partait en vacances.

...

Louise et Martin étaient devenus, au fil des années, des proches du maire, Armand Garnier, qui aimait les recevoir au château qu'il avait acheté et fait rénover. Ce directeur de banque avait connu une carrière fulgurante, dont le succès ne se démentait pas. Fils de jardinier, il était originaire d'un département voisin et était arrivé à Aubéry vingt ans plus tôt, par obligation professionnelle. Le village l'avait séduit et il s'y était très rapidement senti à son aise. Armand avait un côté progressiste et conservateur à la fois, qui faisait l'unanimité auprès de tous les villageois ou presque. C'était un grand homme à l'imposante carrure. Ses cheveux avaient blanchi prématurément et ses yeux clairs brillaient par leur intelligence. Le couple Garnier avait eu deux fils, Charles et Édouard, tous deux nés les mêmes années que Léonie et Rose. L'aîné était déjà marié et banquier, mais le cadet restait célibataire, forcément convoité par les jeunes filles du village et des alentours. Il ne semblait toutefois pas vouloir suivre les traces de son père, ne s'intéressant qu'au jardinage, à l'instar de ses aïeuls. Louise avait discuté avec Armand et son épouse, tous les trois espéraient vivement unir Édouard à Rose. Ce serait une bonne chose à la fois pour les jeunes gens et pour les affaires de leurs parents. Martin avait souligné qu'il serait bon de demander l'avis des deux principaux intéressés, mais cela semblait passer finalement au dernier plan. On mettait Rose fréquemment en présence du jeune homme. Elle l'appréciait, mais cela n'allait pas plus loin. Il avait tenté de lui faire partager sa passion pour les arts floraux, ce qui avait captivé son attention durant trois jours. Édouard, lui, se doutait bien des projets de leurs parents et trouvait Rose plutôt belle femme, même s'il redoutait son tempérament des plus affirmés et son cœur déjà épris d'un autre.

Un soir, Louise s'était installée sous l'auvent de la cour, dans leur petit salon d'été, constitué de fauteuils et d'une table en rotin, s'offrant à la douceur de l'air printanier. Elle avait convié Rose à s'asseoir à ses côtés, sirotant son café du soir :

— Rose, tu as vingt-deux ans, à présent. Tu vas devoir songer à te marier. Je pense qu'Édouard serait un mari formidable.

La jeune femme avait fixé intensément sa mère, les flammes de l'amour et de l'affront animant son regard.

— J'aime Richard et tu le sais, maman. Ce sera lui et personne d'autre.

— Ce n'est pas comme ça que je vois les choses, Rose. Une fois que Richard et toi serez repus de votre passion, que se passera-t-il d'après toi?

— Nous voyagerons! Jamais nous ne pourrons nous lasser l'un de l'autre, nous nous aimons trop pour cela!

— Ainsi, tu envisages de devenir une pâle copie de Fanny? Une gentille petite femme d'intérieur, qui élèvera les enfants et accompagnera son époux lors de ses déplacements?

— J'ignorais que tu nourrissais un tel mépris envers ton amie, maman.

— Ce n'est pas du mépris, ce n'est qu'un constat. Fanny, à la différence de toi, est faite pour cette vie. Mais toi, tu as grandi ici, dans les tissus, les froufrous…

— Et tu crois que c'est ce dont j'ai envie? Devenir une femme tyrannique et obsédée par son commerce comme toi?

La gifle était partie toute seule et Rose s'était levée, la main sur sa joue rosie par le coup.

— Eh bien, tu vois, non, je ne deviendrai jamais comme toi. Plutôt mourir.

Rose était sortie rejoindre Richard et lui avait raconté la scène, paniquée à l'idée de voir Édouard dans le rôle du fiancé, de *son* fiancé.

— Laisse-moi m'organiser, lui avait soufflé le jeune homme, en la berçant contre lui. Tiens-toi prête à partir du jour au lendemain. Ma sœur t'apportera un mot de ma part. J'expliquerai tout à mes parents lorsque nous serons à Paris. Ils nous soutiendront.

Rassurée, Rose attendit des jours entiers ce mot qui n'arriva pourtant jamais. Parce qu'il tomba entre les mains de Louise.

...

En cette matinée de mai 1947, Louise restait convaincue d'avoir fait le bon choix, même si Rose allait en avoir le cœur brisé. Il lui faudrait déterminer plus tard si elle en parlerait aux parents de Richard. Oui, il le faudrait, bien sûr. Fanny était une femme compréhensive et ne lui en tiendrait peut-être pas rigueur. La réaction qu'elle redoutait vraiment était celle de Martin. Saurait-il lui pardonner ?

La veille, Louise était occupée au fond de sa boutique, dissimulée par les portants, lorsque la petite Béatrice était arrivée essoufflée et avait annoncé à l'employée alors occupée en caisse qu'elle apportait une missive urgente destinée à Rose, de la part de Richard. Rose était à ce moment sortie en barque avec son père, qui venait de se découvrir une passion pour la pêche. Cette journée de mai annonçait un été plutôt chaud. Le thermomètre atteignait parfois les trente degrés et le magasin conservait cette chaleur étouffante entre ses murs. Louise préférait travailler avec la porte ouverte, malgré le brouhaha incessant des villageois qui venaient se désaltérer aux terrasses des cafés voisins.

Lorsque la gamine fut sortie de la boutique, Louise émergea du fond du magasin et se dirigea vers son employée.

— Donnez-moi cette lettre, je vous prie, Yvonne.

— Mais enfin, madame Gestin, la petite a dit qu'elle était adressée à M<sup>lle</sup> Rose.

— Je suis encore sa mère et votre patronne, de surcroît. Donnez-moi cette lettre si vous souhaitez conserver votre place.

Yvonne ne se fit pas prier et remit la missive à Louise, qui s'enferma dans la cuisine pour la lire.

*« Mon amour, retrouve-moi demain matin à la gare. Nous prenons le premier train de sept heures et nous serons à Paris dans la soirée. Nous serons heureux, je te le promets. Ton bien-aimé Richard. »*

Louise s'était laissée choir sur une chaise, la lettre entre les mains. Ainsi, Rose avait envisagé de s'enfuir avec Richard ! Que se serait-il passé si elle n'avait pas été là pour intercepter cette lettre ? Que comptait-elle donc faire à Paris ? Vivre la vie de bohème ?

Elle chiffonna le billet et le glissa dans la poche de son tablier. Jamais elle ne la laisserait faire une chose pareille. Rose épouserait Édouard, c'était ainsi que cela devait se passer. Louise la formerait afin qu'elle puisse continuer à faire vivre la boutique lorsqu'elle-même ne le pourrait plus. Elle n'avait pas travaillé dur toutes ces années pour qu'une passion amoureuse vienne tout ficher en l'air. Louise se sentait fière du travail qu'elle avait accompli, reprenant le magasin sans âme que Martin avait essayé de lancer, développant peu à peu cette entreprise, jusqu'à en faire une boutique incontournable pour la région. Elle employait désormais deux vendeuses à plein temps et espérait bien que Rose viendrait rejoindre l'équipe. Si Martin ne disait jamais clairement ce qu'il pensait de l'acharnement de son épouse, il ne profitait pas moins du succès de leur affaire. Il avait acheté une troisième maison, qu'il avait mise en location. Oui, Louise avait travaillé durement afin que sa famille ne tombe pas dans l'oubli et elle comptait bien faire en sorte que cela dure. Et elle irait elle-même l'expliquer à Richard le lendemain matin, à la gare.

...

Louise avait discrètement quitté la maison à six heures, après une nuit sans sommeil. Par chance, Martin et Rose avaient toujours eu un sommeil de plomb. Si les journées étaient chaudes, les températures chutaient la nuit venue et Louise frissonna en sortant. Il faisait encore nuit noire sur le bourg, même si l'aube n'allait plus tarder à poindre. Elle savoura le calme des rues endormies, longeant les maisons aux volets encore clos. Ce silence était presque saisissant et elle eut l'impression que les battements de son cœur résonnaient en même temps que ses pas sur les trottoirs pavés d'Aubéry. À petites foulées rapides, Louise remonta la rue vers la sortie du village et bifurqua à hauteur de la gare. Après avoir pris une inspiration pour se donner du courage, elle s'engouffra dans le bâtiment désert. Elle chercha Richard et le trouva sur le quai, qui guettait à la fois Rose et le train.

— Elle ne viendra pas, Richard.

Le jeune homme sursauta et se retourna, faisant face à Louise. Il était particulièrement élégant, vêtu d'un costume et d'un chapeau à la dernière mode, qu'elle reconnut pour le lui avoir vendu.

— Louise ? Que… ?

— Rose ne viendra pas. Viens t'asseoir, Richard, je dois te parler.

Ils prirent place sur un banc et Louise, emmitouflée dans son manteau, lui expliqua pourquoi elle n'avait pas donné le mot à Rose. Tandis que l'aube commençait à se lever, elle lui raconta l'histoire de son mariage avec Martin, les efforts qu'elle ne ménageait pas afin de ne pas tout perdre du jour au lendemain.

— Tu comprends, Richard, j'ai déjà une fille qui est entrée dans les ordres. Je ne veux pas avoir fait tout cela pour rien. Pour avoir sacrifié ma vie amoureuse, je peux t'assurer que l'on y survit. Rose épousera le fils du maire.

Richard se leva silencieusement, se déplaçant de trois pas. Il se passa une main sur le visage et Louise l'entendit prendre une longue inspiration. Enfin, il se tourna vers elle :

— Vous voulez que je vous dise, Louise ? Je comprends pourquoi votre propre fille vous déteste.

— Rose ne me déteste pas !

— Que savez-vous des sentiments de votre fille, vous qui avez refoulé toute forme d'émotion au point de devenir un monstre d'ambition ? Ne dites plus rien, Louise. De toute façon, vous ne comprendrez jamais. Rose est sensible, c'est une femme exceptionnelle et vous venez de gâcher tout ce potentiel par pur égoïsme. Ne vous étonnez pas, si à l'avenir, les choses vont de mal en pis. Mon train arrive. Vous me ferez passer pour un salaud auprès de Rose, naturellement. Et j'espère de tout mon cœur que vous vous en mordrez un jour les doigts.

## 16

*Lola.*

Les pieds confortablement calés sous mes jambes recroquevillées, je replie avec soin la dernière lettre, qui avait été adressée à Fanny. S'il y a eu un jour une réponse, elle ne fait pas partie des documents conservés dans les boîtes à chapeaux.

Je bâille longuement. Je me sens aussi éreintée que si j'avais effectué un véritable voyage dans le temps. Quelle vie ont connu mes aïeuls ! Ils ont traversé les guerres et les crises personnelles. Martin était incontestablement un amour d'homme, mais j'ai réellement du mal à cerner Louise. Malgré le caractère tyrannique de mon arrière-grand-mère, je ne peux m'empêcher de lui vouer une sorte d'admiration pour avoir su hisser au sommet une petite boutique aux débuts modestes. Bien sûr, Louise en a finalement fait une obsession, par son ambition dévorante et la peur de tout voir s'écrouler. Quelques questions demeurent et toutes concernent les conséquences de l'acte qu'elle a commis ; que s'est-il passé après qu'elle a brisé le cœur de sa fille ? Comment ses proches ont-ils réagi ? Qui était au courant de la vérité, hormis Fanny, à qui elle a adressé une confession écrite ?

Je retourne toutes ces questions dans ma tête en faisant les cent pas dans le salon. J'ai terriblement envie de savoir quelle vie a été celle de Rose et comment tout cela a conduit à mon abandon. Je sais, je reviens toujours à ce sujet, mais j'avoue que j'ai du mal à imaginer ce qu'il a pu se passer de si terrible pour que les choses en arrivent là. Évidemment, il me faudra encore des heures de lecture afin de tout reconstituer. Rendre visite à Béatrice, l'amie de Rose, me semble pour l'instant une bonne idée, mais il est plus de dix-neuf heures, inutile d'aller frapper maintenant à sa porte, elle risquerait de prendre peur ! Tant pis, j'irai demain. J'ai vraiment perdu toute notion du temps.

Je cours à l'étude de Frédérick afin de lui demander l'adresse de Béatrice. Au moment où je m'apprête à sonner, la porte s'ouvre justement sur le notaire. Après m'être excusée de le déranger, je lui demande où trouver Béatrice en lui expliquant :

— Je viens de découvrir un sacré pan de l'histoire familiale et elle pourrait m'apporter quelques précisions.

— Et voilà que vous m'intriguez encore ! Je suis désolé, Lola, mais vous allez devoir accepter de venir dîner avec Nora et moi. Je veux tout savoir ! Enfin, si vous y consentez.

Je souffle de soulagement :

— Avec tout ce que j'ai appris aujourd'hui, je dois bien vous avouer que je m'imagine mal passer la soirée seule, à ruminer.

— Je vous attends dans une heure, chez moi, dans ce cas.

...

Je passe par l'auberge pour prendre une bonne douche, histoire de me délasser. J'ai beau tenter de chasser l'histoire de Louise de ma tête, rien n'y fait. Je suis contaminée, obsédée par la vie de cette femme hors du commun.

Tandis que je m'enroule dans une serviette, un sentiment de culpabilité s'empare de moi ; je n'ai aucunement songé à téléphoner à mes parents. C'est bête, mais je me vois mal partager avec eux mon euphorie au fur et à mesure que je reconstitue le passé de ma famille biologique. J'ai peur de blesser maman. Ne serait-il pas ingrat de lui balancer que je trouve ma véritable histoire passionnante ? J'ai ce don de m'énerver toute seule, à tergiverser sur tout et sur rien ! Je me laisse tomber sur le lit douillet, les cheveux encore humides. Tristan pourrait me conseiller comme lui seul sait le faire, mais il m'a clairement fait comprendre que je n'aurai pas de ses nouvelles avant demain soir. Je me redresse et attrape mon carnet, notant dans les grandes lignes tout ce que j'ai appris aujourd'hui. En écrivant, je réalise à quel point ma journée a été riche. Tout d'abord mon excursion à la médiathèque – le souvenir de Jim vient à nouveau me troubler –, puis les lettres que j'ai lues et qui m'ont permis de reconstituer vingt-sept années de la vie de mes aïeuls. Le regard intense de Jim revient de plus belle dans mes pensées, alors que je tente de l'en chasser. Je dois me ressaisir.

Je m'habille rapidement et file chez Frédérick. Le couple m'accueille avec enthousiasme et je leur montre un cliché de Louise, ainsi que je l'avais promis au notaire, celui où elle figure en jeune mariée. Il émet un long sifflement et nous prenons place autour d'un poulet et d'un plat de haricots verts. Je m'excuse auprès de Nora pour ma présence un peu intempestive.

— Ne vous en faites pas pour cela, me rassure cette dernière, d'un ton jovial. J'adore recevoir du monde. Et puis, moi aussi, j'ai très envie d'entendre ce que vous avez pu découvrir au sujet de vos ancêtres. Vous m'avez mis l'eau à la bouche, avec votre histoire !

— Racontez-nous, Lola, ne nous faites plus attendre, supplie le notaire.

Piquant un morceau de poulet sur ma fourchette, je commence :

— Eh bien, cette journée a été l'une des plus bizarres de ma vie… Tout d'abord, la boulangère m'a suggéré que ma mère biologique pouvait être malade. Ensuite, j'ai effectué des recherches à la médiathèque, qui ont failli aboutir à une altercation avec un ami de Vincent. Pour finir, j'ai découvert des lettres qui retracent vingt-sept ans de l'existence de Rose et ses parents.

Un silence envahit quelques instants la pièce, avant que Frédérick demande lentement :

— Par quoi voulez-vous commencer ? Il est vrai que vous n'avez jamais posé de question sur votre mère, ce qui est étrange.

Je lui explique que, jusque-là, ma mère biologique avait toujours été pour moi comme une notion abstraite et insignifiante, morte à ma naissance. Mais la donne a changé, c'est vrai, même si je suis actuellement envoûtée par le destin de Louise et Rose. Je demande tout de même au notaire s'il sait quelque chose de particulier sur Nadège. Il prend une lente inspiration :

— Un jour, Rose s'est laissée aller à une confession concernant sa fille. Je ne sais pas si elle aurait voulu que ce soit moi qui vous l'apprenne, ou si elle avait prévu de le faire dans les divers documents qu'elle a laissés à votre disposition.

— Je comprends. Mais j'ai besoin de savoir.

— Ce n'est pas grand-chose et c'est beaucoup en même temps. Un jour, alors que nous discutions de choses et d'autres, elle a soupiré et m'a dit : « Si seulement ma fille n'avait pas été empoisonnée par tous ses troubles ! » Et puis elle est passée à autre chose, sans m'en révéler davantage.

— Je vois… Vous pensez que ma mère était une sorte de, je ne sais pas, moi… une personne folle ?

— Je l'ignore. J'espère que vous le découvrirez prochainement.

Je révèle alors au couple le contenu des lettres qui ont occupé toute ma fin de journée. Je ne laisse rien au hasard, tentant toutefois de rester objective dans mon récit. Nora se dit impressionnée par le tempérament de Louise. Je lui avoue que, malgré le comportement détestable de mon aïeule, je ne peux m'empêcher de ressentir une forme d'admiration.

— Nous ne sommes que peu de chose pour juger autrui, intervient Frédérick. Louise n'a pas été tendre avec ses filles, c'est certain. Mais ce n'est pas notre rôle de la détester. Votre arrière-grand-mère était en quelque sorte une pionnière. Un bourreau de travail, peut-être, mais peu de femmes, à l'époque, ont pu accomplir ce qu'elle a fait professionnellement. Il est normal que vous ressentiez de l'admiration pour elle.

Frédérick mentionne à nouveau la psychogénéalogie, mettant en avant le fait que ce que j'ai appris concernant le tempérament de Louise lève en partie le voile sur mes cauchemars. Je ne comprends pas où il veut en venir.

— Je ne suis pas spécialiste en la matière, Lola, mais enfin, je pourrais vous en parler durant des heures. Vous avez insisté sur le fait que Louise cultivait cette peur obsessionnelle que tout ce qu'elle avait bâti puisse s'écrouler. Que se passe-t-il dans votre cauchemar ? Vous devez fuir parce que la maison s'écroule, mais vous n'y arrivez pas. La maison vous retient. Et une femme qui a votre regard vous tend la main.

— La maison s'écroule… Mais oui, vous avez raison. C'était la peur profonde de Louise.

— Quant à la femme qui a ce même regard que le vôtre… Vous avez vu les photos, Lola. Vous êtes presque la copie conforme de Louise.

C'est perturbant et électrisant de me dire pour la première fois de ma vie que je ressemble à quelqu'un.

— Cela me semble tellement fou ! Avant, je me fichais bien de savoir d'où je venais, et maintenant me voilà obsédée par cette histoire… À la médiathèque, j'étais tellement plongée dans mes recherches que je n'ai même pas entendu approcher l'ami de Vincent, ce type bourru…

— Je vois que vous avez fait la connaissance de Jim, fait Nora, amusée. C'est un type super quand on le connaît, mais c'est vrai qu'il fait un peu renfrogné au premier abord. Il a un passé particulier.

Une étincelle de curiosité vient me titiller.

— Particulier comment ?

— Il a traversé une très mauvaise passe et a failli plonger dans la drogue.

Face à ma question muette, Frédérick hausse les épaules et explique :

— Je crois que Jim a tout simplement pété un boulon à l'adolescence, comme cela peut parfois arriver. Je l'ai croisé plusieurs fois lorsque je venais en vacances, ce n'était pas le genre de gars à fréquenter. Et puis un jour, il s'est assagi, c'est tout. La crise était terminée.

Je hoche la tête, rougissant encore au souvenir de la scène de la médiathèque.

— On dirait que vous aimez bien les marginaux, hein ! me taquine Nora.

— Oh non, pas du tout. Je... Il m'a surtout fait peur. J'ai cru qu'il allait me jeter dehors quand il a vu que je cherchais des renseignements sur Vincent.

— Il peut être impressionnant, mais croyez-moi, une fois apprivoisé, c'est un mec plutôt bien. Pour faire du bénévolat à la médiathèque, de toute façon, il faut avoir bon cœur, non ?

Ou s'ennuyer drôlement. Mais je préfère garder cette dernière pensée pour moi. Nous prenons le dessert en parlant de choses et d'autres, puis Frédérick m'indique où trouver Béatrice.

— Elle vit dans la maison de ses parents, avec son mari, à côté des berges. C'est la première maison après le moulin, lorsque vous remontez la route.

Je manque d'avaler de travers ma bouchée de charlotte aux poires. Je bois quelques gorgées d'eau pour me remettre et déclare :

— Je crois que j'ai vu cette dame lundi matin, quand j'ai visité un peu le village. Je suis passée devant sa maison au moment où elle en sortait. Quand elle m'a vue, elle a marmonné quelque chose avant de rentrer chez elle.

Frédérick sourit et me prévient que Béatrice est un peu originale mais adorable, donnant souvent l'impression qu'elle ne va jamais finir ses phrases et embrayer sur un autre sujet. En rentrant à l'auberge, je m'en veux toujours de ne pas avoir téléphoné à mes parents. Bon, ils survivront bien à une soirée sans nouvelles, non ? J'ai vraiment besoin de me poser et réfléchir ; j'ai le sentiment de vivre une période de transition. L'envie de connaître la suite de mon histoire me taraude énormément, mais je dois tenter de refréner un peu cette impatience qui grandit en moi et me dévore, cette sensation d'urgence que l'on peut connaître en lançant un projet que l'on a hâte de voir aboutir. Voilà que j'agis comme Rose, avec passion et exaltation ! Ce qui confirme que je dois vraiment me calmer.

Un long bâillement s'échappe de ma bouche et je décide qu'il est temps pour moi de dormir. Demain m'apportera certainement de nouvelles réponses.

# 17.

Je regarde l'heure avec consternation ; je n'avais pas réalisé à quel point j'étais fatiguée et j'ai dormi jusqu'à neuf heures et demie ! J'ai le vague souvenir d'avoir rêvé que je me rendais dans une cave parisienne afin d'écouter Boris Vian jouer du swing. Les idéaux de Rose ont fini par s'immiscer dans mes songes, et c'est tellement plus reposant que de lutter vainement contre une maison qui s'écroule ! Ce matin, pour la première fois depuis quelques jours, je me sens étrangement calme.

Je me douche, enfile un jean, une chemise bleu pastel et me maquille légèrement les yeux. Après avoir attaché mes cheveux en queue-de-cheval, je descends prestement afin d'avaler sur le pouce mon petit déjeuner. Dehors, l'air est toujours étouffant, malgré un soleil qui n'est pas encore très haut dans le ciel. Je file en direction des berges et m'arrête à hauteur de la maison de Béatrice. C'est une jolie demeure bourgeoise qui me rappelle un peu les maisons victoriennes anglaises, avec ses briques rouges. Derrière la grille, j'admire la bâtisse qui se dresse sur deux étages. Une galerie couverte semble en faire le tour. Sans aucune hésitation, je sonne à la grille. Un rideau s'agite légèrement derrière une fenêtre et, quelques instants après, Béatrice vient à ma rencontre.

— Bonjour madame, je suis…

— Je sais qui vous êtes, ma petite demoiselle, dit-elle en hochant énergiquement la tête. Frédérick m'a avertie de votre visite. Mais entrez, ne restez pas là.

Je suis soulagée de l'initiative prise par le notaire, qui m'évite ainsi de devoir fournir des explications à n'en plus finir. Béatrice ouvre la grille et m'introduit dans la cour. Des parterres de fleurs jonchent la pelouse et je découvre à droite une petite fontaine.

— Suivez-moi, nous allons nous installer à l'intérieur, il y fait moins lourd que dehors.

Je m'engage à la suite de mon hôtesse. Béatrice est plutôt alerte pour son âge et son visage reste lisse, malgré quelques ridules autour des yeux et de la bouche. Ses deux joues rebondies sont naturellement roses. Sa taille est alourdie par l'âge, mais Béatrice ne semble pas en faire grand cas. Elle porte un t-shirt jaune pâle orné d'un perroquet en strass vert émeraude, sur un pantalon de coton blanc. Elle n'arbore aucun maquillage et dégage une odeur de lait de toilette pour bébé. Je sens que je vais aimer cette femme. Nous gravissons les marches qui conduisent à la galerie. Des détails architecturaux embellissent les contours des fenêtres et la balustrade du perron.

— Votre maison est vraiment magnifique!

Béatrice se tourne vers moi, étonnée.

— Vous trouvez? Vous devez avoir raison. J'ai toujours vécu ici, remarquez, je ne fais plus guère attention à ces choses-là et… Venez, nous allons nous asseoir dans le salon.

Nous traversons un couloir dont les murs sont ornés de souvenirs de vacances, puis nous entrons dans le salon, situé tout au fond. La pièce est si richement meublée que je manque d'en avoir le vertige. Je ne sais plus où poser les yeux, entre les vieux meubles de famille, le piano, les nombreux livres et bibelots. La cheminée est entièrement recouverte de photos et, sur une table ronde au plateau de verre, un magnifique vase contient un énorme bouquet de fleurs des champs. Je me dirige droit vers la cheminée afin de jeter un œil aux photographies exposées. Béatrice en saisit une et déclare :

— Là, ce sont mes parents. Maman était toujours très gaie, enjouée. La mère idéale.

Je découvre ainsi le visage de Fanny, tel que je l'avais imaginé ; la mère de Béatrice semble avoir été une petite femme toujours souriante, aux yeux rieurs et clairs, ses rondeurs savamment mises en valeur. Son mari avait l'apparence du médecin sérieux, mais la bonté de ses yeux venait tempérer sa moustache sévère. Je reconnais qu'ils formaient un très beau couple. Béatrice me montre ensuite la photo d'un superbe jeune homme souriant, à l'épaisse chevelure bouclée et aussi foncée que ses yeux, qui me rendent un regard frondeur.

— Mon frère, Richard, dit-elle. Il était très bel homme, toutes les filles étaient amoureuses de lui.

Je comprends pourquoi Rose est tombée sous son charme. Béatrice m'invite à m'asseoir et prend un air inquiet :

— Je ne vous trouve pas très bonne mine, avez-vous bien pris votre petit déjeuner ?

— Oui, c'est juste que je me sens drôlement perturbée ces derniers temps.

— Il y a de quoi, avec tout ce que… Attendez, je vais nous chercher du café. Mon mari m'a rapporté une de ces nouvelles machines qui font cinquante cafés différents, pour avoir finalement tous le même goût. Autant que je m'en serve.

Je patiente en jetant de rapides coups d'œil autour de moi, dans ce salon surchargé de souvenirs. Malgré la lourde décoration, les murs sont blancs, la pièce est exposée à l'ensoleillement et plutôt chaleureuse. Un je ne sais quoi me pousse à vouloir en savoir davantage sur mon hôtesse. La vieille dame sait me mettre à l'aise et aime visiblement prendre soin de ses invités. Je me sens presque comme chez une vieille tante. Cette idée me fait sourire et c'est ainsi que me trouve Béatrice, en apportant le café. Elle prend place à côté de moi, me tendant une assiette de biscuits fins.

— Servez-vous, ce sont des sablés florentins. Contrairement à Rose, je suis une piètre cuisinière, ceux-ci viennent d'une épicerie.

Je hausse un sourcil.

— Ma grand-mère cuisinait?

— Oui, cela lui plaisait beaucoup. Elle était particulièrement douée pour la pâtisserie. Il n'était pas rare, lorsqu'on passait devant chez elle, de sentir l'odeur d'un gâteau en train de gonfler dans le four. Sa mère était nulle en la matière, alors je présume que Rose était fière de se démarquer ainsi.

— Vos biscuits sont délicieux, en tout cas, dis-je après avoir dévoré un sablé recouvert de chocolat.

Béatrice me fait remarquer à quel point je ressemble à Louise. Je ne peux m'empêcher de me mordiller la lèvre inférieure, comme prise en faute.

— Lundi, lorsque je vous ai aperçue, j'ai eu l'impression de voir un fantôme. Je me suis dit que, cette fois-ci, je devais avoir succombé à une crise cardiaque et que l'autoritaire Louise se chargeait de mon accueil dans l'au-delà. Un coup à vous dégoûter de l'idée du paradis!

— Vous n'aimiez pas Louise?

Béatrice relève la tête vers moi et me dévisage intensément.

— Louise, on l'aimait et on la détestait à la fois. Cela ne pouvait pas s'expliquer. Elle avait quelque chose de magnétique, une force presque animale qui vous attirait vers elle. Mais elle ne pouvait s'empêcher de décider pour tout et pour tout le monde. Elle était généreuse, pendant la guerre elle n'a jamais cherché à ouvrir sa porte à l'ennemi comme tant de personnes aisées ont pu le faire. Si Aubéry avait eu un juif à cacher, je suis sûre que Louise l'aurait pris chez elle. Elle a probablement sauvé mon frère en l'envoyant à la campagne. Mais elle avait ce besoin de tout contrôler. Tout le temps.

Je lui demande si elle accepte d'évoquer les événements du printemps 1947. Béatrice boit quelques gorgées de café, jette un regard à la photographie de Richard sur la cheminée et renifle de mépris.

— À partir du jour où j'ai su la vérité, j'ai pris mes distances avec Louise. Comment a-t-elle pu briser ainsi le cœur de sa propre fille?

— Elle n'a jamais éprouvé le moindre remords?

— Pas de vive voix, en tout cas. J'imagine qu'elle ne devait quand même pas avoir la conscience tranquille, pour s'être confessée à maman par écrit.

— Comment a réagi votre mère ?

— Je vais vous raconter tout ce dont je me souviens. Lorsque j'ai apporté cette lettre pour Rose, il faisait très chaud, je venais de faire le chemin à vélo. Vous savez, je m'en suis longtemps voulu. Si j'avais davantage pris mon temps, j'aurais pu me rendre compte que Rose était avec son père, en train de pêcher. Mais au lieu d'observer, j'ai foncé au magasin et j'ai laissé cette lettre à l'employée. Richard m'a dit que je ne pouvais pas deviner qu'elle tomberait entre les mains de Louise… Pourtant, j'aurais dû le savoir. Rose était mon amie, ma grande sœur. Elle aurait même dû devenir ma belle-sœur si Louise n'avait pas été dévorée par cette ambition.

Elle fait une pause avant de reprendre :

— Richard ne nous a rien dit, pas tout de suite, du moins. Cela nous a tous étonnés qu'il soit parti sans Rose, mais que voulez-vous… Et puis j'ai vu Rose brisée. Littéralement effondrée. Je l'ai surprise un jour, dans un pré, recroquevillée, en train de sangloter. Au bout de quelques semaines, elle ne remontait toujours pas la pente et ne comprenait pas pourquoi Richard ne lui avait jamais fourni d'explications. Nous étions à Paris quand maman a reçu la lettre de Louise. Pour la première et unique fois de ma vie, j'ai nourri des pensées meurtrières. Maman m'a lu la lettre car elle n'en revenait pas elle-même, mais elle trouvait encore des excuses à Louise. Elle m'a demandé de comprendre que le fils du maire faisait un meilleur parti que celui du médecin et m'a fait jurer de ne rien dire à Rose.

Richard m'a promis qu'un jour, il lui expliquerait lui-même ce qui s'était réellement passé.

J'avale difficilement mes dernières gorgées de café, imaginant le désarroi de Rose, mais aussi celui de Béatrice et Richard. Quand je lui fais remarquer combien cela a dû être difficile pour elle de garder ce secret pendant que son amie souffrait, elle acquiesce et je lui demande ce qui est ensuite arrivé.

— Oh, non, Lola, vous ne me la ferez pas! C'est à vous de le découvrir, c'est ce que Rose a souhaité. Je suis là pour compléter les informations que vous trouverez, si vous en avez besoin, mais aucune révélation ne sortira de ma bouche.

Je tente une nouvelle approche :

— Vous savez comment Martin a réagi à tout cela ?

— Martin a fait comme toujours ; il a dit à Louise que ce qu'elle avait fait ne lui plaisait pas, mais qu'il ne la laisserait jamais tomber. Martin aimait sa fille, profondément. Mais autre chose l'unissait à Louise.

D'un ton maternel, Béatrice veut savoir comment je prends tout cela. Je lui révèle que toute cette histoire commence à m'obséder.

— Pas de doute, vous êtes bien la petite-fille de Rose! Lorsqu'elle se passionnait pour un sujet, c'était toujours à cent pour cent! Je suis sûre qu'elle vous aurait adorée, malgré tout.

— Malgré tout? Pourquoi?

Elle semble hésiter, mais continue finalement :

— La vie a rendu Rose aigrie. Là, je vous en dis déjà trop, mais elle en est venue à considérer la plupart des femmes comme étant des oiseaux de malheur. Sa fille faisant partie du lot.

— Pouvez-vous me dire quoi que ce soit au sujet de ma mère?

— Vous apprendrez tout ce que vous devez savoir en temps et en heure. Et n'oubliez jamais que vous ne devez pas porter sur vos frêles épaules le poids du passé; il a cette particularité d'être justement loin derrière nous. Si l'on y met du sien, il ne se reproduira pas. Ne vous tourmentez pas pour des histoires dont vous n'êtes en aucun cas responsable.

Béatrice se lève, me signifiant que notre entretien est terminé.

— Mon mari va bientôt rentrer et nous devons nous rendre à notre club de bridge.

La vieille dame prend mon visage entre ses mains fraîches et enchaîne :

— Toutefois, Lola, vous êtes la bienvenue ici. Si vous avez besoin d'autre chose ou si vous voulez juste passer un peu de temps avec une vieille femme de mon âge… Allez, je vous libère. Prenez soin de vous, ma petite demoiselle.

En quittant la demeure de Béatrice, je suis sur le point de pleurer. J'ai atteint le trop-plein d'émotions. L'air est toujours lourd, la sueur perle à mon front. Il est un peu plus de onze heures. Je marche d'un pas lent vers l'auberge et, soudain, je sais exactement ce qu'il me faut. Je lance à Évelyne, qui est en train d'arranger un bouquet de muguet :

— Je ne vais pas manger ici ce midi. J'ai envie de faire un pique-nique sur les berges.

— Quelle bonne idée! s'exclame-t-elle. Vous avez raison d'en profiter, l'orage devrait éclater d'ici demain, et alors il ne sera plus question d'aller flâner.

Évelyne s'avance vers moi et me demande sur le ton de la confidence si j'ai pu avancer dans mes recherches.

— Oui, mais j'ai encore beaucoup de travail, je crois.

— Allez faire ce petit pique-nique, cela vous requinquera, vous avez vraiment une petite mine. Vous savez quoi? Je vais vous préparer un panier-repas, ne vous occupez de rien.

Je la remercie chaleureusement et tandis qu'elle s'affaire en cuisine, je monte dans ma chambre afin de troquer ma chemise pour un t-shirt. Je passe un coup de fil à ma mère, mais je tombe sur le répondeur. Non sans culpabiliser un peu, je lui laisse un message que j'espère assez bref et pas trop confus afin de lui faire part des dernières nouvelles. Je téléphone ensuite à l'étude de Frédérick:

— Qu'a donné votre entretien avec Béatrice? interroge-t-il.

— C'est une femme que j'apprécie beaucoup, je crois. Elle ne m'a pas appris grand-chose, mais j'ai été très touchée par sa bienveillance.

— Avez-vous quand même pu obtenir des réponses à certaines de vos questions?

Je lui fais un résumé de ma discussion avec Béatrice, puis j'enchaîne:

— En fait, je vous appelais car je compte aller dîner près de la rivière. Auriez-vous un endroit en particulier à me conseiller?

— Bien sûr, prenez de quoi noter.

...

Suivant les indications de Frédérick, après avoir passé l'ancien moulin, je m'engage sur un chemin de terre poussiéreux. Le paysage est dégagé, des champs et des prés s'étendent à perte de vue tandis que la végétation autour de la rivière se fait plus variée. Je passe devant des petits saules, des noisetiers ou encore des bouleaux. Les fougères sont également nombreuses. Je hume les émanations de feuilles de menthe, qui poussent librement dans cette nature foisonnante. Il fait un de ces temps qui laissent la sensation que toute activité doit cesser, où la sueur coule le long du dos au moindre mouvement. Le ciel est chargé d'électricité et donne l'impression que le temps est suspendu. C'est l'une de ces journées où rien ni personne ne bouge, où la nature même reste figée, comme attendant qu'un infime événement vienne sortir le village de sa confortable torpeur. Le silence est total, je suis sûre de pouvoir profiter du calme pour réfléchir à la situation. Mon panier de pique-nique accroché au bras, je parcours quelques mètres avant de déboucher sur une sorte de petite plage d'herbe, en bordure d'eau. Le point de vue est superbe : le cours d'eau s'écoule paisiblement, suivant son lent chemin entre les deux rives. En face, tout n'est que nature et je peux apercevoir sur les hauteurs le château, situé à une poignée de kilomètres.

Je m'installe sur la couverture que m'a donnée Évelyne. De grosses pierres posées selon les caprices de la nature permettent de descendre au plus près de la rivière, peu profonde à cet endroit. Il fait toujours très chaud, mais je résiste à l'envie de tremper mes pieds dans l'eau fraîche. Je ne suis pas spécialement peureuse, mais si je glisse sur les pierres et que je m'assomme, il se passera un bon moment avant que quelqu'un se mette à me chercher. Oui, bon, d'accord, je suis peut-être un peu froussarde, en fait. Mais de toute façon, je ne suis pas venue pour me baigner. J'ai surtout besoin de me confronter à moi-même, loin de la maison de Louise et Martin, loin de cette famille qui s'est imposée dans mon présent jusque-là sans histoires. C'est vrai, j'ai eu une vie si facile! Une enfance sans chocs, une adolescence relativement tranquille. Je n'ai aucun mal à payer mes factures, à mettre de l'argent de côté. Mes seuls gros chagrins ont été la mort de mes grands-parents, les trois partis en seulement deux ans. Et voilà que, tout à coup, je dois apprendre à gérer un passé dont j'ignorais tout. Soit j'affronte les événements, soit je me défile. Dans les deux cas, je n'en sortirai pas indemne et je vais devoir avancer. Si je me défile, je le regretterai certainement toute ma vie. Si je poursuis ma quête du passé, je sens que ce village ne me relâchera pas de sitôt et que ma vie entière va s'en trouver profondément affectée. Je triture entre mes doigts quelques brins d'herbe au fur et à mesure que les pensées envahissent mon esprit. Les larmes montent à mes yeux tandis que les images de Louise et Rose se superposent à ma vie d'avant, lorsque j'ignorais encore tout de mes aïeules. C'est fou que je me sente si concernée par le destin de personnes qui m'ont rejetée!

Les larmes roulent à présent lentement le long de mes joues. Comme lorsque j'étais petite, je tente d'en laper une du bout de ma langue, recueillant le liquide au goût salé. Je ramène doucement derrière mes oreilles les boucles de mes cheveux, afin de ne pas les tremper de mes larmes lorsque…

— Ton vieux t-shirt pourri des Doors, un jean, des Converse et les cheveux en pagaille. Bravo, Lola, tu te surpasses. Si le prince charmant passe dans le coin, il ne va même pas s'arrêter !

## 18

Je me retourne, les yeux écarquillés de surprise face à l'apparition.

— Tristan ?

Il fait un pas vers moi, avant de se figer.

— Bordel, mais tu pleures !

Il ouvre grand les bras et je cours trouver refuge dans son odeur familière et rassurante.

— Hé, que se passe-t-il ? demande-t-il doucement, en passant la main dans mes boucles.

— Rien, je suis complètement dépassée, en fait. Mais qu'est-ce que tu fais là ?

— Viens, on va s'asseoir et on se dit tout.

Nous nous installons sur la couverture.

— J'espère qu'il y a de quoi manger pour deux, déclare Tristan, car j'ai vraiment faim.

J'explose d'un rire nerveux. Je ne suis pas en train de rêver, Tristan est bien là, avec moi, dans le trou du cul du monde. Je le presse de tout me raconter.

— Eh bien, ma chouquette, tu étais tellement prise par ton histoire d'héritage que tu as complètement oublié que, demain, c'est le 1$^{er}$ mai. J'ai pris une longue fin de semaine.

J'affiche une mine contrite et m'excuse d'avoir oublié tout le monde durant ces derniers temps.

— Mais non, ne dis pas ça. Je t'ai bien menée en bateau, aussi, à refuser tes appels. Dès que j'ai su dans quelle situation tu te trouvais, j'ai décidé de te consacrer ma fin de semaine. Mais je voulais te faire la surprise, sinon tu m'aurais interdit de venir.

Tout en fouillant dans le panier de pique-nique, duquel il extirpe quelques tranches de pain de campagne et du pâté, il me narre son périple en voiture.

— Je suis parti tôt – j'ai sacrifié pour toi une grasse matinée. Une fois arrivé ici, je ne savais pas trop où te chercher. J'ai vu cette auberge, j'ai demandé s'ils te connaissaient, mais le cerbère de l'accueil était plutôt méfiante.

— Oh, mon dieu, pauvre Évelyne, elle a dû avoir une attaque en te voyant! dis-je en riant pour le taquiner.

— Pourquoi? Je suis habillé plutôt normalement, là.

Il est en effet vêtu d'un t-shirt blanc près du corps et d'un bermuda bleu indigo. Ses lunettes de soleil sont remontées sur ses cheveux plaqués en arrière et il est rasé de frais.

— N'empêche qu'elle doit se poser un tas de questions.

— Je lui ai demandé où trouver le notaire puisqu'elle n'était pas précisément décidée à me renseigner sur ton compte. Cette Évelyne, c'est ton garde du corps, c'est ça?

Il croque dans un énorme morceau de pain et poursuit en me disant qu'il a facilement trouvé Frédérick.

— Lui aussi m'a regardé comme si j'étais un mafieux qui projetait de te kidnapper et de te découper en rondelles avant de te laisser dans une poubelle.

Finalement, Tristan lui a expliqué pourquoi il était là et Frédérick l'a déposé en voiture à l'entrée du chemin. J'étale un peu de pâté sur une tranche de pain, croque dedans et mâche pensivement.

— Je suis super touchée que tu sois là, Tristan. Mais tu risques de t'ennuyer ici. Il n'y a rien.

— Il n'y a pas rien. Il y a toi. Il y a ta maison que j'ai bien l'intention de visiter. Il y a une jolie rivière, et d'après ce que je peux apercevoir, un château. Si tu me disais tout, maintenant?

Je me lance dans le récit de mes diverses péripéties. Tout en discutant, nous mangeons les mets préparés en quantité généreuse par Évelyne. J'évoque la vie de mes ancêtres, ces faits qui m'obnubilent au point de nourrir cette impression de me montrer ingrate envers mes parents adoptifs.

— Je peux être franc, Lola? demande Tristan, alors que j'ai terminé de lui faire part de mes doutes.

— Tu sais bien que oui.

— Tu vis trop dans la peur de décevoir tes parents. Depuis toujours. Tu te sens trop redevable envers eux. Tu vis en fonction de leur bien-être et ça me fait mal de voir que tu passes à côté de ta vie, ma chérie.

Tristan se sert une part de gâteau au citron et nous mangeons sans parler, durant un court instant. Je romps le silence:

— Je crois que je vois ce que tu veux dire. J'ai l'impression de trahir leur bienveillance envers moi en fouillant mon passé biologique. Tu ne penses pas, toi, que c'est un peu les abandonner après tout ce qu'ils ont fait pour moi?

— Non. Tes parents t'aiment, c'est un fait. Mais ils n'attendent pas de toi que tu vives avec une dette éternelle envers eux, même s'ils doivent trouver la situation confortable puisque cela fait toujours mal de voir grandir son enfant. Ils ne t'en voudront jamais si tu décides enfin de t'épanouir, crois-moi.

Je fais tout à coup le rapprochement avec le comportement soumis que Louise attendait de Rose et évoque avec mon ami le sujet de la psychogénéalogie.

— Tu serais une sorte de réincarnation de Louise?

— Mais non, idiot. Je vis peut-être en fonction de ses craintes à *elle*.

— Pourquoi pas. Cela expliquerait aussi pourquoi tu as toujours été attirée par les choses du passé. Et tes rêves bizarres.

— Tu sais, j'ai presque honte d'admirer Louise, vu ce qu'elle a fait subir à sa fille.

— Je t'arrête tout de suite, Lola. Tout ce que tu vas trouver doit t'aider à avancer et à comprendre qui tu es. Pas à t'apitoyer sur le passé. Tes aïeules étaient visiblement des battantes. Tu as toi aussi ce trait de caractère et tu vas nous le prouver.

Je reste silencieuse en jouant avec une mèche de mes cheveux.

— Bon, tu me la fais visiter, cette maison, maintenant?

...

Nous remontons par la route au lieu de passer par l'ancien moulin et je lui indique la maison de Béatrice, devant laquelle il ne manque pas de s'extasier.

— La mienne est différente, mais tu vas être jaloux, je te préviens.

Nous passons devant la statue de la Vierge Marie, inaugurée après la Seconde Guerre mondiale et je lui relate l'anecdote qui a mené à son édification.

— Tu connais déjà toute l'histoire locale, ma parole!

— Malgré son côté un peu mort, je m'attache à Aubéry.

— Je crois que tu es irrécupérable, Lola!

Nous traversons la rue principale du village et je lui désigne tous les bâtiments abandonnés, avant de lui montrer la médiathèque.

— Ah, il y a quand même un lieu de vie, alors!

— Moque-toi! J'ai sympathisé avec Élise, l'une des bénévoles. Par contre, son collègue…

Tristan lève un sourcil, intéressé:

— *Son* collègue?

— Un vrai type bourru.

Je lui explique les circonstances de notre rencontre. J'en frémis presque encore.

— Lola, enlève ces petites étoiles de tes yeux quand tu me parles de lui, sinon je vais croire qu'il ne te laisse pas indifférente.

— Arrête tes bêtises, je te dis qu'il m'a énervée.

— De la haine à l'amour, il n'y a souvent qu'un pas.

— La ferme, Tristan.

Enfin, nous arrivons devant ma maison. Tristan la contemple dans son ensemble et admet:

— J'en ai le souffle coupé.

Je lui montre chaque pièce et descends pour la première fois à la cave, mon ami sur les talons. Les pièces en enfilade ne comportent rien d'autre que des cadavres de bouteilles vides. Nous remontons jusqu'à l'ancienne boutique et je me plante au milieu de la grande pièce, les poings sur les hanches.

— Alors, que suis-je censée faire de tout cela, selon toi ?

— Ce n'est pas à moi de te le dire. Mais j'ai quelques idées, bien sûr.

— Je t'écoute.

— Il va falloir désencombrer, c'est la priorité. Tu pourrais voir si tu souhaites te débarrasser de certains meubles et en faire don à des associations, par exemple.

Je hoche la tête, mais objecte que je vais en avoir pour des jours entiers.

— Je vais t'aider. On va s'y mettre dès demain matin.

— Et tu veux qu'on fasse quoi de notre après-midi ? Tu as roulé toute la matinée, tu as sûrement envie de te reposer.

— Pas spécialement. Je ne dirais pas non à une bonne douche, en revanche. Ton auberge n'est pas réservée qu'aux jeunes femmes, au moins ? Tu as le droit de ramener des hommes dans ta chambre ? demande-t-il avec malice.

Nous rejoignons l'auberge en quelques minutes et j'en profite pour aller trouver Évelyne, en train de couper de nouveaux brins de muguet à l'aide d'un petit sécateur. Elle pose le tout sur une table et je lui présente Tristan, ne manquant pas de la remercier pour le pique-nique.

— Je ne savais pas que monsieur était votre petit ami, répond-elle gênée, en le détaillant de la tête aux pieds.

— Mon meilleur ami, plus exactement.

Nous montons dans la chambre et Tristan peut se doucher.

— Et maintenant ? je demande tandis qu'il termine de se sécher les cheveux. Il est encore tôt, alors si tu as envie…

Il me coupe net dans mon élan.

— Maintenant, on va aller acheter un aspirateur.

— Un aspirateur…

— Demain matin, on s'occupera un peu de ta maison. Autant commencer par le plus urgent. D'après ce que j'ai lu, il y a une petite ville sympa à vingt kilomètres d'ici. Alors on va faire un peu de tourisme et de magasinage.

...

À Paris, je conduis peu. J'ai passé mon permis, mais le métro est tellement plus pratique que je n'ai pas vu l'intérêt d'acheter une voiture. Cela me fait donc tout drôle de me mettre au volant de la petite voiture de ville de Tristan. Nous quittons Aubéry lentement, profitant du paysage qui s'étale devant nous. Évidemment, mon ami n'a pas estimé nécessaire de programmer son GPS.

— On suit les pancartes et c'est tout, propose-t-il.

La verte campagne défile sous nos yeux, s'effaçant peu à peu pour un paysage fait d'immenses roches qui bordent la route. De l'autre côté, un cours d'eau coule en contrebas. Tristan souhaite s'arrêter afin de prendre quelques photos. C'est plus fort que moi, je le taquine sur son côté touriste.

— Il fait beau, autant en profiter. Ce n'est pas à Paris que je pourrai photographier ce genre d'endroit. Il y a quelque chose de pur et de simple, ici.

— Je ne te connaissais pas d'humeur si romantique.

— Je profite de l'instant présent, Lola. C'est ça qui compte.

Nous traversons ensuite quelques villages encore plus petits qu'Aubéry. Le bitume se fait très étroit par endroits, aussi je prie pour ne pas me trouver face à un camion.

— Arrête-toi ici! dit soudainement Tristan.

Je cherche du regard ce qui a attiré l'attention de mon ami.

— Un monastère. Tu es sérieux, là?

— C'est une abbaye. Regarde le cadre, tout autour. Ce silence, ce calme. Apparemment, on peut visiter les jardins et acheter leurs produits. Ils louent même des chambres.

— Oh, je rêve!

Malgré mes airs de citadine agacée, je commence à prendre plaisir à flâner dans ce charmant coin de campagne. Nous nous promenons dans les jardins de l'édifice religieux et prenons place sur un banc. Mon meilleur ami murmure que le passé, quel qu'il soit, ne devrait jamais gâcher la beauté de l'instant présent. Je lui fais remarquer, acerbe, que c'est un peu facile d'en arriver à cette conclusion lorsque l'on connaît tout de ses origines.

— Lola, ton histoire ne doit pas te ronger; elle doit t'aider à puiser en toi la force d'avancer. Observe tout ça, autour de toi… Nous ne sommes que peu de chose, non ? Découvre qui tu es, mais n'y laisse pas tes ailes. Au fond, tes ancêtres n'étaient que des humains. Personne n'est infaillible.

Je serre la main de Tristan dans la mienne, et nous regagnons ainsi la voiture, non sans avoir acheté quelques biscuits de fabrication artisanale.

— Tu as raison. Même si je transporte inconsciemment les souvenirs de Louise en moi, je ne vais pas laisser tout cela prendre le dessus. Il est temps que je vive aussi pour moi.

— Là, je te reconnais, ma chouquette.

...

Après avoir fait l'acquisition d'un aspirateur, nous nous baladons à travers les rues de la jolie petite commune de Rouget, traversée par une rivière qui scinde la ville en deux. Une partie est construite en aval de la ville haute, le long d'une voie romaine. La ville haute, qui a conservé quelques maisons à l'architecture médiévale, se trouvait autrefois entourée par deux forteresses, dont une seule subsiste aujourd'hui. Au Moyen Âge, un pont reliait les deux villes, jusqu'à ce qu'il soit emporté par une crue. Jusqu'au dix-neuvième siècle, le passage s'est donc fait par un bac. Finalement, l'édification d'un nouveau pont a modernisé la petite ville. Nous flânons durant quelques instants dans les vieilles rues chargées d'histoire. Je songe avec tristesse que le commerce ne semble pas se porter au mieux de sa forme ici non plus. Désireux de boire quelque chose de frais, nous nous installons à la terrasse d'un café tout en métal et verreries. Un panneau nous apprend qu'il s'agit d'un des plus anciens établissements de la ville. Tristan me demande si je me sens un peu mieux.

— Oui, je le crois. Tes mots creusent forcément leur chemin dans ma tête, autant en ce qui concerne mes parents que le passé. Je te remercie.

— J'aime te l'entendre dire! Tu ne veux pas me le répéter?

— Espèce de tordu, va!

## 19

—Je me demande si on ne va pas tomber sur des souris. C'est sûr que ça va arriver, et alors je vais hurler.

Tristan arbore sa tête des jours de déconvenue, comme lorsqu'on se rend compte que des projets élaborés avec fougue ne vont pas être si simples à réaliser.

La veille au soir, après être rentrés de Rouget, nous avons soupé avec Évelyne et son mari. Nous étions les seuls clients du restaurant, et le couple d'aubergistes a insisté pour nous tenir compagnie. J'ai préféré éluder le sujet de ma famille. J'apprécie beaucoup Évelyne et j'ai bien compris qu'elle n'est pas du genre à colporter des ragots, mais j'ai envie de me montrer égoïste en gardant encore un peu jalousement mes secrets. L'attention du couple s'est vite reportée sur Tristan, qui attise à lui seul leur curiosité. J'imagine que les gais ne sont pas légion à Aubéry, Évelyne et Franck n'ont pas pu s'empêcher de l'étudier sous toutes les coutures. Tristan s'est prêté au jeu avec humour et a tout fait pour leur paraître éloigné des clichés que les gens de la campagne profonde se font des homos. Nous sommes remontés dans la chambre aux alentours de vingt-deux heures, et j'ai montré à Tristan les vieilles photographies dénichées dans la boîte publicitaire. À son tour, il s'est étonné de ma ressemblance frappante avec Louise, avant de découvrir un portrait de Rose, adolescente.

— La forme du visage est la tienne.

— Je commence à me demander si je ressemble un peu à mes parents.

— Tu ne sais toujours rien sur eux?

— Je n'ai pas avancé d'un iota à ce sujet. Mais je suis vraiment curieuse de connaître la suite de l'histoire.

Allongés, nous avons ensuite discuté de choses et d'autres jusqu'à une heure du matin, Tristan m'annonçant qu'il avait eu une discussion avec son responsable concernant ce client qui lui avait tapé dans l'œil :

— Il m'a encore répété que si ça se termine mal, on risque de le perdre, et tout le bazar…

— C'est débile! Même s'il change d'agence, il ne passera pas par une compagnie privée pour envoyer son courrier. C'est du grand n'importe quoi, son argumentaire.

Une idée m'a alors traversé l'esprit et je me suis accoudée sur mon oreiller.

— Il n'aurait pas des vues sur ce client, ton responsable, par hasard?

— Il fait plutôt dans le style jupe et talons hauts.

— Alors c'est juste un gros connard. C'est possible ça, non?

Nous nous sommes endormis dans le grand lit et réveillés le lendemain matin à neuf heures, prêts à faire le grand nettoyage dans ma maison.

…

— S'il y avait eu des souris ici, tu ne crois pas que je serais déjà tombée dessus? je rétorque.

— Peut-être qu'elles se planquent. Peut-être qu'elles m'attendaient *moi* parce qu'elles savent que j'ai peur d'elles.

J'étouffe un rire et reprends :

— Si tu as peur de t'évanouir, tu peux toujours aller boire un verre. Il y a plein de bars, ici.

— Et être accueilli par tous les vieux machos du coin? Non, merci, je préfère encore les souris!

Je mets l'aspirateur en marche et le passe tant bien que mal sur les rares surfaces libres. Je termine par le grenier, qui constitue la plus grosse besogne. Aucun petit rongeur ne pointe le bout de son museau. Par la porte des combles, je l'annonce à Tristan, qui grimpe les escaliers quatre à quatre.

— J'ai jeté un coup d'œil dans les pièces, il y a des meubles plutôt chouettes, tu sais, me dit-il en arrivant à ma hauteur. Tu devrais quand même en garder quelques-uns.

— Je vais voir. Cela me fait penser que je veux te donner un carton de vaisselle *vintage*. Il y a pas mal de tasses qui datent des années soixante, je suis sûre que tu vas adorer!

Tristan décroise les bras et déclame de façon tragique :

— C'est mon héritage avant ta mort, c'est ça?

Dans cette vieille maison, les mots de Tristan résonnent bizarrement à mes oreilles. Un étrange déclic se produit en moi.

— Lola, tu t'es mise en mode pause ? me demande-t-il en faisant claquer ses doigts face à mon visage.

— Non, non. Je viens de capter un truc. Tu m'as donné une sorte d'indice, là. Je me demande si Rose, en me préparant cette grosse partie de chasse au trésor, n'a pas voulu me conduire à réfléchir sur ma propre vie.

— Je croyais que tu l'avais un peu compris…

— Ce n'est pas ça. Je ne sais pas, j'ai l'impression de saisir quelque chose, sans en comprendre totalement le sens. Je pense à Louise et à sa détermination, comme si je devais en faire quelque chose. Je n'ai pas encore tous les tenants et les aboutissants en mains, mais je crois que Rose essaie vraiment de me faire réaliser une chose essentielle.

...

Durant les heures qui suivent, nous abattons un travail de titan. Dans l'ancienne boutique, nous réunissons d'un côté les cartons contenant les vieux livres de comptes que je réserve pour Frédérick, et de l'autre quelques objets et meubles en piteux état. Je téléphonerai à la mairie dès lundi afin de faire enlever ces vieilleries : chaises délabrées, lampes cassées, bibelots fissurés de toutes parts. Nous ouvrons les cartons du salon et découvrons des livres par centaines. Certains d'entre eux feront sans doute le bonheur de la médiathèque, les autres rejoindront ma bibliothèque déjà bien fournie. Nous trouvons également des vieux carnets de croquis ayant appartenu à Louise et dans lesquels elle a esquissé quelques patrons de vêtements.

— Elle aurait pu devenir une grande couturière, remarque Tristan.

— Oui, mais Louise préférait la sécurité de son statut à Aubéry. Tenter de devenir la nouvelle Coco Chanel l'aurait sans doute plongée dans une situation trop précaire à ses yeux.

Les bibliothèques vides et le superbe canapé de cuir fauve peuvent encore servir. Nous roulons sur lui-même le tapis élimé, qui rejoint les vieilleries. Les chambres de Léonie et Rose révèlent quelques petites surprises, comme un fauteuil d'enfant en osier et de vieilles valises pleines de charme. C'est dans ces malles que je trouve les journaux intimes de Rose. Je dois me faire violence pour ne pas les lire tout de suite. Finalement, c'était plutôt facile de les trouver. Elle avait envie que je fouille cette maison, non pas pour dénicher les indices qu'elle m'y a laissés, mais pour moi. Pour faire le tri, ici comme dans ma tête. Il y a quelque chose de libérateur dans le fait d'agir. Je ne sais pas pourquoi je trie ces vieilles reliques, mais ça me plaît. Je remercie chaleureusement Tristan de m'avoir secouée comme il l'a fait. Il m'étreint brièvement et constate qu'avec le bazar qu'il reste dans le grenier, nous n'aurons jamais terminé aujourd'hui.

— Je terminerai seule, ne t'inquiète pas. La maison me paraît déjà beaucoup moins encombrée. Quelle heure est-il ?

— Bientôt midi, répond-il en consultant son téléphone portable.

— Bien, jetons un coup d'œil rapide à ce grenier, puisque nous y sommes, et ensuite nous verrons.

Des malles pleines de vêtements s'entassent, des étagères débordent de livres aux pages jaunies. Nous découvrons un buste de mannequin posé sur une estrade, les deux ayant probablement servi du temps de la boutique. Des décorations éphémères, des cartons et encore des cartons. Cette famille ne jetait donc rien ! J'ouvre une malle et y déniche des albums de photographies étiquetés par année.

Malgré l'enthousiasme de Tristan, j'hésite et laisse finalement les albums là où je les ai trouvés.

— Je vais attendre un peu avant de les feuilleter. Je crois que j'ai envie de connaître la suite de l'histoire avant de découvrir de nouveaux visages.

Tristan, couvert de poussière, veut absolument se doucher. Aussi, nous quittons la maison dans laquelle je me sens de plus en plus à l'aise. Après s'être lavé, Tristan annonce :

— Je repars dimanche matin, alors si tu as envie qu'on fasse quelque chose ensemble, je t'écoute.

— J'aimerais monter au château. Il appartient à la famille Garnier, après tout.

— Tu connais la route ?

Je vais chercher mon carnet et le lui tends.

— Oui, regarde, j'ai dessiné le plan pour y accéder. Puisque l'orage n'a toujours pas éclaté, nous pourrions nous y rendre à pied.

Nous avalons le solide dîner préparé par Évelyne et nous mettons en route. Nous avons environ trois kilomètres à parcourir pour atteindre le château.

— Trois kilomètres de marche, commence à geindre Tristan, en quittant l'auberge. Alors que j'ai ma voiture…

— Les trois kilomètres de marche, nous les faisons souvent à Paris, alors tu peux bien les faire ici. Ce n'est pas toi, hier, qui me conseillais de profiter de ce beau paysage?

— Un point pour toi.

Je suis requinquée et prête à soulever des montagnes. Bon, le seul problème que nous risquons de rencontrer, c'est que je n'ai aucun plan pour notre arrivée là-haut. Que dois-je faire une fois devant les grilles? Je sonne et je saute au cou de la veuve en lui disant: « Salut, ma tante, comment tu vas? » Je ne suis pas sûre que tant de spontanéité soit appréciée! Et si les actuels propriétaires pensent que je viens leur réclamer de l'argent? Tant pis, j'improviserai une fois sur place.

Nous nous engageons en direction du pont métallique qui enjambe le camping municipal. Pleine d'enthousiasme, je montre à mon meilleur ami la vue sur le barrage près de l'ancien moulin.

— C'est vrai que c'est charmant par ici, reconnaît-il. Mais il y a vraiment des gens qui viennent en vacances à Aubéry? En camping?

— Je t'assure que oui! C'est comme ça que Frédérick a découvert le village, ses parents venaient chaque été.

— Et ces gens font quoi, tout l'été?

— Ils profitent de l'instant présent, mon chou.

Il me donne une pichenotte sur l'épaule et grimace.

— Oh, je vois, tu te moques de moi! Je te jette à la flotte maintenant ou tu préfères voir ce château avant?

— Puisque tu me laisses le choix, en avant marche!

Nous empruntons une petite route de campagne. Le bitume serpente parmi des champs et des coins de nature sauvage.

— C'est plutôt désert, mais tellement reposant!
murmure Tristan.

Nous traversons des bocages, puis la route évolue
subitement en une longue pente au milieu de la forêt.
Les plaisanteries sur les divers films d'horreur que nous
avons pu voir ensemble fusent, ces films qui se terminent
mal, généralement sur une route déserte bordée de bois.
La forêt est touffue et remplie de fougères. De hauts
arbres l'assombrissent, nous apportant par la même
occasion un peu de fraîcheur. Tristan veut savoir s'il n'y
a vraiment pas un autre chemin à prendre pour arriver
plus rapidement au château. Amusée, je réponds:

— Bien sûr que oui, mais tu avais envie de jouer les
touristes. J'exauce ton vœu.

— Cocotte.

Je ris et reprends:

— Bon, plus sérieusement, j'ai cru comprendre
que Rose suivait souvent ce même chemin. Elle devait
aller plus rapidement puisqu'elle était à vélo. J'avais
vraiment à cœur de découvrir ce qu'elle voyait lors de
ses excursions.

— Comment tu sais ça?

— Elle ne s'en cachait pas. Elle décrivait beaucoup
à Martin ses impressions et lui confiait ce qu'elle faisait
de ses journées. Louise communiquait très peu avec sa
fille, les relations entre elles étaient plutôt conflictuelles.
C'est Martin qui lui apprenait où filait Rose. Louise en
a parlé dans des lettres à sa sœur.

Je m'arrête et sors une bouteille d'eau. Nous avalons quelques gorgées et nous reposons un peu, à
l'orée du bois qui longe la route. J'ironise sur le fait

que, finalement, j'ai bien fait de prendre mes vieilles Converse, que Tristan déteste tant. Elles s'avèrent bien pratiques pour les longues marches.

— J'abonde dans ton sens, Lola. Et puis, si tu veux attirer un paysan, c'est sûr que pour aller traire les vaches, il préférera te savoir en souliers de sport plutôt qu'en talons hauts!

Rapidement, nous émergeons sur un tronçon de route et constatons que nous dominons déjà Aubéry.

— Quelle vue! nous exclamons-nous ensemble, avant de nous taper dans les mains.

— Le ciel se charge drôlement, m'alerte Tristan. J'espère que nous serons rentrés avant l'orage.

Je scrute le paysage du regard et indique à mon ami:

— Regarde, le château n'est plus qu'à quelques mètres, le donjon émerge entre les arbres.

Nous avançons encore un peu avant de nous engager sur un chemin terreux et pentu. Nous sommes à nouveau entourés par la forêt, désespérant de trouver l'entrée du château, lorsque nous repérons soudainement une grille à demi rouillée. Malheureusement, elle est fermée par un lourd cadenas. Je souffle:

— Zut! J'ai l'impression que c'est désert.

— On dirait bien. Tu veux quand même essayer d'y entrer? Il y a comme un trou, là, entre ces buissons.

Je me récrie:

— Tu crois que ce serait prudent? Il y a forcément un gardien, une sonnette.

Je déniche un interrupteur et appuie longuement dessus, en vain. Que faire? Tristan fait mine de vouloir se faufiler à travers les buissons.

— Allez, viens, lance-t-il. Nous n'avons pas fait tout ce chemin pour rien. Au pire, Frédérick viendra nous récupérer à la gendarmerie.

Ce que nous nous apprêtons à faire n'est pas franchement réglo et ne me dit rien qui vaille. Soudain, de puissants aboiements s'élèvent de l'autre côté de la grille et je devine un énorme chien de garde. Tristan prend ses jambes à son cou.

— Dépêche-toi, on file ! fait-il, affolé.

Nous nous éloignons de la grille à vive allure et, après quelques mètres, je m'autorise enfin à respirer de nouveau. Pas pour longtemps, ceci dit, car le vent se met à souffler fortement et le ciel n'est plus que lourds nuages menaçants. Des éclairs commencent à zébrer le paysage et de grosses gouttes s'écrasent déjà sur le sol.

— Bon, eh bien, je crois que c'est aujourd'hui que nous découvrons tout notre potentiel d'aventuriers qui n'ont presque peur de rien ! déclare Tristan.

De gros roulements se rapprochent et le tonnerre éclate. La pluie nous aveugle presque, charriant avec elle des odeurs de mousse et de sous-bois. Nous pressons le pas sur le bitume inondé. Nous n'avons rien pour nous couvrir, à part la forêt touffue qui borde la route de part et d'autre.

— Manquerait plus que la foudre nous tombe dessus, râle Tristan. C'est dangereux, les arbres, non ?

Je préfère éviter de lui répondre pour ne pas ajouter à sa panique. Le temps va forcément nous ralentir. Je me demande à quelle heure nous allons atteindre l'auberge, et surtout dans quel état. Nous marchons ainsi silencieusement sur quelques mètres, avant que les phares d'une voiture n'émergent face à nous. Le véhicule ralentit à notre hauteur et j'adresse au ciel une prière silencieuse pour que ce ne soit pas un tueur en série. Avec notre chance… Finalement, la voiture s'immobilise et le conducteur passe la tête par la vitre :

— Je vous conseille de monter si vous ne voulez pas finir avec une belle bronchite.

## 20

—Tu le connais? chuchote Tristan, peu rassuré par le ton un peu brusque de l'homme qui s'est arrêté à notre hauteur.

— Oh, oui! C'est Jim, dont je t'ai déjà parlé.

— Ah, je vois, sourit mon ami. On monte.

Nous nous engouffrons dans la voiture. Quelque peu exaspérée, mais bien contente d'avoir trouvé un sauveur, je monte à l'avant et remercie Jim de s'être arrêté.

— Il n'y a pas de quoi, répond-il. Je crois que je t'ai un peu effrayée la dernière fois. Il fallait bien que je me rattrape.

— Vous m'avez plutôt énervée, à vrai dire.

Il me jette un regard moqueur.

— Vraiment? Énervée?

— Je ne vois pas ce qu'il y a de drôle.

— Tu ressemblais davantage à une biche affolée qu'à un dragon prêt à exploser.

Un toussotement se fait entendre depuis la banquette arrière. Je désigne Tristan à Jim:

— Je vous présente mon meilleur ami.

— Salut, son meilleur ami. Bon, vous me semblez avoir besoin d'un petit remontant. Je vous emmène au bar du champ de foire.

— Oh, ce n'est vraiment pas la peine! je proteste avec conviction.

— Chouette! lance joyeusement Tristan au même instant.

— On va écouter le meilleur ami, tranche Jim.

Nous atteignons Aubéry en quelques minutes et Jim gare sa voiture le long du trottoir, face au bar. L'entrée de l'établissement est pourvue de deux lourdes portes à petits carreaux. Je me faufile derrière les deux hommes, encore toute grelottante de notre escapade sous l'orage.

— Allez vous asseoir, nous ordonne Jim, je vais nous commander à boire.

Jetant un œil autour de moi, je note que les propriétaires du bar semblent apprécier tout ce qui se rapporte à la navigation et aux pirates. Des filets de pêche, bouées et reproductions d'affiches de films ornent les murs en bois. Des barriques savamment disposées sur le parquet sombre font office de tables, entourées par de hauts tabourets de bar. Au fond, des banquettes en cuir vieilli se nichent dans une sorte d'alcôve, faisant face à des tables en bois brut.

Tristan s'empare de ma main et me conduit sur l'une de ces banquettes.

— T'as froid, ma chouquette.

— Ça va aller, je vais vite me réchauffer.

— Avec ce Jim qui te dévore des yeux, ça, je n'en doute pas, dit-il en souriant.

— Arrête tes conneries.

— Tu ne trouves pas qu'il ressemble à ce réalisateur, Clovis Cornillac?

— Et alors?

Tristan lève les yeux au ciel.

— Tu le fais exprès, ou quoi? Clovis Cornillac, tu vois tout de suite que c'est un mec bien, avec les pieds sur terre et les épaules solides. Le genre de type avec qui je t'imagine bien, justement. Pas dégueulasse, en plus.

— D'accord, mais ce Jim… Oh, chut, il arrive.

Jim nous rejoint, accompagné par le patron du bar qui pose fièrement trois chocolats chauds devant nous.

— J'hésitais avec un café irlandais, mais je ne sais pas si la petite tiendrait la route, se moque notre sauveur.

Je réponds aussi sec:

— La petite tient parfaitement l'alcool, merci.

— En fait, elle ne supporte pas plus de deux verres, croit bon de préciser Tristan.

— Il serait peut-être temps de se présenter, non? fait Jim en s'asseyant à côté de moi.

— Tristan, ange gardien attitré de ma chouquette, annonce ce dernier, en serrant la main de Jim par-dessus la table.

Tristan, le roi de la sobriété! Je lève à mon tour les yeux au ciel et enchaîne:

— Lola, nouveau membre de la famille Garnier.

Un sourire éclaire le visage de notre interlocuteur, qui répond:

— Jim Brunet.

Je ne peux pas m'empêcher de lui demander ce qu'il fait dans la vie, à part lire par-dessus l'épaule des femmes.

— Ce n'est pas gentil, ça! se marre-t-il. Si tu veux vraiment tout savoir, je ramasse aussi les voyageurs imprudents avec ma voiture et je les emmène boire un chocolat chaud dans le meilleur bar du village.

Il se tourne vers Tristan et lui demande :

— Pourquoi tu l'appelles *chouquette* ? Elle n'a pas l'air d'être faite en pâte à choux.

Tristan manque de s'étouffer avec son chocolat chaud, mais parvient quand même à répondre, tandis que je deviens cramoisie :

— C'est tout bête. Je pourrais donner n'importe quoi contre cent grammes de chouquettes. L'équation est simple : j'adore les chouquettes, et j'adore Lola. Donc, elle est ma chouquette.

Jim plisse les yeux, cherchant sans doute à deviner de quelle planète débarque Tristan. Je tente un trait d'humour :

— Heureusement qu'il ne voue pas une passion aux sushis. C'est plus élégant d'être assimilée à une pâtisserie plutôt qu'à du poisson cru.

Des jeunes font leur entrée en chahutant. Ils commandent bruyamment des bières et dévisagent notre groupe. Pourquoi est-ce que je sens que les ennuis arrivent ?

— Hé, Jim ! fait l'un d'eux.

— Salut, Yoann, répond l'intéressé.

Ledit Yoann s'avance en direction de notre table.

— Jim, t'es vraiment en train de boire un chocolat avec la tapette qui a débarqué hier ?

— Il semblerait bien que oui, mec.

— Tu deviens pédé, ça y est ?

Je n'ai pas le temps de réagir que Jim se lève prestement et bondit de la banquette. Il saisit le type par le col de son t-shirt.

— Ne joue pas à ça, petit merdeux. Je pourrais bien te foutre mon poing sur la gueule.

— Du calme, fait l'autre, commençant à pâlir.

Jim ne le lâche pas pour autant et continue :

— Moi aussi j'étais con à ton âge, mais pas débile à ce point. Je vous ai déjà prévenus que les propos de vos connards de parents n'avaient rien à foutre ici. Alors soit tu fermes ta gueule, soit tu te barres avec tes potes.

Yoann rend les armes et retourne s'asseoir avec ses amis. Jim, rouge d'énervement, revient vers nous.

— Je suis désolé, mon pote, s'adresse-t-il, la mine contrite, à Tristan. Ce sont des petits cons.

— Oh, ce n'est rien, répond mon ami. J'aurais dû me douter que, dans un petit patelin, ce genre d'accrochage serait inévitable.

— Ils ne sont pas mauvais dans le fond, mais bêtes. La dernière fois, ces imbéciles ont fait le même coup au remplaçant du docteur, qui était d'origine algérienne. Le quart du village aurait préféré crever plutôt que de se faire soigner. Le pauvre a eu le malheur de venir boire un verre ici et ils ont commencé à l'emmerder. Je leur ai mis les points sur les *i*, mais ils ont du mal à comprendre les choses.

Le patron du bar fait signe à Jim de venir le voir. Ce dernier nous prie de s'excuser et s'éloigne.

— Bah dis donc, c'est un nerveux, fais-je remarquer à Tristan.

— Mais non, répond-il, songeur. Il a à peine effleuré ce petit merdeux. Il ne l'aurait pas cogné, il voulait juste lui mettre du plomb dans la cervelle. Tu ne vois pas que ce Jim est un mec comme on n'en trouve plus ?

Je lui demande s'il ne serait pas en train de tomber amoureux.

— Moi, non. Par contre, on dirait bien que notre sosie de Clovis Cornillac n'est pas indifférent à tes charmes. Et je sens l'odeur de tes hormones affolées.

— N'importe quoi. Et puis tout cela n'en fait pas pour autant le prince charmant.

— Il a défendu ton meilleur ami, alors que rien ne l'y obligeait. Tu n'as même pas besoin de tergiverser. Allez, décroise tes bras, tu fais coincée, là. Et fais-moi plaisir : tutoie-le.

Jim revient déjà vers nous, l'air satisfait. Il s'assoit à nouveau à côté de moi et me demande sans préambule :

— Alors, dis-moi tout, qu'est-ce que tu lui veux, à Vincent ?

— Oh là, doucement ! Tout à l'heure, je t'ai demandé ce que tu faisais dans la vie et tu ne m'as toujours pas répondu. Pourquoi est-ce que moi je me dévoilerais si facilement ?

— C'est vrai. Si tu n'as pas envie d'en parler, passons à autre chose.

Il avale son chocolat refroidi et enchaîne avec une nouvelle question :

— Ton copain pense quoi du fait que tu viennes seule dans un petit village comme le nôtre ?

— Je n'ai pas de copain.

— Tu plaisantes ?

— Elle ne plaisante pas, affirme gravement Tristan.

Je tente de me justifier, histoire de ne pas non plus passer pour une pestiférée. J'évoque désormais sans souffrir mon dernier échec amoureux, puis je déclare :

— Avec tout ce qui est en train d'arriver dans ma vie, l'amour ne fait vraiment pas partie de mes priorités.

— Il est en train d'arriver quoi, dans ta vie ?

— Vincent ne t'a pas parlé de moi ?

— Il m'a dit qu'il a vu débarquer une cousine surgie de nulle part, mais rien de plus. Bon, j'ai bien capté que ce n'était pas une bonne nouvelle à ses yeux, mais il ne m'a pas donné de détails.

Tristan se lève pour aller nous commander d'autres boissons, me laissant seule avec Clovis-Jim. J'ai l'envie soudaine de le répudier pour haute trahison. Au lieu de cela, je rebondis et lance, histoire de meubler :

— Vincent, c'est un mec sympa ?

— C'est mon ami. Forcément que c'est un mec bien. Mais je ne comprends pas ; si c'est ton cousin, pourquoi c'est à moi que tu poses la question ?

J'hésite à lui révéler la vérité, mais force m'est de reconnaître que je me sens en confiance avec lui. Jim n'est peut-être pas qu'un ours, finalement.

— J'ai été abandonnée à la naissance. Je pensais que toute ma famille était morte, jusqu'à la semaine dernière. Je n'avais jamais entendu parler des Garnier, jusqu'à ce que le notaire me convoque pour m'apprendre que j'héritais d'un des biens de Rose. C'est comme ça que j'ai appris l'existence de Vincent. Les circonstances n'étaient pas simples.

— C'est le moins qu'on puisse dire.

Tristan revient, jonglant avec trois verres de bière. Un silence s'établit et j'avale une gorgée avant de demander à Jim :

— Tu crois que je pourrais parler à Vincent ?

Mais Jim a extirpé son téléphone portable de sa veste et semble absorbé par son écran. J'insiste :

— Je sais qu'il me déteste, mais ce que j'ai à lui dire est important.

Jim rabat le clapet de son portable, range l'appareil dans sa poche et déclare avant de porter son verre à la bouche :

— Tu auras la réponse dans peu de temps, il sera là dans cinq minutes.

...

En cinq minutes, j'ai le temps de passer par tous les états émotionnels possibles. La nervosité, l'espoir, l'impatience et la peur réussissent à cohabiter en moi dans ce court laps de temps. Tristan tente par tous les moyens de me détendre, en vain. Conscient de mon trouble, Jim lance subitement :

— Pour répondre à ta question, je suis un peu peintre, maçon, carreleur, ébéniste. Je travaille en intérim et je prends tout ce qu'on me donne.

— Ce n'est pas un peu précaire, comme situation ? veut savoir Tristan.

Tristan 1. Subtilité 0.

— Je m'en sors bien, je n'ai pas connu une seule période de chômage. Quand on sait tout faire de ses mains et qu'on ne rechigne pas à se lever parfois à cinq heures du matin, le travail ne manque pas.

Je lui demande si, à tout hasard, il saurait retaper une vieille maison.

— Ça pourrait être dans mes cordes.

La porte du bar s'ouvre soudainement, laissant apparaître Vincent, vêtu d'un jean et d'un t-shirt bleu foncé. Il ne nous remarque pas tout de suite et j'ai le temps de l'observer. Pas très grand, il semble robuste, sans être gros. Il arbore un anneau à l'oreille à défaut d'un sourire sur sa bouche. Et si ce mec qui me déteste était vraiment mon frère jumeau? La couleur de nos cheveux et de nos yeux est semblable, mais n'est-ce pas le cas de nombreux cousins? Tristan ressent ma nervosité et me presse la main sous la table. Enfin, le regard de Vincent capte le mien. Il appelle immédiatement Jim. Ce dernier se lève et rejoint son ami, qui l'entraîne vers la sortie du bar. Les dés sont jetés. Je dois afficher une mine déconfite, car Tristan me lance:

— Tu n'imaginais quand même pas qu'il allait venir s'asseoir avec nous comme si on était ses *best friends forever*?

— Peut-être bien que oui. On fait quoi, maintenant? On part?

Jim et Vincent semblent mener une discussion plutôt animée sur le trottoir. Inutile d'être devin pour affirmer quel est le sujet de leur conversation.

— Je crois que Jim t'aime bien, murmure Tristan.

Tout en promenant mon index le long du bois verni de la table, je réponds que je m'en fiche. En réalité, je suis livrée à une véritable bataille intérieure.

— Il a quand même utilisé un moyen détourné pour savoir si tu avais quelqu'un dans ta vie, insiste mon ami.

Je termine mon verre de bière et réponds:

— Nous n'avons rien en commun. N'y pense même pas.

— Au contraire, je serais prêt à parier que vous allez vous apprivoiser.

Je m'apprête à me lever lorsque Jim entre à nouveau dans le bar, suivi par Vincent. Ce dernier décline notre compagnie et s'installe sur un tabouret au comptoir, tandis que Jim nous rejoint, à l'opposé de la salle.

— Bon, Lola alias chouquette, commence-t-il en appuyant fermement ses mains sur la table, Vincent est un être particulièrement borné... Mais la bonne nouvelle, c'est qu'il n'est pas totalement fermé à l'idée de t'écouter. Il veut juste un peu de temps pour réfléchir à tout ça.

Ramenant mes cheveux en arrière, je demande, un peu agacée :

— Donc je fais quoi ? Parce que nous sommes peut-être jumeaux, je fais de la télépathie pour deviner le moment où il sera prêt ?

Je couvre ma bouche avec ma main, mais trop tard, les mots sont sortis tout seuls. Tristan se retourne pour s'assurer que Vincent n'a rien entendu, ce qui ne semble heureusement pas être le cas. Jim se penche très près de moi, me demandant d'une voix basse mais pressante :

— Comment ça, jumeaux ? C'est quoi, cette histoire ? Je croyais que vous étiez des cousins ?

— Oui, eh bien moi aussi, je le croyais, dis-je sur le même ton. Peut-être que nous sommes effectivement cousins, mais le truc bizarre, c'est que nous avons exactement la même date de naissance.

Jim se redresse, incrédule :

— C'est peut-être une coïncidence.

Il plisse ses yeux d'un bleu intense et reprend :

— Ou pas, en fait. Merde. Il va être sous le choc si c'est vrai.

— Tu vois pourquoi je dois lui parler.

Jim se passe une main sur le visage, avant de me fixer profondément.

— Lola, je ne te connais pas. Tu sembles pourtant être une fille géniale et vraiment sympa.

— Merci. Je sens que la suite va moins me plaire.

Il laisse échapper un long soupir et me supplie d'éviter de démolir Vincent. Je m'offusque :

— Tu me prends pour une espèce de connasse qui veut détruire le seul membre encore vivant de sa famille ?

— Non, bien sûr que non. Mais si vous êtes vraiment jumeaux, cela veut dire que les parents de Vincent lui ont menti durant toute sa vie. Et s'il y a un truc qu'il digère super mal, c'est le mensonge, justement. Bonne chance.

## 21

— Il y a deux réflexions qui me viennent à l'esprit, là, raille Tristan tandis que nous quittons le bar.

La pluie a cessé de tomber depuis belle lurette, c'est le bon moment pour retourner à l'auberge. Jim a insisté pour payer nos consommations, et ce, malgré nos protestations.

— Alors la prochaine fois, ce sera pour moi, ai-je affirmé.

— Oh, il y aura donc une prochaine fois ! a souri Jim, l'air plutôt content.

Le temps s'est rafraîchi grâce à l'orage et c'est un plaisir pour nous d'arpenter les trottoirs gorgés de l'eau de pluie. L'air est enfin respirable. Je tourne la tête vers Tristan.

— Oui, je sais ce que tu vas me dire, c'est bon.

Il hausse les épaules, apparemment amusé.

— Bon, où tu veux en venir ? Vas-y, balance.

— Tout d'abord, tu ressembles beaucoup à ton cousin, enfin ton frère, je ne sais plus trop.

— Ouais, j'ai du mal à admettre qu'il puisse être mon frère, et pourtant… On va dire Vincent, pour parler de lui. C'est mieux. Tu imagines si je suis sa sœur jumelle ?

Mon ami tapote sa main sur mon poignet pour me rassurer :

— Ça va aller, ma chouquette. N'importe qui serait heureux d'avoir une sœur comme toi, mignonne comme un cœur…

— Et qui vient foutre le bordel dans sa famille, ne puis-je m'empêcher de compléter, sarcastique.

Nous marchons lentement dans le silence des rues vides et Tristan continue :

— C'est là que j'enchaîne avec ma deuxième pensée, histoire de détendre l'atmosphère. Tu comptes revoir Jim, si j'ai bien compris ?

— Je le savais ! Je savais que tu dirais ça !

Tristan se prend pour la Joconde en arborant un sourire similaire. Je tente de me justifier :

— Si j'ai dit que je le reverrai, c'est uniquement par politesse, tu vois ?

— Par politesse. Mais bien sûr, Lola. Et moi, dimanche, je vais prendre le thé avec la reine d'Angleterre.

— Je t'assure que je n'étais pas en train de lui filer un rencard. Si je le croise à nouveau, je lui serai redevable d'un verre, c'est tout.

— En tout cas il n'est pas très curieux ; il n'a même pas cherché à savoir ce qu'on fabriquait sous l'orage quand il nous a trouvés.

Je rétorque que, de toute façon, Jim n'a pas l'air de faire ce qu'on attend de lui.

— Alors tu vois que vous avez des choses en commun.

Je suis surprise de ne pas trouver Évelyne à l'auberge lorsque nous y entrons. C'est son mari qui, sortant de la cuisine, nous accueille et me dit :

— La maison de retraite a téléphoné durant votre absence ; mamie Huguette s'est souvenue de quelque chose qu'elle souhaiterait vous dire. La secrétaire m'a dit que vous pouvez vous y rendre demain matin.

J'interroge Tristan du regard, qui me donne son assentiment d'un hochement de tête. Pourquoi la maison de retraite n'a pas cherché à me joindre sur mon portable ? Question nulle, la batterie de mon téléphone est entièrement déchargée. Évelyne fait alors son entrée, les bras chargés de sacs.

— Oh, vous êtes là, mes petits jeunes ! Vous avez passé une bonne journée ?

J'acquiesce et devance ses questions :

— Nous nous sommes un peu promenés et ensuite nous sommes allés au bar pour nous remettre d'une douche forcée.

— Oh, mes pauvres chéris. Si j'avais su, j'aurais préparé une bonne fournée de biscuits avant de partir. J'ai couru les ventes-débarras, j'adore ça. Ce qui n'est pas le cas de Franck, malheureusement, ajoute-t-elle en haussant un sourcil faussement réprobateur vers son mari.

Nous remontons dans la chambre, non sans avoir échangé quelques politesses avec le couple.

— Évelyne est gentille, reconnaît Tristan en se laissant tomber sur le lit, mais qu'est-ce qu'elle est bavarde ! Son débit semble aussi intarissable que les chutes du Niagara ! J'ai cru qu'elle allait nous déballer le contenu de ses sacs et nous dire le prix de chaque objet acheté.

Je branche mon téléphone et écoute mes messages. Ma mère demande des nouvelles et Frédérick nous propose de passer la soirée à Rouget avec sa femme et lui.

— Voilà qui pourrait être sympa! s'exclame Tristan. Appelle-le tout de suite. Je vais me doucher et je préviens Évelyne que nous ne souperons pas ici.

Je téléphone au notaire, qui nous propose un restaurant et une partie de quilles. J'accepte de bon cœur. Je rappelle ensuite ma mère, qui s'écrie dans le combiné, manquant de me percer le tympan:

— Ah, Lola, enfin! Je commençais à m'inquiéter, tu sais!

— Désolée, maman. Je suis un peu débordée, en ce moment, et Tristan est venu pour la fin de semaine.

— Voilà qui est adorable de sa part. Si seulement ton père et moi avions pu faire de même!

— Ce n'est pas utile, maman. Je vais bien, je t'assure.

En m'asseyant sur le lit, je lui fais un condensé de mes dernières découvertes, omettant sciemment de lui parler de Jim. Pas question qu'elle aille s'imaginer des choses. Mon résumé est accueilli par un silence qui ne me met pas vraiment à l'aise.

— Maman?

Elle me répond, lentement:

— Excuse-moi, ma chérie. Je suis un peu perturbée par le fait que tu me parles de toutes ces personnes comme si elles t'étaient familières.

— Elles commencent à l'être, d'une certaine façon.

— Fais attention à toi. Que feras-tu, une fois que ta « mission » sera terminée?

— Je pourrais prendre un nouveau départ, maman. Je ne sais pas.

Nous échangeons quelques banalités et je remarque Tristan, debout dans l'encadrement de la porte de la salle de bains, les bras croisés.

— Je n'avais pas l'intention d'écouter ta conversation, mais j'avais terminé de me préparer.

— Donc tu as écouté quand même.

— Je n'avais pas trop le choix. Même avec la porte fermée je t'entendais. Ça va?

Je soupire:

— Je crois que ma mère est inquiète pour moi.

— Forcément qu'elle l'est. Tu commences à t'attacher au village et elle n'est pas dupe.

— Oh, mon dieu, quelle fille indigne je fais!

— Ouais, je pense qu'ils devraient te rendre à l'orphelinat.

J'attrape un coussin pour le lancer à Tristan.

— Et encore, tu ne lui as pas parlé du Clovis Cornillac local, s'esclaffe-t-il, hilare. Elle aurait rappliqué sur le champ!

...

Tandis que nous prenons place tous les quatre dans sa voiture, Frédérick s'excuse car il avait oublié que la salle de quilles serait fermée.

— Il n'y a aucun problème, assure Tristan en bouclant sa ceinture. De toute façon, Lola est nulle à ce jeu. Elle mélange toujours quilles et pétanque.

— Et parfois, il arrive même que je confonde les boules avec ta tête!

Nous éclatons de rire et la voiture démarre. Frédérick et Nora ont laissé leur petite Stella chez les parents de la jeune femme afin de pouvoir profiter de la soirée.

— Et vous, s'enquit Nora, qu'avez-vous fait?

Je leur relate notre escapade ratée au château.

— Il fallait me le dire, intervient Frédérick, tout en jetant un coup d'œil dans le rétroviseur. La veuve de Charles Garnier n'y vit plus que quelques mois par an, avec son fils et toute leur famille. Ils viennent surtout l'été.

— N'y a-t-il aucun moyen de les contacter?

— Vous me posez une colle. Vous devriez vous renseigner à la mairie.

Il nous félicite ensuite de ne pas être tombés sur le gardien du château, un ancien chasseur qui promène son fusil comme une seconde peau. À l'écouter, nous l'avons échappé belle!

Nous choisissons de souper dans un de ces restaurants asiatiques où le buffet est à volonté. Les délicieux effluves de saveurs exotiques nous ouvrent l'appétit. Mon ventre gémit de faim alors que je parcours du regard les divers plats présentés; quant à Tristan, il est en prise avec un terrible dilemme: canard laqué ou porc au caramel? Une fois attablés, nous discutons de nos activités professionnelles respectives. Frédérick évoque les personnes âgées qui viennent lui parler de testament au moindre rhume, persuadées qu'elles vont rendre l'âme dans les jours à venir. Nora, elle, se montre passionnée par son travail d'institutrice, qui l'épanouit pleinement.

— Et vous, Lola? s'enquit Frédérick. Vous ne m'avez pas vraiment parlé de votre travail.

— Il n'y a pas grand-chose à en dire. Je sers des sandwichs à des gens pressés de les avaler.

— Et cela vous plaît? veut savoir Nora, qui a arqué un sourcil de surprise.

Je reconnais que ce n'est pas vraiment le cas, mais il me semblerait indécent de me plaindre d'avoir un emploi fixe. Tristan croit bon d'ajouter :

— Avant qu'elle ne vende des sandwichs, Lola se destinait à vendre des livres.

Frédérick répond qu'il me voyait bien comme une littéraire.

— J'aime les livres, c'est vrai.

Le couple se montre curieux de savoir pourquoi je n'ai pas suivi ma vocation. Je leur explique que mes parents, après mes multiples candidatures restées sans réponse, m'ont proposé un poste que je n'ai pas eu le cœur de refuser.

— Depuis, je stagne un peu dans cette situation qui, à défaut de se révéler épanouissante, s'avère au moins confortable.

Nora me dévisage longuement, et me demande, avant de croquer dans un ravioli frit :

— Et comment imagineriez-vous la librairie de vos rêves?

— J'ai eu le temps d'y réfléchir. Il y aurait des livres neufs, mais aussi d'occasion, afin que tout le monde puisse accéder à la lecture. J'imagine des fauteuils confortables pour feuilleter quelques ouvrages et déguster un café avec une pâtisserie maison.

Un silence suit ma déclaration, durant lequel Frédérick en profite pour échanger un regard appuyé avec Tristan.

— Il se passe un truc entre vous ? les taquine Nora.

— Non, répond le notaire. Je pense que Tristan et moi venons de partager une même pensée.

Ce dernier acquiesce et Frédérick me lance :

— Est-ce que vous avez conscience que vous possédez désormais un endroit dans lequel vous pourriez ouvrir la librairie de vos rêves ?

J'ai l'impression que ma mâchoire s'est décrochée, tant je viens de bloquer sur ses paroles. Je me rappelle que j'ai la bouche pleine et j'avale rapidement avant de répliquer un peu trop vivement :

— Oh, non, vous n'êtes pas sérieux ! Je ne saurais même pas comment m'y prendre !

— Il y a des formations pour cela, lance Nora de façon innocente.

Je cherche un soutien dans le regard de mon meilleur ami, qui se contente de piocher un samoussa dans mon assiette. Il sait tout aussi bien que moi que cette idée de librairie m'a forcément effleurée et que le sommet de ma trouille est aussi élevé que celui de l'Everest. La conversation dévie d'ailleurs sur notre amitié.

— Vous semblez très proches, relève Frédérick.

Nettement plus à l'aise, je raconte alors mon histoire préférée, celle de ma rencontre avec Tristan. Nous rions en évoquant mamie Constance, qui a essayé de nous caser ensemble.

— De toute façon, même si Tristan avait été hétéro, les choses n'auraient pas été possibles entre nous, j'ajoute en riant.

— Pourquoi ? s'offusque l'intéressé.

— T'as une meilleure tête que la mienne au réveil. Je ne le supporte pas.

— En tout cas, déclare Nora après avoir ri, votre amitié est quelque chose de très précieux, prenez-en soin. Des liens aussi forts sont tellement rares de nos jours, où l'on choisit ses amis *via* les réseaux sociaux avant de les jeter comme de vulgaires mouchoirs en papier !

Une fois le repas terminé, nous nous promenons dans la ville basse, désertée. Les rues sont tranquilles et je commence vraiment à apprécier cette sensation, à l'inverse de Tristan, qui n'arrête pas de regarder tout autour de lui, comme si un agresseur armé d'un couteau pouvait surgir à tout moment d'une ruelle. Nous rentrons à l'auberge, perclus de fatigue, après avoir remercié Frédérick et Nora pour l'excellente soirée que nous avons passée en leur compagnie.

## 22.

Je me présente le lendemain matin à la maison de retraite. Le ciel, bien que voilé, n'est plus du tout menaçant et un léger vent apporte la fraîcheur qui a tant manqué au village durant les jours précédents. Tristan siffle en découvrant l'édifice :

— Je veux être placé ici, quand je serai vieux ! On dirait un village de vacances.

— Si tu veux je t'y laisse.

Je me dirige vers l'accueil et la secrétaire me reconnaît aussitôt.

— Mamie Huguette est dans sa chambre, ce matin. Si vous voulez bien me suivre.

Tristan décide de se promener dans le parc en m'attendant. Je suis introduite dans la chambre de la centenaire, qui est confortablement assise dans un fauteuil, en train de tricoter.

— Madame Louise ! s'exclame-t-elle en me voyant entrer.

— Mais non, enfin, la reprend la secrétaire, en parlant d'une voix bien forte. Ce n'est pas madame Louise, c'est son arrière-petite-fille.

— Bien sûr, répond la vieille femme, en roulant les *r*. Excusez-moi, parfois j'ai l'impression que je suis de retour en arrière. C'est normal, qu'ils disent. Vous lui ressemblez.

— Je le sais, mamie Huguette, dis-je en m'approchant d'elle. Vous tricotez, à ce que je vois ?

— Eh oui ! Je fais des écharpes pour mes arrière-petits-enfants. De nos jours, les femmes ne savent plus faire ça, déplore-t-elle. Mais ce n'est sûrement pas pour parler de tricot que vous êtes ici.

— À vrai dire, non. On m'a dit que vous vous étiez souvenue de quelque chose concernant ma famille.

— C'est vrai, acquiesce Huguette. Pouvez-vous me servir un verre d'eau, ma petite ?

Je le lui sers de bon cœur et attends patiemment qu'elle ait terminé de le boire, à petites gorgées. Enfin, elle commence :

— Après votre visite, quelque chose me tourmentait. Je sentais que ma mémoire me travaillait, mais ma vieille caboche avait du mal à tout remettre en ordre. Et puis, avec l'orage, hier, ça m'est revenu. J'ignore si cela aura une quelconque importance pour vous.

Je l'encourage vivement à poursuivre.

— Je me suis souvenue de cette soirée du 14 juillet. C'était après la guerre, en 1947, peut-être. À l'époque, les villageois sautaient sur la moindre occasion pour faire la fête. Nous parcourions les rues avec des lampions, juste avant le feu d'artifice et il y avait un bal populaire. Tout Aubéry aimait s'y retrouver. Cet été-là, j'avais une petite trentaine d'années. Mon mari avait un peu bu et plaisantait avec ses copains. Il n'avait pas envie de danser et, de toute façon, j'avais trop chaud.

Huguette semble un instant perdue dans ses souvenirs, ses petits yeux fixés sur un point qu'elle seule peut voir. Peut-être qu'elle se revoit, jeune et pimpante. J'ai du mal à imaginer que la centenaire ait pu un jour avoir mon âge. J'écoute attentivement la suite de son récit :

— J'ai décidé d'aller me promener le long des berges. Vous savez, c'était une de ces soirées d'été où on a l'impression que la nuit ne finira jamais. L'air était si lourd qu'on s'attendait à ce qu'un orage nous tombe dessus. Je suis descendue jusqu'au moulin. J'avais besoin de me rapprocher au plus près de la rivière ; je voulais y plonger la main pour me rafraîchir un peu. C'est ce que j'ai fait, avant d'être effrayée par un petit animal. J'ai alors voulu retourner au plus vite sur la route. Je me souviens qu'en courant, j'avais peur d'abîmer ma belle robe de cotonnade. J'allais émerger des berges lorsque j'ai entendu un couple se disputer. Je ne voulais surtout pas donner l'impression de les espionner, et surgir devant eux aurait été me trahir.

Huguette me révèle alors que, camouflée par les herbes hautes, elle a rapidement reconnu les voix de Louise et Martin.

— J'ai compris que madame Louise avait dû faire quelque chose de mal ; c'était la première fois que j'entendais son mari élever la voix ainsi. Il lui criait qu'elle avait bousillé les rêves de Rose et agi en femme arriviste. Il a utilisé des mots très durs. Madame Louise a fini par fondre en larmes et a supplié son mari de lui pardonner. Je crois qu'il l'a serrée dans ses bras. Il lui a ensuite dit qu'il leur faudrait désormais vivre avec cela et que, s'il pardonnait à l'amie, il en voudrait toujours à la mère. Après cela, ils se sont éloignés. Martin boitait, j'ai donc attendu un bon moment pour être sûre qu'ils étaient loin, et je suis allée retrouver mon mari.

La vieille femme se tait et, en l'espace d'un battement de cils, je crois qu'elle s'est endormie car ses yeux sont à moitié clos. Mais ses paupières s'ouvrent et la centenaire me regarde franchement.

— Je n'ai plus jamais entendu parler de cette histoire. Maintenant, je vais dormir un peu, déclare-t-elle, cet effort de mémoire l'ayant probablement fatiguée.

— Bien entendu. Je vous remercie sincèrement, mamie Huguette.

La tête de la vieille dame dodeline déjà, son menton rejoignant son torse.

...

— On dirait bien que Louise a eu l'engueulade de sa vie! siffle Tristan lorsque je lui rapporte les propos de mamie Huguette en quittant *Les Grands Chênes*. Tu crois qu'il leur est arrivé quoi, après ça?

— Je ne sais pas, mais j'espère le découvrir bientôt.

Nous cheminons vers la maison, passant devant les diverses boutiques qui jalonnent la rue. La femme du boulanger fume sur le seuil de son magasin et nous adresse un signe de la main, étudiant Tristan avec attention.

— Elle paraît charmante, ironise-t-il.

— La prochaine fois qu'elle va me coincer, elle va vouloir tout connaître à ton sujet!

J'ouvre la porte de l'ancienne boutique, l'imaginant tintinnabuler à l'époque de Louise et Martin. Le jour pénètre à l'intérieur et Tristan s'avance, tout regardant autour de lui.

— Frédérick a raison, tu aurais de l'espace pour vendre des livres, ici.

— Reviens sur Terre, je t'en prie! D'une part, je ne sais pas comment on crée une boutique, d'autre part nous sommes dans un petit patelin, en période de grosse crise économique. Qui viendrait jusque-là pour acheter des bouquins?

— Tous les gens qui en ont marre de devoir les commander sur Internet, répond Tristan en promenant sa main sur le manteau de la cheminée.

Je me dirige vers la cour intérieure et lance:

— Ils ont la médiathèque, pour cela.

— Tu oublies ceux qui veulent *posséder* les livres. Je suis certain qu'ils sont nombreux, il n'y a qu'à voir le nombre de blogues littéraires que l'on trouve sur la toile. Je te parie qu'il n'y a pas une librairie à des kilomètres à la ronde.

Je sais qu'il a raison, mais je fais comme si je n'avais pas entendu la fin de sa phrase. Je commence à fureter dans la cuisine. Si le buffet en formica m'a révélé un charmant et délicat service à café, je n'ai pas pensé à inspecter l'antique gazinière qui a été laissée là et qu'il me faudra certainement faire enlever. Par acquit de conscience, j'ouvre la porte du four et y déniche un moule à gâteau, d'apparence banale. Intriguée, j'arrondis les yeux de surprise en découvrant dedans une feuille de papier. Bingo!

J'appelle Tristan, qui accourt aussitôt. Je lui agite le moule à gâteau sous le nez et m'empare de la feuille.

— On va la lire ensemble.

Je déplie lentement le papier, reconnaissant déjà l'écriture familière de Rose.

*« Lola,*

*Je ne sais pas où tu en es de tes recherches. Peut-être en seras-tu à un stade où ce mot te sera complètement inutile. Peut-être même que tu te débarrasseras de cette gazinière sans avoir songé à ouvrir la porte du four, où t'attendait mon pauvre moule à gâteau. Je voulais me permettre une sorte d'interlude. La gazinière, qui ne fonctionne plus, appartenait à ma mère, qui était une piètre cuisinière. Maman pouvait coudre une robe en quelques heures, mais était incapable de confectionner le moindre gâteau. Ce n'était pas faute d'avoir essayé, pourtant, je ne peux pas lui enlever cela. Regarder maman cuisiner, c'était autopsier une catastrophe à venir. Si elle essayait de se lancer dans la préparation d'un gâteau, elle ne faisait pas attention aux quantités. Elle versait le paquet de farine avec des œufs et du sucre. À la cuisson, lorsqu'elle n'oubliait pas son chef-d'œuvre dans le four, ça sentait vraiment bon. À la dégustation, il y avait tellement de farine que c'était compact, immangeable. Maman ne savait pas non plus couper les légumes ou une viande. La cuisine était vraiment son point faible, et heureusement, papa savait nous régaler de bons petits plats.*

*Un jour, j'ai demandé à papa de m'apprendre à cuisiner. J'aimais vraiment cela. Dans ma vie, j'ai connu maintes passions. Celle de la cuisine ne m'a jamais quittée. Quand je me suis mariée, j'ai décidé que mes enfants auraient droit chaque semaine à des pâtisseries. Au fil des ans, je me suis perfectionnée. On m'a dit qu'il était dommage que je n'aie jamais songé à en faire mon métier, enfin, à l'époque on suivait un chemin tout tracé. Faire de la pâtisserie m'a toujours apaisée. Au moindre souci, il me suffisait de préparer et malaxer une pâte pour y voir plus clair dans mes pensées. J'ai noté soigneusement toutes mes recettes. Je n'avais pas envie qu'elles se perdent, puisqu'elles plaisaient tant.*

*Alors, Lola, je te demande de bien vouloir conserver précieusement mes carnets de recettes, que tu trouveras dans un carton. Si tu aimes cuisiner pour toi, pour tes amis ou ta famille, tu trouveras de quoi les régaler.*

*Oh, avant que j'oublie, le moule où tu as trouvé ce mot est celui dans lequel papa m'a fait confectionner mon tout premier gâteau, un quatre-quarts aux pommes. Tu comprendras que j'y tienne.*

*Rose. »*

— Cette femme était tout simplement incroyable! s'exclame Tristan.

Je hoche lentement la tête.

— Elle était décidément créative et pleine de ressources.

— Ce n'est pas toi qui disais que, dans la librairie de tes rêves, on servirait des pâtisseries maison?

— Oh, arrête avec cette histoire!

— Bien, comme tu voudras! se défend-il en agitant les mains. Que veux-tu faire pour le reste de la journée? Rien de fatigant, j'espère, car j'ai de la route à faire demain.

Je soupire tristement à la perspective du séjour de Tristan qui touche déjà à sa fin. Il me propose d'aller acheter de quoi faire un petit repas sympa.

— Je n'ai rien pour cuisiner ici. Regarde cette cuisine, il n'y a même pas de table ni de chaises.

— Il y a forcément ce qu'il faut dans le grenier, répond-il d'un air décidé.

Nous nous ruons dans les escaliers, montant les marches quatre à quatre. Nous dénichons rapidement une table qui croule sous quelques cartons de livres.

— Encore des bouquins ? lâche Tristan. On peut en déduire très facilement d'où te vient ta passion pour la lecture. Ma vie entière ne me suffirait pas pour lire tous les livres qu'on a trouvés dans cette baraque depuis mon arrivée !

Nous dégageons les cartons en quelques secondes et extirpons une table en formica. Elle me semble parfaite. Nous en profitons pour récupérer deux chaises.

— J'ai une idée, déclare Tristan en soulevant une des extrémités de la table. Je t'aide à descendre ce que tu veux et ensuite je vais demander à Évelyne si elle a de quoi dépoussiérer les meubles. Pendant que tu joueras les reines du ménage, j'irai assouvir la curiosité de la boulangère et lui acheter notre dîner.

— Ton plan me convient parfaitement, mais pourquoi ce serait à moi de faire les poussières ?

— C'est ta maison, pas la mienne.

La table et les deux chaises que nous avons dénichées dans le grenier sont rapidement installées dans la cuisine. Tristan se retire durant un quart d'heure, avant de revenir avec un produit nettoyant et un torchon.

— Tu as convaincu Évelyne de sacrifier un torchon ?

— Oh, elle n'a pas été bien difficile à convaincre… laisse-t-il échapper sur un ton mystérieux.

— Pourquoi est-ce que je m'attends au pire? dis-je en m'emparant du torchon.

— Peut-être parce que je lui ai promis que tu lui ferais visiter ta maison?

Je suspends mon geste, le torchon en l'air.

— C'est là que je m'en vais, n'est-ce pas? lance Tristan.

— Va chasser le gibier pour notre dîner, homme! dis-je en riant, tout en agitant vivement mon torchon.

Je passe la demi-heure suivante à nettoyer les meubles de la cuisine et décide, pendant que Tristan est coincé avec la boulangère, de m'attaquer également à quelques-uns de ceux qui se trouvent dans les chambres. J'ouvre les fenêtres pour laisser l'air circuler dans la maison et m'assieds sur le rebord de l'une d'entre elles, les jambes pendant dans le vide. Désœuvrée, je me perds très vite dans mes pensées. L'idée d'ouvrir ma propre librairie m'enchanterait vraiment plus que tout et il est vrai qu'avec cette ancienne boutique, je disposerais de l'espace nécessaire. Rêveuse, je m'imagine aisément déambuler à travers les rayons parfaitement rangés, conseillant des clients avides de nouvelles lectures. Mais c'est là le travail d'une vendeuse; une patronne a beaucoup plus de responsabilités sur le dos! Il faut tenir les comptes, être douée en gestion et en organisation. Trop de pression reposerait sur mes épaules. Bien sûr, il existe des formations. En vérité, ce qui m'effraie le plus, c'est la grande inconnue: que ferais-je ici, seule, à Aubéry, sans mes amis ni mes parents? Pourtant, j'ai le mince espoir de réussir à apprivoiser Vincent et de mettre à profit mon temps libre pour me faire des connaissances. Les gens ne sont pas si sauvages qu'ils en ont l'air. Je pourrais également apprendre à connaître Jim… Pourquoi mes pensées dérivent-elles sur lui? Je lui trouve un côté rassurant et un certain charme, OK, je ne peux pas le nier. Et puis Jim est aussi mon seul lien avec Vincent.

J'en suis là de mes réflexions, lorsque la voix chantante de Tristan s'élève du rez-de-chaussée et me ramène à la vraie vie:

— À table, Lola! La boulangère m'a libéré!

Je m'arrache du rebord de la fenêtre puis cours rejoindre mon meilleur ami, qui a disposé sur la table en formica désormais brillante un vrai festin. Quelques miniquiches aux légumes côtoient des tartelettes aux fruits. Avec un grand sourire, Tristan agite un sachet en papier sous mon nez.

— Cerise sur le gâteau, la boulangère vendait des chouquettes, aujourd'hui!

Je lui ébouriffe gentiment les cheveux et le taquine tout en m'asseyant:

— Tu n'as plus peur de devenir gros?

Tristan prend place à côté de moi et répond sur un ton presque solennel:

— Ce repas est l'un de nos derniers ensemble avant un bon moment, je le sens. Alors profitons-en.

## 23

Le cœur en miettes, j'accompagne Tristan sur la place de l'église, où il a laissé sa voiture. Notre dernière journée ensemble s'est écoulée à une vitesse folle. Nous avons continué à fouiller le grenier et à y dénicher des trésors sortis d'un autre temps.

Des vêtements d'époque, des objets désuets. Un véritable musée ! L'après-midi bien entamée, nous sommes allés nous promener sur les berges de la rivière, tentant de retarder au maximum l'heure du dîner. Nous avons fait le tour de l'ancien moulin, nous sommes aventurés dans des coins de nature qu'a certainement connus Rose. Et puis, finalement, un silence a fini par s'établir entre nous, durant lequel j'ai eu tout le loisir de me demander qui de nous deux allait craquer le premier. Alors j'ai prononcé, des trémolos dans la voix :

— C'est la première fois en huit ans qu'on va rester sans se voir, pour une durée indéterminée…

Tout en continuant à marcher, il m'a passé un bras autour des épaules.

— Hé, ma chouquette, tu sais, même si finalement tu décidais de rester vivre ici, ça ne changerait rien entre nous. On se verrait moins, c'est tout.

— Tu vas me manquer.

— Je sais. Toi aussi, tu vas me manquer, et je vais devoir aller m'étourdir dans des soirées pour oublier l'absence de celle que je considère comme ma sœur.

Il s'est éloigné de moi, se passant une main sur le visage. Je me suis approchée lentement et lui ai passé une main réconfortante dans le dos. Il a pris une inspiration et a déclaré :

— Je suis super ému à l'idée de te voir à un tournant de ta vie. Je suis très content de cette opportunité que tu as de connaître enfin tes origines, mais je viens juste de réaliser un truc.

— Quoi ?

Il s'est tourné pour me faire face.

— Tu te souviens, au début de notre amitié, quand nous nous sommes dit un jour que nous devions être des jumeaux séparés à la naissance ?

J'ai baissé les yeux, craignant de comprendre où il voulait en venir.

— Cela fait huit ans que je te considère comme ma sœur, Lola. Et toi, tu viens d'apprendre que tu as peut-être réellement été séparée de ton frère jumeau à la naissance. Sauf que ce n'est pas moi.

J'ai murmuré :

— Ne me dis pas que tu es jaloux, je t'en prie.

— Non, Lola, souffle-t-il en souriant. Bon, d'accord, je l'ai peut-être été durant une minute ou deux.

Le soleil a décliné peu à peu, baignant d'une magnifique lumière orangée un champ de coquelicots voisin. Tristan s'est imprégné un instant de ce panorama, avant de reprendre :

— Je veux juste que tu saches que, de mon point de vue, cela ne changera jamais rien. Tu seras toujours ma meilleure amie, ma chouquette. Je ne te dis pas que l'idée de moins te voir m'enchante, loin de là, mais je fais partie de ces quelques personnes qui souhaitent te voir heureuse et épanouie.

Les larmes ont afflué au bord de mes paupières mais j'ai pu répondre :

— Tu sais, même si Vincent est réellement mon frère jumeau, nos liens ne seront jamais comme ceux que nous avons tissés, toi et moi. Je sais que la distance ne tuera jamais notre amitié.

— Et puis, heureusement, a souligné Tristan en me serrant contre lui, Dieu ou quelqu'un s'y apparentant a inventé le téléphone portable, Facebook et Skype. Rien que pour ça je suis ravi de vivre à notre époque.

— Ma décision n'est pas encore prise, tu sais. Il y a de fortes chances que je rentre à Paris.

— Cela m'étonnerait franchement, Lola, a-t-il répondu avec un sourire taquin.

Nous avons soupé à l'auberge et prolongé nos dernières heures ensemble, discutant de tout et de rien. Je lui ai promis de ne plus être une touriste dans ma propre vie et, en échange, il m'a juré que, la prochaine fois que l'on se verrait, il aurait trouvé un petit ami digne de ce nom.

— Mais bon, a-t-il précisé, si jusque-là mes relations n'ont pas fonctionné, c'est aussi parce que je ne voulais pas m'engager. Mais je t'avoue que l'idée commence à me titiller. Surtout depuis que j'ai le droit de me marier.

— Tu n'as pas encore mon accord, ai-je plaisanté.

— Dépêche-toi de filer avant que je monte dans ta voiture!

— Tu vas rester ici, chouquette, et tu vas découvrir la suite de ton histoire. Je ne veux pas te revoir avant que tu saches précisément d'où tu viens.

— Tu es dur, là.

Il charge son sac de voyage à l'arrière de sa voiture tout en répliquant:

— Je suis certain que tu es presque arrivée au bout. Je ne crois pas que Rose voulait que tu mettes trois siècles à tout découvrir. Elle voulait surtout que tu te trouves, *toi*. Et tu vas me faire le plaisir d'exaucer son dernier souhait.

— Il y a un truc qui m'échappe, là; comment pouvait-elle supposer, en admettant que ce soit la réalité, que je sois un peu désemparée?

Tristan hausse les épaules.

— Peut-être une simple intuition.

— C'est curieux, quand même.

— Arrête de m'empêcher de partir, Lola. Je dois y aller.

— Je sais.

Tristan s'installe au volant. Il ouvre la vitre et met le moteur en marche après avoir bouclé sa ceinture.

— Pense à la musique que je t'ai téléchargée dans le lecteur MP3. Il y a nos grands classiques, mais aussi des albums plus modernes qui te donneront de l'entrain.

Je lève les yeux au ciel.

— Oh non, ne me dis pas que tu as mis Lady Gaga!

— Peut-être un titre ou deux. Et arrête de détester Lady Gaga, enfin, elle ne t'a rien fait!

Je ris et il reprend :

— En ce moment, quand je vais courir, j'aime bien écouter le dernier album de La Roux, il est très entraînant…

— Parce que tu cours, maintenant?

Il élude ma question.

— *Ciao, bella!* Je mets le cap sur Paris!

— Appelle-moi quand tu seras arrivé!

— Oui, maman!

...

Plutôt que de rester plantée là indéfiniment, telle une statue éplorée, je décide de me bouger un peu. J'ai un but à poursuivre, après tout. J'extirpe le lecteur MP3 de mon sac à main et fais défiler les titres d'albums récents dont m'a parlé Tristan. Rien ne me tente vraiment. J'opte pour une valeur sûre et enclenche *Life on Mars?* de David Bowie. Je m'avance vers la place du champ de foire et y découvre un marché. Les étals me renvoient forcément à ce qu'a connu Louise avant de devenir l'une des femmes les plus puissantes du village. Depuis quand le marché se tient-il ici? Il n'y a évidemment plus aucune trace de charrettes ou d'émanations de volailles vivantes. Les marchands proposent désormais fruits, légumes, charcuteries, fromages et viande. Je retire les écouteurs de mes oreilles, pour acheter du fromage et quelques fruits, auxquels j'ajoute une baguette. Certains villageois me dévisagent, intrigués, d'autres me souhaitent une belle journée. Maintenant qu'ils savent certainement tous que je suis la petite-fille de Rose Garnier, ils doivent chercher à déceler des traces d'elle et de sa vie sur mon visage.

Un peu plus loin, j'aperçois Jim plongé dans une conversation avec un homme sans âge. Nos regards s'accrochent brièvement, il m'adresse un signe de tête et un sourire qui illumine tout son visage et me contamine. Mes achats terminés, je m'assieds sur un banc et relance la musique, tentant de me motiver pour survivre moralement au départ de mon meilleur ami. Jim semble se diriger vers… moi. Le cœur battant un peu trop rapidement à mon goût, j'ôte mes écouteurs par politesse.

— Tu écoutes quoi ? veut-il savoir en s'emparant d'une oreillette.

Il la porte à son oreille et siffle :

— David Bowie ! Tu es vraiment étonnante !

— Tu ne t'attendais quand même pas à ce que j'écoute Mireille Mathieu, non ?

— Non. Mais je suis venu pour te parler, en fait, pas pour écouter de la musique.

— Me parler ?

— Oui, j'ai trouvé que tu avais l'air triste, toute seule sur ton banc. J'espère réussir à revoir ton joli sourire.

Si le but était de me faire rougir, c'est gagné. Je ne sais pas trop quoi dire pour meubler la conversation, agacée de me laisser troubler si facilement par ce type. Je baisse les yeux tandis qu'il me jauge de son regard, dans lequel j'ai bien peur de me noyer s'il continue à me dévisager ainsi. Finalement, il me demande franchement si je compte m'installer de façon définitive au village. Je me lève d'un bond.

— Mais qu'est-ce que vous avez tous avec ça ? Je suis là depuis à peine une semaine !

Je hausse la voix et me mets à faire nerveusement les cent pas.

— Tout le monde semble attendre de moi que je fasse un choix entre rentrer à Paris ou ouvrir la librairie de mes rêves dans la maison de mes ancêtres ! Comment suis-je censée prendre une telle décision en si peu de temps ?

Jim hausse les sourcils et répond :

— Ce serait génial, pour la librairie, non ?

Je hoche la tête de gauche à droite.

— Tu ne comprends pas. J'ai la trouille de tout abandonner et, en même temps, je m'attache vraiment à ce village. C'est un dilemme vraiment injuste.

Jim explose alors de rire. Puis il déclare, d'une voix dans laquelle pointe une note d'exaspération :

— C'est vrai, c'est quand même trop lamentable tout ça. La vie est nulle, pas vrai ?

— Vas-y, moque-toi de moi. C'est facile, après tout.

Il redevient sérieux, se lève pour venir se planter face à moi et ajoute :

— Je ne vois pas pourquoi tu te prends la tête. Beaucoup de gens donneraient un bras pour avoir une telle opportunité. Et toi, tu hésites juste parce que tout cela bouscule ta petite vie parfaitement réglée.

Il fait une pause, le temps de déglutir, puis conclut :

— Secoue-toi, Lola. Le destin ne va pas décider à ta place. Arrête d'avoir la trouille.

Ma bouche s'ouvre puis se ferme, je reste sans voix – l'image furtive d'une carpe passe dans mon esprit – tandis que Jim m'achève :

— Au fait, à la base, j'étais venu pour te proposer de venir ce soir au bar. Nous fêtons l'anniversaire d'Élise et elle apprécierait que tu sois là. Si cette invitation ne bouscule pas trop ton petit train-train, n'hésite pas à passer.

Sans ajouter un mot de plus, il tourne les talons. J'ai envie de le retenir, mais ma fierté l'emporte et je me mords la lèvre. Je suis énervée, mais pas seulement contre Jim. Le fait que mon éternelle indécision saute aux yeux d'un mec qui, en d'autres circonstances, pourrait me plaire me donne juste envie de me flageller avec le rideau à lanières en plastique accroché à la porte du jardin de l'auberge. Je quitte la place sans demander mon reste. En ouvrant la porte de l'ancienne boutique, je me rends compte qu'une honte immense m'envahit. Je brûle bien évidemment de reprendre ma vie en mains ; mais si j'ouvre cette librairie, est-ce que je ne risque pas, à l'instar de Louise des décennies avant moi, de devenir un monstre d'ambition et de passer totalement à côté de ma vie privée ?

J'ai pourtant fait une promesse à Tristan. Je dois arrêter de me mettre des freins. Cette quête d'identité va m'aider à ne justement pas commettre les mêmes erreurs que mes ancêtres. J'espère que Jim n'a pas une mauvaise image de moi, maintenant qu'il m'a vue geindre comme une enfant trop gâtée… Mais après tout, je me fiche de son opinion, non ? Non. Non, loin de là. Je revois ses yeux posés sur les miens. Un sourire se dessine sur mes lèvres à ce seul souvenir. Il est venu m'inviter à une soirée, bordel! Et si…? Non, je n'ai pas le temps de penser à l'amour, de toute façon. Je dois en découdre une bonne fois pour toutes avec le passé.

Je chasse Jim de mes pensées, me prépare un sandwich puis monte l'escalier. Dans la chambre de Rose, je m'empare de la malle qui contient les journaux intimes de ma grand-mère biologique. Je traîne le tout jusqu'au salon, où je retrouve le confort du vieux canapé de cuir. Je feuillette un premier cahier, sobrement intitulé *Esquisses* et dans lequel je découvre les dessins que faisait ma grand-mère lorsqu'elle était adolescente. Je reconnais tous ses proches. Rose a également dessiné son grand amour, flattant de ses coups de crayon précis son visage au charme fou. J'attrape ensuite un épais carnet relié en cuir noir. Je commence à en tourner avec soin les pages jaunies; des photographies et coupures de journaux s'ajoutent aux notes personnelles de Rose. Des nouvelles clés de mon histoire vont m'être révélées.

24.

*Rose, 1947.*

La jeune femme ouvrit les yeux, après une nouvelle nuit où le sommeil avait émis des réticences à s'inviter. Cela lui arrivait fréquemment depuis que Richard était parti. La chaleur de l'été n'arrangeait rien à cela et Rose pouvait passer de longues heures à se tourner et se retourner, jusqu'à ce que seuls ses nerfs la maintiennent en éveil. Alors, elle se souvenait des journées heureuses passées auprès de son amour, revivait leurs balades romantiques aux alentours d'Aubéry, se prenant à espérer que Richard serait bientôt de retour. Malheureusement, son rêve le plus cher ne devenait jamais réalité et elle devait supporter les longues journées durant lesquelles le temps s'égrenait bien trop lentement. Ses parents lui assuraient avec force que les tourments du cœur finissent toujours par disparaître, la douleur par s'estomper peu à peu avant de s'effacer complètement. Ils lui soutenaient qu'un matin elle se réveillerait en se rendant compte qu'elle n'avait plus mal.

Que connaissaient-ils des terribles chagrins d'amour, eux qui étaient unis depuis vingt-sept ans? Comment pouvaient-ils imaginer à quel point la passion amoureuse avait laissé une plaie béante dans son cœur saigné à blanc? Que savaient-ils des tourments qui vous plongeaient dans d'insondables abîmes et vous écorchaient l'âme, à vif?

Cela faisait deux mois que Richard était parti sans prévenir. Sans *la* prévenir. Il lui avait pourtant promis qu'elle pourrait le suivre à Paris, où ils se débrouilleraient, comme bon nombre d'autres jeunes gens, lui terminant ses études de médecine interrompues par la guerre, elle tentant les beaux-arts. Il devait la tenir informée, dans le secret de tous, dès que leur départ serait imminent. Elle le revoyait, cheveux au vent, assis près d'un champ de blé, le regard empreint d'espoir et de passion lorsqu'ils élaboraient leurs projets d'avenir. Finalement, tout cela n'avait été que de belles paroles, plongeant Rose dans une chute vertigineuse, dans le précipice des larmes, de la douleur physique et morale.

C'était arrivé d'un coup; Rose s'était réveillée un matin et elle avait appris quelques heures plus tard, en se rendant chez lui, que Richard avait quitté le domicile de ses parents. Sans l'emmener. Si on lui avait lancé un poignard en plein cœur, nul doute que la douleur aurait été similaire; lorsque Fanny lui avait annoncé que Richard était parti pour Paris, elle en avait eu le souffle coupé. Elle était rentrée chez elle en titubant, accueillie sur le pas de la boutique par son père, dans les bras duquel elle s'était évanouie. La jeune femme s'était ensuite réveillée dans son lit, sa mère lui appliquant des compresses d'eau froide sur le visage. Rose avait fondu en larmes intarissables, pleuré sur son amour parti loin d'elle. Elle ne comprenait pas ce revirement de situation, épris qu'ils étaient l'un de l'autre.

— Les hommes savent mentir, Rose, tu sais, avait murmuré sa mère.

Les journées suivantes, la jeune femme n'avait pas quitté son lit, roulée en boule avec une photographie aux bords dentelés qu'elle fixait inlassablement jusqu'à en ressentir une brûlure aux yeux. Ses parents avaient essayé de la secouer et s'étaient finalement résolus à faire venir le père de Richard, le médecin du village, qui avait diagnostiqué un choc émotionnel et un état de déprime. Rose s'était vue contrainte d'avaler quelques pilules pour aller mieux, mais elle avait finalement décidé de les arrêter tant elles anesthésiaient son cerveau, allant jusqu'à lui faire oublier de ressentir au plus profond d'elle-même la force de son amour pour Richard. L'idée d'oublier tout de l'amour vécu avec Richard la faisait souffrir cent fois plus que le reste.

Un matin de juin, elle était finalement descendue de sa chambre et avait commencé à aider sa mère et les deux employées au magasin. Travailler ne lui faisait pas oublier la douleur, mais au moins elle n'avait pas le temps de penser. Néanmoins, ses cogitations finissaient par se rappeler à elle le soir, alors qu'il n'y avait plus rien d'autre à faire que se détendre. Le choc passé, elle tentait de comprendre pourquoi son amour l'avait finalement abandonnée; s'était-elle montrée maladroite? N'avait-elle été qu'une amourette de passage ? Aurait-elle été trop encombrante dans la vie de Richard ? Avait-il rencontré quelqu'un d'autre ?

Elle observait ses parents, inquiets de la voir ainsi ; son regard qui semblait autrefois sonder l'âme des gens par sa vivacité ne faisait désormais plus que les effleurer. Rose avait perdu du poids, sa haute silhouette s'étant amaigrie par le chagrin. Martin passait beaucoup de temps avec elle, l'emmenant pêcher à la rivière, se promener à la ville, manger une glace, voir un film au cinéma. Rose s'était laissée emporter par l'alchimie entre Ingrid Bergman et Humphrey Bogart dans le film *Casablanca*, et avait pleuré toutes les larmes de son corps devant *Pour qui sonne le glas*, reprochant silencieusement à Martin de ne l'avoir emmenée voir que des films d'amour. Mais, au fond, elle savait que son père n'avait cherché qu'à la divertir, étant démuni pour trouver les mots qui tariraient le chagrin de sa fille.

Un matin où elle avait entendu sa mère pester contre un gâteau qui était resté trop longtemps dans le four, Rose avait demandé à son père de lui apprendre à cuisiner. Cette activité commune les comblait l'un et l'autre. Martin était fier de pouvoir transmettre ses quelques notions culinaires à sa fille, qui se vidait la tête en mélangeant, pétrissant et malaxant différents types de pâtes sucrées.

Louise, quant à elle, se félicitait de voir sa fille enfin décidée à travailler à ses côtés. Lorsque Rose semblait sur le point de se perdre dans les méandres de ses pensées, sa mère ne manquait jamais de lui répéter :

— Tu l'oublieras, ma fille, comme c'est arrivé à tant d'autres avant toi.

Rose supposait que Louise n'était pas la mieux placée pour dispenser ce genre de phrases toutes faites, elle qui avait toujours connu l'amour rassurant de Martin et la passion sans bornes qu'elle vouait à sa boutique.

...

Le reste de l'année 1947 s'écoula dans une paix familiale relativement étonnante. Les virulentes disputes autrefois fréquentes entre Louise et Rose cessèrent, annonçant une trêve des plus reposantes. Les deux femmes ne cherchaient plus à s'affronter, la mère passant son temps à prévenir les besoins de sa fille.

Contrairement à ce que lui avait prédit Louise, la jeune femme n'arrivait pas à oublier Richard et elle se renseignait sur son compte aussi souvent que possible auprès de leurs amis communs. Toutefois, ils étaient peu à pouvoir répondre à ses questions, le jeune homme n'ayant écrit à personne. Seule Béatrice, sa sœur âgée de quinze ans, répondait patiemment aux interrogatoires que Rose lui faisait subir lorsqu'elles passaient quelques heures ensemble. Oui, Richard allait bien et suivait ses études avec assiduité. Non, Béatrice ne savait pas pourquoi il était finalement parti seul. Non, il ne parlait jamais d'elle et ne voyait personne d'autre. Oui, ils iraient lui rendre visite à Paris pour Noël, et Béatrice essaierait de lui tirer les vers du nez.

Rose, autrefois si éprise d'arts, peinait désormais à fixer son attention sur une quelconque activité. Elle ne dessinait plus, ne s'intéressait plus à la photographie ou au cinéma, écœurée des histoires d'amour trop

prévisibles jouées par les plus grands acteurs holly-
woodiens. Les peintures impressionnistes qu'elle avait
tant appréciées lui semblaient désormais dénuées
d'âme. Elle accompagnait ses parents lors des événements qui se tenaient à Aubéry et elle restait assise, le
regard perdu dans le vide. Sa vie morne et répétitive
l'ennuyait profondément et elle songeait avec regret
que toute raison de vivre s'en était allée à Paris, avec
Richard. La jeune femme notait ses pensées dans le
carnet que lui avait offert Martin lors de l'une de leurs
excursions à la ville et, certains soirs, elle couchait sur
papier le vide qu'elle ressentait dans son cœur depuis
que Richard était parti, cette peur de ne pas s'en
remettre et de ne vivre que dans le souvenir d'une
poignée de jours heureux qui appartenaient pour
l'éternité au passé.

Rose écrivait aussi au sujet de sa mère. La jeune
femme ne comprenait pas pourquoi du jour au lendemain cette dernière s'était adoucie envers elle. Elle en
venait à penser que Louise était un véritable mystère,
jusqu'au jour où elle nota dans son journal : *« Aurait-
elle finalement connu aussi un chagrin d'amour ? »*
Elle souligna cette phrase trois fois et se promit d'en
discuter avec son père.

L'occasion se présenta un samedi de fin novembre,
alors que Martin avait besoin de Rose pour aller choisir
le sapin qui ornerait le salon familial dès le mois
suivant. Dans la voiture, où ils étaient tous les deux
emmitouflés dans de lourds manteaux, Rose se lança :

— Papa, est-ce que par hasard maman aurait déjà
eu le cœur brisé ?

La voiture manqua de dévier de son chemin, mais Martin la redressa en un instant.

— Pourquoi me demandes-tu cela ? répondit-il d'un ton faussement détaché.

— Parce que depuis le mois de juillet, je la trouve plus compréhensive. On dirait qu'elle sait ce que je vis. Tu n'as pas remarqué qu'elle est en permanence aux petits soins pour moi ?

Martin fixa la route devant lui et Rose crut qu'il ne lui répondrait jamais. Elle ne le lâcha pas du regard, ce bel homme âgé de cinquante-quatre ans. Au bout de deux longues minutes, il affirma, avec une légère hésitation dans la voix :

— Ta mère n'a connu que moi.

Rose devina bien sûr qu'il mentait, mais décida de le laisser terminer. Il la regarda un court instant avant de se concentrer à nouveau sur la route et poursuivit :

— Louise vivait dans une ferme lorsque nous nous sommes connus. Elle travaillait dur parce que son père était mort à la guerre et elle devait subvenir aux besoins de toute la famille. Elle n'avait pas le temps de penser à l'amour.

— Je sais, vous nous l'avez raconté mille fois, à Léonie et à moi. Pourtant, jamais elle ne nous a montré cette ferme dans laquelle elle a passé les vingt premières années de sa vie.

— Parce qu'elle a été vendue, ma chérie.

Rose restait silencieuse, aussi Martin reprit-il :

— Ta mère s'est adoucie envers toi parce qu'elle t'aime, c'est tout. Il n'est pas facile de voir souffrir son enfant, crois-moi.

Nullement convaincue par les explications de son père, la jeune femme préféra toutefois ne pas insister.

Quelques jours après, Rose eut la surprise de recevoir la visite d'Édouard Garnier. Il se présenta un début d'après-midi, tandis qu'elle ouvrait la boutique, après le déjeuner. Martin était parti faire sa sieste et Louise lavait la vaisselle, si bien que la jeune femme se trouvait seule, en attendant l'arrivée des employées. Elle ne cacha pas sa stupéfaction en découvrant le jeune homme sur le pas du magasin.

— Eh bien ça alors, pour une surprise ! s'exclama-t-elle.

Édouard portait les cheveux gominés et affichait un sourire hésitant sur son visage anguleux. Il possédait un certain charme, sous ses airs timides.

— Je suis venu pour… balbutia-t-il, enfin, j'aurais besoin d'une…

Il esquissa un geste éloquent, que Rose comprit immédiatement.

— Oh, c'est une cravate que tu veux.

— Oui. Voilà. Une cravate.

Elle lança la conversation, gênée de voir Édouard planté au milieu de la boutique et semblant se demander ce qu'il faisait là.

— Il est bien rare de te voir descendre jusqu'au bourg.

Il toussota et répondit :

— Oui. J'ai rarement besoin de venir au village. Je suis officiellement devenu un employé de mes parents, ajouta-t-il en laissant échapper un petit rire gêné. Ils ont compris que je préférais le jardinage à la banque ou à la politique. Et ma foi, je n'ai pas à chercher de poste ailleurs.

— Je vois ce que tu veux dire, affirma-t-elle, les mains plantées sur ses hanches étroites. Il me semble que je travaille également pour mes parents, maintenant.

— Oui, j'ai appris pour…

Édouard s'interrompit, comme s'il avait peur de commettre une bévue. Rose s'avança vers lui, une cravate à la main. Elle la lui agita sous le nez et lança :

— Anthracite ! Elle s'accordera parfaitement avec tes yeux verts.

Une rougeur monta momentanément aux joues du jeune homme. Rose lui fit signe de la suivre vers la caisse. Avant d'encaisser son dû, elle se surprit à confier au jeune homme :

— Oui, Richard a décidé de partir. Mes rêves se sont envolés avec lui. Alors vendre des cravates ou faire autre chose, cela n'a plus trop d'importance pour moi.

— Je suis désolé pour toi, Rose, vraiment.

Elle balaya sa compassion d'un geste de la main.

— Bah, ne t'inquiète pas, le travail me change les idées.

Édouard parut réfléchir un instant, et une lueur nouvelle éclaira son regard. Il voulut savoir :

— Rose, est-ce que tu aimes lire ?

Il était beau, lorsqu'il s'animait. Elle répondit qu'elle n'en savait rien puisqu'elle n'avait pas songé à ouvrir un roman depuis la fin de ses études. Édouard affirma, soudain plein d'assurance :

— Je pense que ton imagination a besoin d'être stimulée. Tu verras comme se plonger dans un livre et se prendre de sympathie pour les personnages, vouloir découvrir à tout prix la fin de l'histoire, tout cela te fera te sentir moins seule. Je reviens demain, à la même heure.

Il sortit précipitamment après avoir payé sa cravate, sous l'œil éberlué de Rose.

— Que voulait-il ? interrogea Louise, debout sur le seuil, un torchon à la main.

— Une cravate, répondit sa fille en souriant.

Rose se sentit rassérénée par la visite d'Édouard. Elle avait compris durant leur bref échange qu'il n'était pas un homme rongé par l'ambition et avait tendance à laisser les autres décider pour lui. Mais lorsqu'un sujet le passionnait, il devenait une autre personne, vivante et animée, bien loin du jeune homme conciliant et sans personnalité qu'il laissait paraître. Fidèle à sa promesse, il revint le lendemain, apportant à Rose quelques livres empruntés dans la bibliothèque de sa mère. La jeune femme s'inquiéta :

— Mais ta mère est d'accord pour me les prêter, au moins ?

— Ne t'en fais pas pour cela, elle ne se rendra même pas compte qu'ils ne sont plus à leur place. Mes parents font partie de ceux qui achètent des livres pour remplir des étagères et ajouter une touche intellectuelle à la décoration. Je suis le seul à les lire.

— Eh bien, je te remercie. J'espère que je saurai les apprécier et en être digne.

— J'ai choisi des romans qui plaisent généralement aux femmes. Prends ton temps pour les lire, rien ne presse.

Ce fut ainsi que Rose se découvrit une passion qui allait durer toute sa vie, en grignotant tout d'abord quelques pages ici et là, puis en dévorant les grands classiques des sœurs Brontë et de Jane Austen, mais également les romans de Colette, Maupassant, Francis Scott Fitzgerald et John Steinbeck. Son péché mignon : les intrigues particulièrement bien ficelées d'Agatha Christie. Elle se plaisait à discuter de ses ressentis avec Édouard.

L'oncle Jacques vint fêter Noël avec les Gestin. Tandis que Louise dressait la table, Rose confia à son oncle que tout espoir de voir Richard revenir était désormais vain. Elle se rendit alors compte que la douleur avait presque totalement disparu.

— Eh bien, si je le croise, répondit Jacques, je ne manquerais pas de lui casser la figure.

— Je croyais que tu étais toi-même un briseur de cœurs, mon oncle.

— Certes, mais je ne me sauve jamais sans prévenir. Les filles que je fréquente savent dès le départ que je ne souhaite pas me fixer. Ton gars, il t'a fait miroiter pas mal de choses, il me semble. Je suis sûr qu'il y a des tas d'autres types qui n'attendent que toi.

— N'en fais pas une débauchée ! le houspilla Louise en surprenant la conversation. Rose n'a pas besoin de *tas d'autres types*.

Elle paracheva la décoration de sa table en y disposant quelques branches de houx et vint s'asseoir auprès de son frère, ajoutant sur le ton de la confidence :

— À vrai dire, j'en connais un qui ferait très bien l'affaire. N'est-ce pas, Rose ?

La jeune femme reconnut enfin sa mère dans cette étincelle de détermination. L'année 1948 serait peut-être l'année où tout redeviendrait normal. Louise ne tarda effectivement pas à relancer les projets de mariage entre sa fille et Édouard Garnier, persuadée que Rose était à présent totalement guérie de son amour pour Richard.

25.

*1948.*

— Il te plaît vraiment ?

Rose et Béatrice paressaient dans la chambre de l'adolescente. Son amie était venue l'aider à terminer un devoir de français. Depuis que Rose s'était mise à lire de façon frénétique, Béatrice n'hésitait plus à l'appeler à la rescousse lorsque l'analyse d'une œuvre littéraire lui posait problème. Mais très vite, les deux amies s'étaient mises à discuter de choses bien plus importantes que la copie attendue par le professeur de Béatrice. La jeune fille avait cru saisir que Rose ne souffrait plus de l'absence de Richard ; elle ne posait plus de questions sur celui qui lui avait brisé le cœur, comme si ce dernier lui était désormais indifférent, évoquant seulement ses échanges avec le fils du maire, autour des livres qu'il lui prêtait.

Rose, avachie sur le lit, enroula tout autour de son index une mèche bouclée, tout en faisant semblant de ne pas comprendre la question que lui avait posée son amie.

— Qui me plaît vraiment ?

— Ne fais pas l'idiote, bougonna Béatrice. Tu ne fais que parler d'Édouard Garnier. Édouard par-ci, Édouard par-là…

Rose se redressa prestement.

— Tu es fâchée, Béa ?

— Pas le moins du monde. Tu ne vas pas attendre mon frère toute ta vie, après tout.

Béatrice se mordit la lèvre et croqua une bouchée de madeleine, avant d'insister :

— Es-tu amoureuse de lui ?

— Tu ne lâches jamais l'affaire, toi, s'esclaffa Rose.

La jeune fille lui adressa un regard éloquent, ce à quoi son amie répondit d'un ton plus sérieux, les yeux dans le vague :

— Sa compagnie me distrait. Et puis il y a quelque chose de calme chez lui, qui diffère complètement de mon caractère. Ceci étant dit, je n'éprouve pas pour Édouard la même passion que j'ai pu ressentir pour ton frère.

— Je trouve Édouard assez niais, avoua Béatrice.

Rose se récria, plaidant que le caractère calme et posé du jeune homme ne pouvait que lui apporter le plus grand bien.

— J'espère de tout cœur que tu as raison, Rose, soupira son amie, consciente que, si Édouard semblait sincèrement aimer la jeune femme, il n'était pas précisément le type d'homme qui saurait combler le tempérament emporté de Rose.

...

Les visites d'Édouard sortaient Rose de son ennui quotidien et elle les attendait avec la plus vive impatience. Généralement, le jeune homme passait à la boutique, saluait Louise et Martin avant de converser avec Rose entre deux ventes. D'autres fois, ils allaient marcher ensemble, boire un café ou une menthe à l'eau et discutaient littérature la plupart du temps. Quand Édouard abordait d'autres thèmes plus sérieux, Rose changeait de sujet ou détournait les yeux, gênée de lui laisser l'espoir qu'il pourrait la courtiser. Elle savait que ce n'était pas là la meilleure attitude à adopter et se promettait toujours que la fois d'après se passerait différemment.

Par une journée venteuse et ensoleillée de mars, alors que le temps oscillait entre hiver et printemps, les deux jeunes gens étaient assis sous les tilleuls du champ de foire. Rose confiait à Édouard qu'elle avait été vivement impressionnée par le roman de Boris Vian, *L'Écume des jours*, paru quelques mois plus tôt. Elle le trouvait à la fois romantique, avant-gardiste et cruel. Son comparse préférait en souligner le genre littéraire assez innovant.

— Quand je pense que ce Boris Vian joue dans des clubs de jazz! soupira Rose. J'aurais voulu en visiter, quand nous sommes allés à Paris, mais ma mère s'y est opposée.

— Tu aimes la musique?

— Pas plus que tout le monde. Mais j'aimais imaginer l'atmosphère de la vie d'artiste, à Paris. Ces esprits bouillonnants, ces gens qui dansaient toute la nuit dans le secret des caves et vivaient d'espoir… Enfin, tout cela appartient au passé.

Comme Rose lui demanda s'il avait des passions, le jeune homme rougit.

— Eh bien, euh… Je lis, tu le sais déjà. Je m'intéresse aussi à la science et je me passionne pour mon métier de jardinier. Et de temps en temps, j'aime bien sortir prendre un verre avec les copains.

— Il n'y a rien de honteux, s'amusa Rose en lui donnant un léger coup d'épaule.

Édouard affronta son regard hilare, lissa son pantalon et répondit, tel un petit garçon pris en faute :

— C'est juste que ma mère déteste que je sorte m'amuser.

La jeune femme opina du chef.

— Alors toi aussi tu es victime d'un tyran domestique ?

Un sourire se dessina sur les lèvres fines d'Édouard.

— Ma mère n'a pas un caractère facile, c'est certain. Mon père a tendance à boire de sacrées quantités d'alcool. Elle a peur que je fasse la même chose.

Il haussa les épaules avant de continuer :

— Il travaille toute la journée à la banque tout en devant gérer les affaires du village. À sa place, moi aussi je prendrais un petit remontant en rentrant le soir.

Au fil des jours, les deux amis apprirent à se connaître. Les visites de la famille Gestin au château reprirent de plus belle et Rose comprit rapidement que les deux mères conspiraient à nouveau quant aux projets de mariage. La jeune femme s'attendait d'un jour à l'autre à recevoir la demande d'Édouard. Pourtant, même si elle appréciait beaucoup leurs échanges, elle ne pourrait jamais l'aimer avec passion.

Elle ne ressentait pas ce petit plus nécessaire pour la faire tomber amoureuse. Une partie d'elle-même se rebellait à l'idée de se marier pour souder les intérêts entre les deux familles, mais, d'un autre côté, elle se disait qu'elle aurait pu tomber sur bien pire qu'un prétendant un peu dans la lune, arrangeant et aimant passionnément son travail.

Un dimanche après-midi, Rose et sa mère redescendaient du château après y avoir été conviées à boire le café. Louise, au volant de la voiture, les fesses calées sur un coussin afin de bien voir la route, lâcha :

— Nous devons avoir une conversation, Rose.

Tendue contre son siège, la jeune femme se prépara au pire.

— Je t'écoute.

Louise, ne lâchant pas la route du regard, lui annonça qu'Édouard s'apprêtait à la demander en mariage.

— Quelle surprise, vraiment, ironisa Rose.

— Ne sois pas cynique. Tu sais très bien ce que ce mariage représentera pour nous tous.

— Qui te dit que je vais accepter, maman ?

— C'est d'une telle évidence, enfin ! Si tu n'en avais pas l'intention, vous ne vous seriez pas autant rapprochés l'un de l'autre durant ces derniers mois. De plus, il t'a guérie de Richard.

— Je penserai à le remercier, ne t'inquiète pas pour cela.

— Je suis sérieuse, Rose, soupira sa mère. Alors, puisque la demande est imminente, je vais te dire ce que nous attendons de toi.

Rose écarquilla les yeux en se tournant vers Louise.

— Et qu'attendez-vous de moi, à part que j'épouse Édouard et accouche de quelques marmots pour assurer la descendance?

— J'y viens. Tu n'es pas sans savoir que ton futur mari n'est pas un être particulièrement ambitieux. Ta sœur étant rentrée dans les ordres, je ne vois plus que toi pour reprendre le flambeau de la boutique lorsque je ne serai plus de ce monde. Nous comptons sur toi pour avoir les ambitions sociales et professionnelles qui manquent à Édouard. Je veux que tu t'investisses pour le magasin, que tu sois vue en société et, si vous avez un fils, tu devras l'éduquer pour qu'il se destine à devenir banquier. Et pourquoi pas maire, comme Armand.

Rose lâcha un rire sarcastique.

— Maman, sais-tu que le père d'Édouard est alcoolique?

— Qu'est-ce qui te permet de proférer de pareilles allégations? s'offusqua Louise.

— C'est Édouard qui me l'a dit. Tous les soirs, le maire, celui que tu admires tant, picole dans son bureau, accablé par le poids des soucis. Parce que notre pays est en train de connaître une croissance et des chamboulements exceptionnels, c'est la folie dans les banques. Parce que les fonctions d'un maire, aussi passionnantes soient-elles, s'avèrent également délicates et épuisantes.

Louise argua qu'Édouard en rajoutait peut-être un peu sur l'alcoolisme supposé de son père. Un silence s'établit entre les deux femmes. Lorsque la voiture pénétra dans le bourg, Rose affirma avec conviction:

— Tu n'as pas à t'en faire, maman. J'épouserai Édouard, tu as gagné sur ce point. Mais ne me demande jamais d'être celle que je ne suis pas. Tu ne pourras pas m'y contraindre. Contente-toi d'aimer les petits-enfants que je te donnerai, qu'ils veuillent devenir banquiers ou jardiniers.

...

La demande en mariage tomba un soir d'avril. Édouard avait invité Rose à dîner dans un restaurant hors du village, avec l'approbation de Louise et Martin. Sa mère l'avait tellement tannée avec cette invitation que Rose avait très vite compris ce qui couvait. Elle avait donc revêtu l'une de ses plus belles robes, dessinée par Louise, qui avait succombé à la mode lancée un an auparavant par un jeune créateur, Christian Dior. Le couturier avait choqué et innové à la fois, raccourcissant la longueur des robes à trente centimètres du sol. Louise avait compris que cette collection n'était qu'un avant-goût de ce qui allait suivre et s'en était immédiatement inspirée. Rose, avec ses longues jambes et ses épaules rondes, lui avait servi de modèle. Elle s'était ainsi retrouvée avec une superbe robe de couleur bleu nuit qui laissait entrevoir ses mollets, une ceinture soulignant sa taille. Des escarpins à talons hauts complétaient sa tenue.

— Tu es magnifique, avait applaudi Louise. Pas une seule autre jeune femme du village ne peut s'enorgueillir d'être autant à la pointe de la mode !

— Je me sens déguisée, maman, avait soupiré Rose tout en se contemplant dans le miroir de la boutique.

Ne peux-tu pas me prêter l'une de ces robes que tu portais il y a vingt ans ? Elles étaient si belles !

— Oh non ! Que penseraient les gens s'ils te voyaient porter mes vieux vêtements ? Et puis, tu es bien plus grande que moi !

— Pourtant, je trouve la mode des années folles bien plus vivante…

— Ce que tu peux être passéiste ! Oublie ces vieux chiffons, je vais d'ailleurs les remiser au grenier. Laisse-moi m'occuper de tes cheveux, maintenant, ils sont aussi indomptables que toi.

Édouard avait trouvé Rose resplendissante et ils avaient soupé dans un restaurant de Rouget, à une vingtaine de kilomètres d'Aubéry. Leur conversation s'était révélée superficielle durant une bonne partie du repas. Rose avait senti le jeune homme tendu et l'avait presque poussé à boire plus que de raison afin qu'il se décoince un peu.

*Si je l'épouse*, avait-elle songé, *ce sera pratiquement à moi de tout lui apprendre.*

Enfin, peu avant qu'on ne leur apporte le dessert, Édouard avait pris une lourde inspiration et s'était lancé, prenant la main de Rose entre les siennes :

— Rose, peut-être que tu te doutes de ce que je vais te demander ce soir.

Voyant que la jeune femme ne cillait pas, il avait continué :

— Mes parents me pressent pour que je me marie, après tout j'ai déjà vingt-trois ans. Nous nous entendons bien, toi et moi, et je te trouve très belle. Lorsque je suis avec toi, je me sens presque comme un autre homme.

Il est vrai que je ne suis qu'un simple jardinier, mais enfin…

Il s'interrompit, ne trouvant plus ses mots, et reprit en balbutiant :

— Rose, je ne suis pas quelqu'un qui fait des vagues et j'aime ma vie simple. Est-ce que, malgré ces défauts, tu serais d'accord pour m'épouser ?

Nerveusement, Rose avait éclaté de rire. Face à la mine déconfite d'Édouard, elle s'était justifiée :

— Oh, mon dieu, Édouard, je ne me moque pas de toi. C'est tellement adorable, ce que tu viens de me dire. Tu crois vraiment que je cherche quelqu'un de compliqué et carriériste ? Je ne veux pas épouser une copie de ma mère !

Le jeune homme avait terminé d'un trait son verre de vin, tandis que Rose continuait :

— Ma mère aussi ne pense qu'à me marier. Tu es quelqu'un de simple et nous nous entendons plutôt bien. Bien sûr que j'accepte.

Malgré sa réponse favorable et son désir de bien faire, Rose avait senti quelque chose se serrer autour de son cœur. Des pensées défaitistes avaient rapidement traversé son esprit, si furtives qu'elle n'avait pas eu le temps de leur donner une signification. Si elle y avait cru, elle aurait pu dire qu'à cet instant même elle avait été prise d'un mauvais pressentiment. Pourtant, elle avait repoussé ce sentiment et avait passé le reste de la soirée à faire des projets d'avenir avec Édouard, écrivant le lendemain matin dans son journal : « *Je suis fiancée. Édouard m'a embrassée hier soir. Ce n'était pas comme avec Richard.* »

Un dîner entre les deux familles fut organisé la fin de semaine suivante, afin de fêter dignement les fiançailles des deux promis. Rose portait ce jour-là une robe bleu pâle à motifs fleuris, son fiancé ayant choisi un complet de flanelle. Ils posèrent au milieu des nombreux bouquets de fleurs offerts par les amis et la famille, Rose se tenant droite et souriante, Édouard la main enroulée autour de sa taille. Le journal local titra dans un entrefilet: *Le jardinier va épouser sa Rose.*

Les parents d'Édouard jouèrent de leur influence pour fixer la date du mariage au mois d'août. D'ici là, ils pouvaient s'occuper de tous les préparatifs nécessaires.

Rose apprit à connaître la famille de son fiancé; elle s'entendait bien avec le maire qui, même s'il buvait parfois un peu trop, était un homme très intelligent, bon et droit. Ses yeux pétillaient de joie de vivre. En revanche, sa future belle-mère ne paraissait pas des plus faciles à supporter; très pieuse, elle se rendait chaque matin dans la chapelle située dans le parc du château et priait. Le reste du temps, elle régnait sur le domaine d'une main de maître, terrorisant les employés du château. À son contact, Rose apprit à relativiser sur le comportement de sa propre mère: si Louise était un vrai général, Thérèse Garnier jouait dans la catégorie des dragons. Rose l'avait vue gifler une petite bonne qui avait commis la bévue de renverser une tasse de café. La jeune femme comprit rapidement pourquoi Édouard aimait s'évader dans son jardin et restait soumis au bon vouloir des autres, élevé par une mère qui ne lui avait jamais appris le libre arbitre. Heureusement, Rose n'aurait pas à vivre au quotidien avec cette femme autoritaire puisque Martin avait décidé de louer aux futurs mariés la maison occupée jusque-là par Marie, la première employée des Gestin, qui prenait sa retraite.

Rose avait également fait la connaissance de son beau-frère, Charles, et de l'épouse de ce dernier, Paulette. Le frère d'Édouard avait hérité de l'ambition de leur père et choisi de se marier avec une copie conforme de leur mère. Le couple avait un fils, Yves, né l'année précédente, et se promettait d'enfanter à nouveau sous peu. Rose avait vite su qu'elle devrait se faire violence pour les supporter lors des traditionnels repas de famille et l'appréhension la tenaillait de plus en plus au gré des jours qui passaient. Un soir, elle confia à son journal : *« J'ai peur que chacun de mes faits et gestes ne soit épié par ma belle-mère et par Paulette. Ces deux femmes sont mauvaises. Je vais devoir en profiter au maximum avant ce fichu mariage. »*

...

— Papa, laisse-moi essayer de conduire la voiture, je t'en prie !

Martin et Rose roulaient sur un chemin de campagne afin d'aller chercher des produits dans une ferme située aux alentours du village.

— Pourquoi veux-tu conduire ? railla gentiment son père.

— Maman conduit bien, elle, rétorqua-t-elle en haussant les épaules. Allez, papa !

Incapable de résister aux supplications de sa fille cadette, Martin lui céda le volant, lui expliquant comment elle devait s'y prendre. Il se rendit vite compte que Rose était plutôt douée, même si elle avait tendance à rouler un peu vite.

— Tu as une conduite presque assurée, c'est fou, constata-t-il.

— Ce n'est pas très compliqué.

— Ne dis rien à ta mère, elle en serait malade.

— Malade de quoi? Que je tienne un volant entre les mains ou que je conduise mieux qu'elle?

Martin lui lança un clin d'œil et reprit la place du conducteur.

Ils recommencèrent dès que l'occasion se présentait, et Rose maîtrisa bientôt la voiture de son père à la perfection. Elle prenait plaisir au volant et se sentait libre. Elle se disait que, si un jour l'envie la prenait de partir loin de tout, elle en serait capable par ses propres moyens. Elle ne le ferait pas, bien sûr, mais savoir que cela était possible suffisait à l'exalter. Autre sentiment inavouable, elle aimait le fait de surpasser sa mère, de la même façon qu'elle cuisinait bien mieux qu'elle. La conduite et la pâtisserie étaient deux choses que Rose savait maîtriser naturellement, elle était douée et sa mère ne pouvait pas en décider pour elle.

Un soir, Martin avait laissé le moteur de la voiture en marche, dans la ruelle à l'arrière de leur maison. Martin s'apprêtait à rentrer le véhicule dans le garage resté ouvert, lorsqu'il avait été pris d'une douleur lancinante à la jambe.

— Va chercher ta mère, s'il te plaît, demanda-t-il à Rose. Elle s'occupera de la voiture.

— Laisse, papa, je vais le faire.

Martin tenta de l'en dissuader, en vain. Le hasard voulut que Louise, qui revenait de l'épicerie, débuola à l'entrée de la ruelle juste au moment où Rose manœuvrait pour faire sa marche arrière, frôlant de très près l'un des murs du garage. Mais elle réussit la mission qu'elle s'était fixée et sortit du véhicule particulièrement fière d'elle. Son sourire s'évanouit lorsqu'elle vit sa mère qui venait à sa rencontre et elle eut pour seul réflexe de chercher un soutien dans les yeux de Martin.

Louise arriva à la hauteur de Rose et la contourna pour entrer dans le garage. Elle fit le tour de la voiture puis ressortit aussitôt. La jeune femme n'en menait pas large, s'attendant à tout instant à subir les foudres de sa mère.

— Rose! lança Louise.

— Écoute, maman, je…

— Tais-toi, je te prie. Je vois qu'il y a eu des cachotteries dans mon dos.

Son air sévère s'évapora d'un coup, laissant place à un grand sourire:

— Rose, tu vas me faire le plaisir de passer ton permis de conduire. Je te l'offre.

Face à la mine dubitative de Martin et de Rose, Louise partit d'un éclat de rire et regagna sa boutique, laissant sa fille et son mari des plus perplexes.

— Elle a bu? demanda enfin Rose, plus à elle-même qu'à son père.

— Je ne sais pas, répondit lentement Martin. Je crois que c'est cette histoire de mariage qui la rend plus légère. Je ne l'ai jamais vue aussi joyeuse que ces derniers temps.

...

Les semaines précédant le mariage se déroulèrent dans une ébullition complète. Les Garnier géraient l'organisation, s'occupant des invitations et du dîner de cérémonie. Louise travaillait d'arrache-pied sur la robe de sa fille et le costume du futur marié. Rose équipait sa future maison, rêvant des appareils ménagers dernier cri qui apparaissaient aux États-Unis. Toutefois, avec leurs salaires de jardinier et de vendeuse, Édouard et Rose devraient faire attention à la moindre dépense s'ils voulaient réussir à économiser un peu d'argent. Thérèse Garnier avait bien tenté de faire pression sur les Gestin pour que les futurs mariés viennent vivre au château, mais ces derniers s'étaient montrés inflexibles, redoutant que la vie de Rose auprès de sa belle-mère ne devienne insupportable.

Le mariage fut célébré le 21 août 1948. Aubéry était à la fête, le maire mariant son deuxième fils à la cadette des Gestin, une des familles les plus aisées du village. Ils furent nombreux à se presser pour assister à l'union des deux enfants héritiers, deux enfants qui refusaient de vivre sous le joug de leurs parents, mais qui, en se mariant, scellaient le destin que l'on avait choisi pour eux. Ils se promirent devant le curé de s'aimer jusqu'à ce que la mort les sépare.

Rose se tenait grande et droite dans une longue robe en satin recouverte de crêpe georgette, aux manches ballons brodées de fleurs, la taille soulignée, le décolleté rond et le bas légèrement évasé. La jeune femme avait renoncé aux talons hauts, afin de ne pas paraître plus grande que son mari. Édouard avait choisi un costume de couleur anthracite, s'étant souvenu que Rose lui avait révélé que cette couleur flattait ses yeux verts.

Ils sortirent de l'église sous les hourras et montèrent au château, où le repas de noces était servi dans la cour. Malgré les tickets de rationnement toujours en vigueur, les Garnier avaient bénéficié de passe-droits afin de proposer un apéritif et un souper de rois. Les convives en profitèrent pour manger et boire plus que de raison. On servit des pâtés, des fruits de mer, du gibier – le maire aimait chasser –, des plats de légumes, du poisson, des fromages et la traditionnelle pièce montée. Amis et famille se côtoyaient autour de trois grandes tables dressées dans la cour du château médiéval. L'oncle Jacques, la tante Henriette et sa nombreuse famille avaient fait le déplacement. Même Léonie avait eu la permission de sortir de son couvent pour l'occasion. Ce fut une belle et longue fête, dont les convives garderaient un excellent souvenir.

La nuit de noces se déroula sans passion. Les jeunes mariés accomplirent comme un devoir la consom-mation de leur mariage, en tentant toutefois de rendre les choses agréables. Édouard y mit toute sa douceur et Rose comprit cette nuit-là que son mari ne posséderait jamais la même fougue que Richard, même s'il respectait et chérissait chaque partie de son corps. Édouard l'avait peut-être épousée parce qu'il l'aimait, mais surtout parce qu'il savait que, pour devenir un homme, on se mariait. Rose se promit de tout mettre en œuvre afin qu'Édouard n'ait jamais à regretter cette union. Les années à venir s'annonçaient calmes, comme elle l'écrivait dans son journal, et elle ne connaîtrait plus les immenses chagrins et tourments qui ôtaient toute raison.

Du moins, c'est ce qu'elle crut durant les quarante-huit premières heures de son mariage. Jusqu'à ce que les Garnier leur apportent les cadeaux qui avaient été déposés au château. Rose manqua de s'évanouir en découvrant un service à café de porcelaine à motifs asiatiques, de délicates tasses finement peintes dans des tons roses et leurs soucoupes assorties. Le service s'accompagnait d'une carte ainsi signée : « *Tous mes vœux de bonheur pour les nouveaux mariés. Richard.* »

26.

*1949-1954.*

A insi que l'avait prévu Rose, son mariage se déroulait
sans vagues et elle s'adapta facilement au petit train-
train quotidien. Édouard était un homme tranquille.
Il aimait parfois sortir boire un verre avec quelques
copains, mais jusqu'à novembre 1949, date à laquelle
les tickets de rationnement avaient été supprimés,
Édouard se contentait de rentrer chez lui le soir, après
sa journée de travail.

Rose quittait la boutique de ses parents à dix-sept
heures, afin d'avoir le temps de préparer le dîner avant
l'arrivée de son époux. Lorsqu'ils avaient terminé de
manger, ils passaient généralement la soirée à lire,
ou bien Rose rapiéçait et reprisait des vêtements. Le
dimanche, ils allaient dîner et passer l'après-midi en
famille, alternant tour à tour entre les Garnier et les
Gestin, lorsque les deux familles ne se réunissaient pas
au complet. Une vie parfaitement réglée, toutefois
perturbée dès février 1949, lorsque Rose fit une fausse
couche, alors qu'elle ne se savait même pas encore
enceinte. Dès lors, Édouard eut peur de la blesser au

moindre geste, comme s'il pensait désormais que sa femme n'était plus qu'une petite chose fragile. Thérèse Garnier, qui par bonheur ne descendait que rarement de son château, ne cessait de rappeler à Rose qu'il lui faudrait surmonter cette épreuve au plus vite, afin de mettre un nouvel enfant en route. Quant à Louise, elle trouva là une excuse pour s'inviter régulièrement chez le jeune couple sans prévenir, afin de leur apporter de bons petits plats ou d'aider Rose à faire le ménage.

Louise aimait sa fille, mais elle n'était capable de le lui montrer que dans des situations où elle pouvait l'infantiliser. Son instinct maternel pouvait alors se manifester à l'excès, quand elle était certaine que sa progéniture n'avait pas la force de se rebeller contre elle. Rose, ramenée au statut d'enfant, se devait bien de reconnaître qu'elle prenait plaisir à être dorlotée ainsi par sa mère.

— Tu es si pâle, ma chérie, tu devrais songer à t'arrêter de travailler pendant quelques mois.

Rose avait protesté ; si elle ne venait plus à la boutique, elle en mourrait d'ennui, toute seule dans sa petite maison où elle devrait passer ses journées à ne penser qu'au confort de son mari.

Surtout, elle serait tentée de lire et relire sans cesse les vœux de bonheur que lui avait adressés Richard. Elle ne parvenait pas à comprendre pourquoi ce dernier lui avait envoyé un cadeau de mariage ; était-ce un acte de cynisme ou de sincérité ?

Elle avait donc préféré reprendre le cours de sa vie comme si de rien n'était. Cela l'empêchait de trop penser à Richard et aux douloureux souvenirs de leur histoire d'amour avortée.

...

Une nouvelle décennie arriva avec l'année 1950. Édouard passait de plus en plus de temps dehors, le soir, à boire avec ses copains. La fausse couche dont Rose avait été victime l'avait davantage renfermé sur lui-même et il évitait depuis lors la vie conjugale, se sentant sans doute responsable de la perte de cet enfant. Il buvait et rentrait parfois saoul, souvent épuisé, s'endormant aussitôt allongé sur le lit. La conception d'un nouvel enfant était donc compromise et Rose se mit à nourrir la crainte qu'Édouard ait pu hériter de l'alcoolisme de son père, une dépendance qui ne les tenaillait pas par le plaisir de boire, mais parce qu'elle leur faisait oublier les soucis. Rose s'en ouvrit à sa mère, une journée où la boutique était déserte. Louise renifla d'un air méprisant.

— À toi de lui faire préférer ta compagnie plutôt que celle de la bouteille, mon enfant.

— Mais comment, maman?

— Enfin, Rose, tu as quand même conscience d'être jolie, non? Utilise cet atout, que diable!

En effet, sans être pour autant vaniteuse, Rose avait toujours su qu'elle était belle. On le lui avait répété à maintes reprises et il fallait vraiment être aveugle pour passer à côté de son charme irrésistible. Elle n'aimait pas trop son nez droit, qu'elle jugeait un peu long, ni ses lèvres, pas assez pleines à son goût. Mais les gens ne semblaient pas y prêter attention, soulignant le côté slave de ses traits parfaitement dessinés.

Elle prêta donc un peu plus d'attention à son apparence, portant les jolies robes que sa mère avait créées pour elle, des robes qui soulignaient sa taille et laissaient deviner ses longues jambes sous une jupe évasée. Elle se maquilla un peu plus souvent, rosissant ses pommettes et fardant légèrement ses yeux. Rien n'y fit, Édouard préférait toujours faire un détour à durée variable au bar avant de rentrer chez eux, le soir. Rose lui rappela habilement qu'ils devaient faire des économies. Son mari proposa alors à ses amis de venir se rassasier chez eux. Acheter une bouteille et la boire dans le salon du couple reviendrait moins cher que les consommations au café. La jeune femme ne l'entendait pas de cette oreille, mais elle se voyait mal interdire quoi que ce fût à son époux, qui avait tous les droits sur elle. Elle lui laissait toutefois deviner sa désapprobation en s'enfermant dans la chambre avec un livre pendant qu'ils buvaient jusqu'à parfois ne plus tenir debout. Avec inquiétude, la jeune femme se demandait comment elle allait pouvoir les sortir de cette situation déstabilisante et humiliante. Un soir, n'y tenant plus, elle lui demanda d'un ton plein de reproches :

— Pourquoi bois-tu ?

Édouard mastiqua un bout de travers de porc et répliqua :

— Pour oublier que tu ne m'aimes pas.

Rose en lâcha sa fourchette.

— Que dis-tu, Édouard ?

Il leva la tête vers elle, répétant calmement :

— Tu ne m'aimes pas, malgré tous mes efforts.

— Édouard, pourquoi dis-tu cela ? Est-ce que je me conduis mal avec toi ? Depuis que j'ai perdu ce bébé, j'ai plutôt l'impression que c'est toi qui ne m'aimes plus. Tu ne me touches plus. Les seules fois où c'est arrivé, tu étais imbibé d'alcool et tu as fini par t'endormir sur moi. Mets-toi à ma place. Je ne te plais plus ?

Édouard se leva de table, en fit le tour et prit sa femme dans ses bras.

— Je suis désolé, Rose. Tu mérites mieux, beaucoup mieux. Je vais me reprendre.

Rose n'avoua évidemment pas à Édouard qu'elle n'était effectivement pas amoureuse de lui et se promit de tout faire pour le persuader du contraire.

...

Les copains d'Édouard avaient tellement pris leurs aises chez eux qu'ils débarquaient parfois sans crier gare. Ce fut le cas un jeudi après-midi. Rose venait de rentrer chez elle. Elle se trouvait dans la cuisine, en train de préparer un ragoût lorsque des coups saccadés frappés à la porte d'entrée la firent sursauter. Elle alla ouvrir.

— Bonjour, Marcel, salua-t-elle, surprise.

— Je peux entrer ? demanda ce dernier.

— Édouard n'est pas encore redescendu du château…

Le petit homme trapu au teint rougeaud était couvert de sueur et puait le vin de piètre qualité. Il demanda s'il pouvait attendre son ami à l'intérieur, mais la jeune femme resta inflexible.

— Allez, Rose, s'il te plaît. J'ai eu une dispute avec Jacqueline et elle risque de me tuer si je me pointe chez nous avant quelques heures.

— Très bien, soupira la jeune femme, vaincue. Entre. Tu sais où trouver les bouteilles et les verres.

Au grand désespoir de Rose, Marcel la suivit dans la cuisine. Ne supportant que moyennement l'odeur de piquette dont il était imprégné, la jeune femme ouvrit la porte qui donnait sur le jardin, laissant l'air printanier pénétrer dans la pièce. Elle reprit la préparation de son ragoût, ne faisant pas attention à Marcel. Ce dernier se mit à faire les cent pas dans la cuisine, tandis qu'elle s'affairait.

— Écoute, Rose, commença-t-il, Édouard nous a parlé de vos problèmes… Je me demande comment on ne peut pas arriver à faire son affaire avec un joli brin de femme comme toi.

— Charmant, marmonna la jeune femme, ne voyant pas Marcel qui se rapprochait, derrière elle.

Soudain, il fut collé à elle. Il lui souffla dans l'oreille, sans lui épargner son haleine fétide :

— Tu ne vas pas faire ta prude, dis ?

Elle se retourna lorsqu'elle sentit ses deux grosses mains qui cherchaient ses fesses et le gifla violemment.

— Garce ! s'exclama-t-il en passant la main sur sa joue molestée par Rose. Tu ne vas pas t'en tirer comme ça.

— Ça suffit, maintenant !

Rose et Marcel se retournèrent interloqués vers la porte qui donnait sur le jardin. Louise se tenait dans l'encadrement, furieuse et imposante malgré sa petite taille et son corps menu. Elle se précipita dans la cuisine, s'empara prestement du balai qui reposait contre un mur et le brandit en direction de l'ivrogne.

— Tu vas sortir tout de suite de cette maison, mon gars, et tâche de ne plus jamais poser tes sales pattes sur ma fille. Sinon, Édouard et son père seront informés de ce que tu as essayé de faire.

Marcel sortit précipitamment, sans demander son reste. Les nerfs de Rose la trahirent et elle explosa de rire à la vue de sa mère, qui brandissait toujours le balai de façon menaçante. Louise se laissa à son tour gagner par le fou rire, partageant avec sa fille un rare moment de complicité, avant de leur verser à chacune une tasse de café. Tandis qu'elles allumaient une cigarette, Rose fit remarquer à quel point toutes deux pouvaient se comporter comme des hommes, parfois. Louise observa gravement sa fille durant un court instant avant de déclarer :

— C'est vrai, j'ai pu constater que tu ne t'es pas départie de ton tempérament fougueux, avec la gifle que tu lui as envoyée. Mais si je n'étais pas intervenue, ma chérie, ce type t'aurait violée sans aucune hésitation.

Rose soupira et promit de se montrer plus méfiante à l'avenir. Elle mit son ragoût sur le feu et prit place à côté de sa mère.

— Tu passais pour une raison particulière ?

— Oui. Je dois te mettre au courant d'une nouvelle.

Rose fit tourner sa tasse entre ses deux mains.

— Je t'écoute.

Louise leva les yeux vers sa fille et secoua vivement la tête.

— Pas tout de suite. Je dois d'abord savoir quelque chose. Est-ce qu'avec ton mari, les choses se sont arrangées ?

— Les choses vont un peu mieux, oui. J'espère pouvoir être enceinte rapidement.

Louise laissa échapper un soupir de soulagement. Elle se leva, fit quelques pas et revint vers sa fille.

— J'ai vu Fanny aujourd'hui. Elle est venue me commander un costume.

— Pour son mari ?

— Non, Rose.

Louise prit la main de sa fille et poursuivit :

— Fanny est venue me commander un costume pour son fils. Richard revient au mois de juin pour se marier.

...

Il fallut plusieurs jours à Rose pour assimiler et digérer la nouvelle qu'était venue lui annoncer sa mère. Sur le coup, ses pensées s'étaient figées, son cerveau comme engourdi. Elle avait été incapable de réagir, jusqu'à ce que sa mère lui apprenne qu'en tant qu'amis de la famille, ils étaient naturellement conviés au mariage. Rose avait alors eu l'impression de se prendre un seau d'eau glacée sur la figure.

— C'est une plaisanterie, maman ? Richard, après le mal qu'il m'a fait, nous inviterait, mon mari et moi, à son mariage ?

Louise avait haussé les épaules.

— Je te l'ai dit, en tant que vieux amis de la famille, c'est normal. Reste à mes côtés et tout se passera bien.

Ta belle-famille sera également présente, tu n'auras aucune excuse pour ne pas venir.

Rose avait ensuite appris que Richard avait rencontré à Paris la fille d'un médecin. Élisabeth, dite Babeth, était une ravissante petite blonde au visage de poupée, sportive et cultivée. L'épouse parfaite pour un futur médecin. Richard avait terminé ses études et comptait aller soigner des malades pauvres, sur des continents comme l'Afrique ou l'Asie. Sa fiancée avait décidé d'interrompre ses études pour le suivre et ils partiraient quelques jours après leur mariage pour Nairobi, au Kenya.

Rose ravala sa fierté et se jeta à corps perdu dans le bon fonctionnement de son couple, espérant pouvoir annoncer d'ici le mariage qu'elle était enceinte. Avec le travail au magasin, elle n'avait pas vraiment le temps de ressasser le passé. Elle ne vit pas la date fatidique approcher, évitant autant que possible d'écouter les ragots des clientes sur le sujet. Tout le monde spéculait et tirait des plans d'avenir pour les futurs mariés. À n'en pas douter, ce serait, après le mariage de Rose, l'une des plus belles unions qui seraient célébrées à Aubéry !

Par une matinée de juin, alors qu'elle se préparait pour aller travailler, vêtue d'une robe au corsage rouge et au bas évasé strié de rayures blanches, quelqu'un sonna à la porte d'entrée. Devenue méfiante depuis sa mésaventure avec Marcel, elle entrouvrit prudemment la porte et crut défaillir en reconnaissant Richard.

— Bonjour, Rose.

— Que fais-tu ici ?

— Je voulais te parler.

Rose refusait de se donner en spectacle dans la rue et ouvrit entièrement la porte, jetant des regards inquiets autour d'elle. Elle le hâta :

— Entre avant qu'on nous voie ensemble. Je n'ai pas envie d'être la cible de potins.

Richard pénétra dans le petit salon des Garnier, sobrement meublé. Le jeune homme fit ensuite un pas vers Rose. Il n'avait pas changé. À trente ans, Richard gardait ses boucles brunes, son teint hâlé et son visage avenant. Son regard rappelait toujours celui d'un tzigane et sa silhouette paraissait encore athlétique. Songeant qu'elle le dévisageait depuis un nombre de secondes qui avait dépassé la décence, Rose lui demanda ce qu'il avait à lui dire.

— Tu es toujours aussi belle, répondit-il simplement en s'avançant vers elle. Peut-être même davantage qu'autrefois, si cela est possible.

Lorsqu'il fit mine de vouloir prendre le visage de la jeune femme entre ses mains, Rose lui saisit vivement le poignet.

—Arrête, Richard. Il y a quelque temps, j'en ai collé une à un ivrogne qui a cru pouvoir disposer à sa guise de mon derrière. Alors si tu ne veux pas subir le même sort, je te conseille de ne pas approcher tes mains de moi !

La fougue qui lui avait tant fait défaut depuis le départ de Richard semblait à présent se réveiller. Son cœur battait fort et elle ne lâcha pas le poignet de son premier amour tant qu'il n'eut pas fait mine de reculer. Enfin, il esquissa un geste de capitulation. Il se passa une main sur le visage, cherchant visiblement ses mots.

— Rose, je suis venu t'expliquer pourquoi je suis parti ainsi. Je te dois la vérité.

— Tu ne penses pas qu'il est un peu tard? dit-elle sèchement. Richard, tu m'as brisé le cœur! Quand tu es parti du jour au lendemain, j'ai perdu bien plus qu'un amour. J'ai perdu goût à la vie, mes passions se sont envolées. Seuls mes parents et Édouard ont pu me ramener à la raison et faire en sorte que j'oublie l'immense douleur que tu m'as causée. Alors quoi? Tu cherches l'absolution, maintenant?

— Écoute-moi, Rose, par pitié.

Richard planta son regard dans celui de la jeune femme.

— Tu es aujourd'hui heureuse et j'en suis soulagé. Puisque je vais me marier à mon tour, j'ai eu envie que nous puissions nous expliquer, afin que tu viennes à mon mariage en amie.

Rose parut sur le point de l'interrompre, mais il la devança:

— J'aurais pu t'écrire afin de tout te dire, mais je ne voulais pas que tu sois doublement malheureuse. J'ai pu ô combien imaginer quelle était ta souffrance, car j'ai subi la même, figure-toi.

— Ce n'est pas moi qui suis partie.

— Je sais, Rose. Ce que je m'apprête à te dire n'est pas facile, mais si je ne le fais pas, je ne pourrai plus jamais me regarder dans une glace. Surtout, je crains de ne pas pouvoir affronter calmement ta mère comme si de rien n'était.

Rose voulut savoir ce que Louise venait faire là-dedans.

— La veille de mon départ, j'avais confié une lettre à Béatrice, afin que tu puisses faire tes bagages et me rejoindre le lendemain matin à la gare. J'ai eu la surprise de ma vie en voyant débarquer ta mère. Je me souviendrai toute ma vie de ce funeste jour.

Il lui relata les propos qu'il avait échangés avec Louise sur le quai de la gare.

— Je ne te raconte pas tout cela pour que tu détestes ta mère. Mais seulement parce que je voulais que tu saches que je ne me suis jamais moqué de toi.

Rose eut la sensation de recevoir un poignard dans les entrailles : malgré le soulagement de savoir que Richard avait été sincère, elle sentait en elle une colère noire monter contre Louise. La jeune femme ravala ses larmes et demanda à son premier amour, penaud et désolé, de quitter sa maison immédiatement.

Elle parcourut en trois minutes la distance qui la séparait du magasin de confection, que sa mère venait d'ouvrir pour la journée, et y entra telle une furie. Elle trouva sa mère en train de piquer des épingles dans le bas d'une robe et, sans se soucier de l'employée présente, elle laissa toute sa colère exploser, en pointant un doigt accusateur sur Louise :

— Comment as-tu osé me faire ça ?

Cette dernière se releva, interloquée.

— Mais enfin, de quoi parles-tu ? Regarde-toi, on dirait que tu as le diable aux trousses !

— Le diable ? Mais le diable, c'est toi ! Comment pouvais-tu me détester au point de me séparer de Richard ?

Martin, avisant l'air menaçant de Rose, s'érigea entre les deux femmes.

— Peut-être pouvons-nous en discuter ailleurs? suggéra-t-il.

— Pourquoi? demanda Rose. Tout Aubéry peut bien savoir que la brave Louise Gestin a failli tuer sa propre fille à force de manigances!

— Je ne te permets pas! s'exclama Louise. Je l'ai fait pour ton bien, tu m'entends? Du moins, je le croyais; j'ai vite pris conscience de mon erreur de jugement!

— Et qu'est-ce que je peux avoir à faire de tes remords?

— Mais enfin, que se passe-t-il, ici? voulut savoir une voisine qui entra dans le magasin, alertée par les cris.

Louise fit un pas vers sa fille, mais cette dernière recommença à s'agiter.

— Rose, tu sors de ma boutique immédiatement. Tu y seras à nouveau tolérée lorsque tu seras calmée.

— Tu me chasses, *maman*?

Martin entraîna sa fille par les épaules. Il la conduisit jusqu'au garage et la fit asseoir dans la voiture, qu'il démarra après avoir pris place à côté d'elle. Rose bouillonnait.

— Où allons-nous, papa? Je veux la tuer, tu comprends! Je veux lui rendre tout le mal qu'elle a pu me faire, cette garce!

Martin prit une inspiration et lança fermement:

— Je te défends de traiter ta mère de garce, Rose. Et nous allons dans un endroit où nous pourrons discuter de tout cela. Il y a quelques petites choses que tu dois désormais savoir.

La jeune femme alluma une cigarette pour calmer ses nerfs et ils roulèrent ainsi sur une petite dizaine de kilomètres, jusqu'à s'enfoncer dans la campagne la plus profonde. De grands espaces sauvages défilaient. Enfin, Martin stoppa sa voiture sur un chemin attenant à une ferme, qui tombait en décrépitude.

— Oh, mon dieu, lâcha-t-il. Ces ragots étaient bien vrais.

— De quoi parles-tu, papa ? interrogea Rose, qui retrouvait peu à peu son calme.

Martin se tourna vers sa fille.

— Cette ferme que tu as devant toi, ou plutôt ce qu'il en reste, c'est celle où a grandi ta mère. En 1920, elle l'a vendue à un avocat parisien, qui souhaitait y venir en vacances, l'été.

Il jeta à Rose un regard équivoque avant de poursuivre :

— C'était un avocat vraiment en vue, le genre charismatique, sûr de lui, en affaires comme avec les femmes. Les rumeurs ont dit que, lorsqu'il a su que la guerre allait éclater, il s'est enfui avec sa famille aux États-Unis. Je présume qu'il avait peur pour sa carrière, en restant en France. Il a eu le nez fin, car je suis certain qu'il aurait collaboré avec les nazis. Bref, vu comme cette ferme tombe en ruines, ces rumeurs étaient finalement vraies. Ce qui explique pourquoi on ne l'a plus jamais revu, malgré ce qui s'est passé entre ta mère et lui…

Rose écarquilla les yeux.

— Quoi ?

— Tu ne peux naturellement rien comprendre à mes propos décousus. Viens, mon enfant, allons marcher dans la campagne. Je vais devoir t'avouer un certain nombre de choses qui te feront peut-être envisager sous un autre angle le comportement de ta mère.

Ils sortirent de la voiture et s'engagèrent sur le sentier qu'il avait jadis emprunté avec Louise. Que de chemin ils avaient parcouru depuis! Martin prit une nouvelle inspiration et révéla à sa fille, le visage grave:

— Louise vous aime profondément, Léonie et toi. Seulement, elle ne sait pas comment vous le montrer. C'était plus simple pour elle lorsque vous étiez petites et que vous ne pouviez pas vous opposer à ses décisions, je suppose.

Rose afficha une moue pleine de scepticisme et Martin reprit:

— La première chose que tu dois savoir, c'est que je n'ai pas épousé ta mère par amour. Je l'ai fait par amitié envers elle. Je vis dans l'illégalité de par ma nature; je suis homosexuel.

Il lui expliqua alors dans quelles circonstances il avait rencontré Louise et évoqua la belle relation amicale qui avait suivi.

— Ta mère et ton oncle Jacques étaient promis à un autre avenir que celui de simples paysans. Ils méritaient de meilleures conditions de vie. Je ne m'en sortais pas tout seul à la boutique et les rumeurs sur ma sexualité commençaient à devenir pesantes, alors j'ai décidé de donner sa chance à ta mère.

Rose crut sentir à plusieurs reprises le sol se dérober sous ses pieds. Son père lui apprit comment il avait encouragé Louise à prendre des amants, ce qu'elle avait toujours refusé même si elle avait failli succomber à l'avocat qui avait acheté la ferme de ses parents. Il lui confia également que si elle était devenue si ambitieuse, la faute ne pouvait que retomber sur lui-même, qui l'avait poussée vers cette voie.

— Elle a toujours eu peur de tout perdre et a utilisé sa phobie de retourner au monde paysan comme un moteur pour avancer, encore et toujours.

La jeune femme ne savait plus comment réagir, ignorant si elle devait comprendre ou rejeter ses parents pour avoir bâti toute son enfance sur des mensonges.

— J'ai vingt-cinq ans et j'apprends que mon père est un… On nous ressasse sans cesse que c'est quelque chose de mal! Que dois-je en penser? Qu'es-tu vraiment, papa?

Martin soupira, la tête basse, faisant rouler un caillou du bout de sa canne.

— Il est normal que tu te poses des questions. J'aime les hommes, oui, mais je t'assure que ce n'est pas une perversion. On ne choisit pas à l'avance de qui on va tomber amoureux, tu es bien placée pour le savoir.

— Est-ce que tu vois quelqu'un?

— Oui. J'ai perdu mon grand amour durant la Première Guerre. Cela a été long pour que je m'en remette. Mais il y a un peu plus de dix ans, j'ai rencontré un homme.

— Tu envisages de quitter maman? demanda-t-elle en redoutant la réponse.

— Nullement! protesta son père avec véhémence. Cette situation nous convient à tous les deux. Ma vie est ici avec vous, à Aubéry. Vous êtes ma famille.

En définitive, Rose ne souhaita pas en apprendre davantage sur le sujet. Ils marchèrent encore un peu et la jeune femme reprit :

— Pourquoi maman m'a fait ça ? Qu'est-ce que ça pouvait bien lui faire que je parte avec Richard ?

— Elle est terrifiée à l'idée que sa boutique puisse tomber entre de mauvaises mains et qu'on réduise à néant ce qu'elle a mis des années à construire. Elle savait parfaitement que si tu partais avec Richard, tu ne reviendrais plus jamais. Louise a agi par pur égoïsme.

— Je n'ai pas à porter ce fardeau, papa.

— Je le sais, et personne ne pourra t'y forcer. Es-tu heureuse avec Édouard ?

Le visage de sa fille afficha une expression déchirante qu'il put à peine soutenir.

— Essaie de pardonner à ta mère, Rose, je t'en prie.

...

Les invités du souper de mariage étaient réunis dans le parc de l'imposante demeure des parents de Richard. Les deux jeunes épousés s'étaient juré amour et fidélité l'après-midi même et les convives s'étaient ensuite pressés pour ce repas en plein air. Les parents du marié n'avaient pas lésiné sur les moyens et le parc abritait un bucolique buffet, éclairé par des lampions colorés, des guirlandes et des lanternes. Une estrade avait été installée pour que les danseurs puissent valser au son d'un orchestre embauché pour l'occasion.

Rose s'était sentie crispée depuis la cérémonie à l'église. Elle avait choisi de porter une simple robe blanche ornée de motifs floraux roses et s'était montrée des plus discrètes. Seulement, pour le dîner elle était placée de façon à toujours avoir Richard dans sa vision périphérique, ce qui s'avérait extrêmement agaçant. Le pire était qu'elle se trouvait pratiquement face à Babeth, la jeune épouse. C'était une femme si belle et charmante que Rose en avait eu des haut-le-cœur. C'était stupide de sa part, mais le simple fait de devoir reconnaître à quel point Babeth se révélait éblouissante était plus qu'elle ne pouvait supporter. Elle se sentait bafouée, et plus le dîner avançait, plus l'atmosphère l'oppressait.

— Tout va bien, Rose? interrogea sa mère, la voyant si peu encline à manger ou à bavarder.

— Je me sens un peu nauséeuse.

— Aurais-tu enfin une heureuse nouvelle à nous annoncer?

— Ce ne serait pas impossible! répondit Édouard en souriant franchement.

Rose acquiesça lentement:

— Peut-être bien, oui. Je crois que je vais aller faire quelques pas dans le parc.

— Veux-tu que je t'accompagne? s'enquit son mari, visiblement ennuyé à l'idée de quitter la table.

— Non, le dessert va bientôt arriver et je pense que je ne vais pas être la seule à vouloir me dégourdir les jambes. Je serai vite de retour.

Prestement, elle se leva et s'enfonça dans le parc luxuriant qui entourait la demeure aux aspects victoriens. Elle suivit une allée bordée de buissons et déboucha face à une vieille fontaine à tête de lion. Elle en fit le tour, puis s'y adossa un instant. Se pouvait-il qu'elle fût réellement à nouveau enceinte? Après tout, elle avait tant usé de ses charmes afin de reconquérir son mari que cela n'aurait rien d'étonnant. Elle n'avait pas vraiment fait attention aux symptômes, mais finalement, Louise et Édouard avaient peut-être raison. Rose devrait donc se préoccuper uniquement de cet éventuel enfant à naître et se dévouer entièrement à lui. Peut-être qu'un bébé l'aiderait à adoucir la sourde rancœur qu'elle ressentait encore contre sa mère. Les deux femmes n'avaient plus jamais reparlé de la trahison de Louise ; pourtant, le spectre de cet acte passé continuait à se dresser entre elles. Rose avait retrouvé son calme et parvenait à le conserver en présence de sa mère, même si elle avait perdu toute confiance en elle. Elle en était là de ses pensées lorsqu'une voix douce retentit derrière elle :

— Tu t'ennuyais, à table ?

Elle sursauta et se retourna pour faire face à Richard.

— J'avais besoin d'un moment de solitude, répondit-elle franchement.

— Oui, c'est vrai qu'il y a beaucoup de monde. Mes parents ont vu large.

Il fit un pas vers elle.

— Tu me manques, murmura-t-il.

— Tais-toi, je ne veux rien savoir, fit Rose sans le regarder.

Malgré cela, il la prit franchement par l'épaule et lança, plein de passion dans la voix :

— Rose, le fait de t'avoir revue l'autre jour m'a fait prendre conscience que mes sentiments pour toi n'ont jamais vraiment disparu. Si tu le voulais, nous pourrions encore nous enfuir…

— Richard, répliqua-t-elle sèchement, à l'heure actuelle, il y a de fortes chances pour que je porte l'enfant d'Édouard. Il n'est pas question de reprendre nos projets de jeunesse.

Il se recula vivement, comme sous l'effet d'une gifle.

— Tu aimes vraiment Édouard? articula-t-il avec peine.

Rose hésita puis répondit:

— Il est mon mari et je suis probablement enceinte. Est-ce que cela répond à ta question?

— Oui, puisque tu es incapable de me dire que tu l'aimes.

— Et toi, comment oses-tu me faire une telle proposition alors que tu viens d'épouser la plus belle femme du pays?

— Tu crois vraiment que sa beauté me suffit? Rose, regarde-moi, s'il te plaît.

Elle leva son visage vers lui, décidée à mettre fin à leur entretien. Mais Richard l'attrapa fermement par la taille et, sans qu'elle n'ait eu le temps d'envisager la suite, il l'embrassa avec une fougue dont elle avait presque oublié l'existence. Il sentait la menthe poivrée et le champagne. Lorsqu'il mit fin à ce baiser, il murmura:

— Tu vois, cela, tu es la seule à me l'apporter.

— Richard, tu n'aurais pas dû m'embrasser, vraiment.

— Tu ne t'es pas débattue. Avoue que tu as ressenti la même chose que moi, Rose.

— À quoi bon? Tout cela appartient au passé! Tu étais libre de revenir avant que j'épouse Édouard, au lieu de me laisser souffrir.

— Si les choses avaient pu être aussi simples… déplora-t-il. J'ai été pris entre plusieurs feux : mes études, ta famille, la mienne. Je ne voulais pas que ta mère puisse nuire à mes parents. Je sais bien que c'est une excuse insuffisante et que j'aurais dû revenir te chercher. J'ai manqué de courage, et crois-moi, je le regrette.

Il informa ensuite la jeune femme qu'il partait la semaine suivante pour le Kenya et ne reviendrait probablement pas avant des années.

— Je t'écrirai, Rose.

— Je ne te répondrai pas.

— Je t'écrirai quand même.

— À dans quelques années, souffla-t-elle avant de se sauver pour rejoindre sa famille.

...

Rose vécut une grossesse des plus sereines. Ses relations avec Louise s'adoucirent durant cette période bénie. Cette dernière mit tout en œuvre afin que sa fille trouve à nouveau du plaisir en sa compagnie. Elle la dorlotait et confiait à Martin sa joie de voir leur enfant s'épanouir ainsi. Quand Rose fut obligée de s'arrêter de travailler, Louise délégua un peu d'ouvrage à ses employées pour passer du temps avec sa fille. Généralement, Rose arrivait chez ses parents après le déjeuner. Elle montait au salon pour boire le café avec Louise et, profitant de la vue sur la rue, toutes deux refaisaient le monde avant de jouer aux dames ou aux petits chevaux. Martin s'émouvait face à cette entente nouvelle entre les deux femmes et Rose préférait ne pas lui expliquer qu'elle agissait ainsi avant tout pour le bien-être du bébé à venir. Elle n'avait bien sûr toujours pas totalement digéré la trahison de sa mère, mais se surprenait à prendre goût à ces après-midi passées dans le cocon familial baigné d'une douce chaleur.

Rose donna naissance en janvier 1951 à un garçon bien portant. La bataille pour lui donner un prénom s'était avérée assez rude, sa belle-mère insistant pour le baptiser Armand, à l'instar de son grand-père. Finalement, Édouard réussit pour la première fois à imposer sa volonté à sa mère et le garçon fut prénommé Daniel, en hommage au romancier Daniel Defoe, dont le couple avait récemment dévoré les histoires de pirates et de flibustiers.

Tout le monde devint fou de Daniel, un beau bébé joufflu aux cheveux clairs et aux yeux bleus, pourvu d'un tempérament calme et joueur. Dès ses trois mois, il accompagna Rose tous les jours à la boutique, pour le plus grand bonheur de Louise et des clientes qui venaient exprès pour se pencher au-dessus du berceau du bienheureux enfant. Un nouveau rythme de vie se mit naturellement en place. Édouard s'intéressait peu au bébé, sans pour autant le rejeter. Il jouait avec lui lorsqu'il en avait l'occasion et se promettait de lui apprendre à jardiner dès que possible. Thérèse Garnier, elle, trouvait toujours quelque chose à critiquer, de la qualité du lait de Rose à sa façon d'habiller l'enfant. La jeune femme prenait courageusement sur elle, se réfugiant le plus souvent dans le confort rassurant de la maison de ses parents. Le maire s'avançait certains soirs jusqu'à chez eux afin de partager quelques instants complices avec son petit-fils. Cela devenait une sorte de rituel et Rose s'en félicitait, car elle préférait que son beau-père noie ses soucis en jouant avec Daniel plutôt qu'avec une bouteille.

Malgré cette période relativement heureuse, Édouard recommençait à fréquenter les bars une fois sa journée de travail effectuée. Il ne rentrait plus jamais saoul comme il avait pu le faire par le passé, mais il avait besoin de boire son verre quotidien. C'était, tentait-il d'expliquer à sa femme, un moment de détente qui lui était nécessaire. Elle lui fit remarquer plusieurs fois qu'elle aurait préféré qu'il prît l'habitude de venir se détendre auprès de son fils, en vain. Rose ne tarda d'ailleurs pas à se rendre compte que l'espoir d'avoir un jour un second enfant semblait à nouveau s'envoler loin d'elle, son mari ne trouvant plus que très peu d'intérêt à l'aimer physiquement, excepté de rares fois où il ne buvait pas une goutte d'alcool de la journée.

Rose avait entendu certains commérages prêtant une liaison à son mari avec Joséphine, la fille de l'ancien tailleur. Cela pouvait expliquer en partie le comportement d'Édouard. Lorsqu'elle s'en ouvrit à sa mère, Louise lui répondit que, si c'était vrai, Joséphine avait jeté son dévolu sur lui par pure vengeance, le tailleur ayant toujours prétendu qu'il avait fait faillite à cause du succès des Gestin.

— Ton mari est un idiot! disait-elle à Rose. Évidemment, tu vas devoir te mettre des œillères, il ne faudrait pas que tes beaux-parents s'en mêlent.

Si Rose n'était pas amoureuse d'Édouard, sa fierté en prenait quand même un coup et l'idée de devoir peut-être partager son mari avec une autre la répugnait.

Elle en avait presque honte, elle qui lisait et relisait sans culpabilité aucune les lettres que lui envoyait Richard. Son premier amour lui écrivait régulièrement, et même si elle ne lui répondait pas, Rose gardait précieusement ces missives dans son journal, caché sous le matelas de son lit. Richard prétendait que la fougue de la jeune femme lui manquait comparée à l'extrême douceur dont Babeth faisait preuve. Elle était déjà enceinte, et Rose la maudissait intérieurement d'être aussi parfaite.

Daniel grandissait, entouré d'affection. Toutefois, les Garnier n'étaient pas des plus démonstratifs envers l'enfant et, pour compenser, Louise et Rose couvaient Daniel à l'excès, ce dont il n'allait pas se plaindre.

En 1953, le maire fut victime d'un léger infarctus, en pleine réunion à la banque. Il promit de ralentir le rythme, mais ses mauvaises habitudes le rattrapèrent très vite ; il ne pouvait s'empêcher de prendre trop à cœur son travail et son mandat, s'emportant à en devenir écarlate à la moindre contrariété. Son épouse avait bien essayé de cacher les bouteilles, en vain. L'inévitable se produisit par une fin d'après-midi de novembre 1954. Alors qu'il venait rendre visite à son petit-fils, Rose le trouva essoufflé et presque recroquevillé. Inquiète, elle lui demanda si elle devait appeler le docteur, mais il refusa.

— Laisse-moi juste embrasser Daniel et je repars.

Le petit garçon était en train de jouer sur le tapis du salon. Son grand-père s'approcha et lui murmura ces paroles qui lui laisseraient pour toujours une forte impression :

— Sois grand et fort, mon garçon. Agis toujours pour le bien de tous.

Il embrassa sa belle-fille et sortit de la maison. Rose fut prise d'un mauvais pressentiment et se précipita à l'extérieur pour le rattraper. Elle n'eut pas le temps d'atteindre la cour que le maire s'écroula sous ses yeux. La jeune femme hurla. Un voisin donna l'alerte, mais il était déjà trop tard. Aubéry venait de perdre un homme qui avait toujours défendu les intérêts du village avec passion et qui mourut avec le regret, comme le révéla plus tard son testament, de ne pas avoir été suffisamment présent pour ses fils. Rose garda précieusement dans son journal déjà épaissi par des photographies les coupures des journaux qui rendirent hommage à Armand Garnier.

## 27.

*Lola.*

J e referme l'épais carnet de cuir, la tête farcie de
tout ce que je viens d'y découvrir. J'ai étudié attentivement chaque photo, au point de pouvoir me les
remémorer les yeux fermés. Quelques clichés de Rose
et Édouard, un portrait de Daniel, tout juste âgé d'un
an. Les familles Gestin et Garnier réunies autour des
jeunes parents et de l'enfant. Peut-être est-ce le fait
d'avoir lu les confessions de Rose, mais je ne leur ai
pas trouvé un air particulièrement épanoui. Ma grand-
mère a beau sourire sur les premières photos, par la
suite tout n'est plus que de façade. Ses yeux semblent
supplier la présence de celui qu'elle a continué d'aimer.
J'ai lu chaque lettre que Richard a adressée à Rose et
j'espère qu'Édouard n'est jamais tombé dessus.

Rose a minutieusement rapporté chaque détail de
leur quotidien, notant avec obsession chaque petite
chose insignifiante. Je sais ainsi qu'Édouard mettait de
la brillantine dans ses cheveux avant de sortir et qu'il
ne se parfumait jamais. La seule odeur que Rose sentait
sur son mari était celle de la terre qu'il travaillait en
s'occupant des jardins du château. Quand il rentrait,

après sa journée de travail ou son détour au bar, il frottait vigoureusement ses mains calleuses et terreuses contre le gros pain de savon disposé sur l'évier de la cuisine. Il les essuyait ensuite longuement avant, une fois par semaine, de les enduire d'un onguent censé les apaiser.

Rose aimait danser, mais ce n'était pas le cas d'Édouard ; aussi, ils n'allaient jamais au bal et ma grand-mère se contentait d'écouter de la musique sur le gramophone de ses parents, qui avait été descendu dans la boutique et égayait ses heures de travail. Rose n'aimait pas son prénom, car les seules fleurs qu'on lui offrait étaient évidemment des roses alors qu'elle préférait les pivoines. Contrairement à son mari, elle se parfumait et portait une fragrance au chèvrefeuille. Elle lisait beaucoup, se rendant chaque semaine dans le petit magasin de la mère Janine, qui faisait l'angle de sa rue, face à l'église. La commerçante vendait disques et livres. Rose aimait découvrir de nouveaux romans qui parlaient de passions dévorantes et interdites. Elle a fini par lire *Autant en emporte le vent* et se plaisait à imaginer qu'à l'instar de Scarlett O'Hara, elle aurait pu se comporter en peste et décider de son choix de vie, avec son Rhett Butler à elle, Richard.

Ce cahier m'a fourni une foule de détails qui m'ont permis d'apprendre à mieux connaître Rose, du moins durant cette période de sa vie. Je suis triste de savoir qu'elle n'a pas vraiment été heureuse dans son mariage, Édouard préférant se consoler du désamour de Rose dans l'alcool et les bras d'une autre, tandis qu'elle-même a entamé un lent déclin psychologique. Dans son journal, elle pouvait se montrer vindicative en ce qui concernait l'épouse de Richard, qu'elle détestait d'être aussi lisse et parfaite, à l'opposé d'elle. J'ai également lu des lignes au sujet de Louise, de sa belle-mère ou encore de la supposée maîtresse d'Édouard : *« Des femmes autoritaires et imbues de leur statut social, qui me laissent penser que celles qui aiment à se faire passer pour des dames sont soit des garces vénales, soit des putains. »* Les mots de Rose n'étaient pas tendres, en ce début des années cinquante.

Je me redresse, gagnée par la certitude que je n'ai pas envie de devenir comme cette grand-mère au cœur abîmé par la vie. L'époque a changé et je suis libre. Je ne vais pas continuer à m'enfermer dans une vie qui ne me convient pas. J'ai vingt-sept ans et enfin cette envie de me prendre en mains, pas pour faire plaisir à quiconque, mais juste pour moi. Emplie de cette force que seuls connaissent ceux qui se lèvent pleins de résolutions et vont de l'avant, je me dirige vers l'auberge, tandis que l'église sonne dix-sept heures. Évelyne m'accueille, un nouveau magazine à la main.

— J'ai fait des petits sablés au citron, vous prenez le café avec moi ?

Comment résister ? Elle me rejoint dans la cour, avec deux tasses fumantes et une assiette de biscuits. Évelyne a envie de parler et moi aussi, ça tombe bien. Elle me demande comment évoluent mes recherches et je me surprends à lui parler de Rose et Louise. Je croque ensuite dans l'un de ses délicieux sablés et lui confie ma peur de décevoir mes parents si je coupe le cordon pour suivre un projet qui m'éloignerait d'eux.

— Vous ne pourrez pas les décevoir, enfin ! Bien sûr, ils tenteront de vous dissuader. Ils vous parleront des risques, ils trembleront pour vous, vous rappelleront combien vous êtes si bien avec eux. Vous serez votre seule véritable alliée. Mais au bout du compte, si vous menez votre projet à bien, vous verrez comme ils seront fiers de vous.

Je la remercie pour ces précieux mots. Elle me demande quel serait ce projet, mais pour l'instant, je préfère ne rien dire. Je ne suis pas encore prête à mettre des mots dessus, des mots qui le rendraient trop concret. Je lui explique simplement que je préfère d'abord m'en ouvrir à mes proches. Elle avale une gorgée de café et me dit qu'elle comprend. Puis elle laisse échapper :

— Je vous ai vue avec Jim, ce matin, au marché…

Elle laisse sa phrase en suspens, un sourire au coin des lèvres. Le seul nom de Jim suffit désormais à faire chavirer mon cœur et je finis par craquer :

— Vous avez quelque chose de particulier à me dire ?

— Il y a encore dix ans de cela, je vous aurais recommandé de ne surtout pas vous approcher de ce garçon. Mais, enfin, nous passons tous par des phases délicates à un moment ou un autre de notre existence. Je voulais seulement vous avertir d'une chose : sa dernière copine l'a plaqué du jour au lendemain pour partir vivre à Londres. Il a souffert, car ils avaient fait pas mal de projets d'avenir. Alors si vous devez repartir pour Paris, dites-lui dès à présent qu'il n'y a aucun espoir.

Mes yeux s'arrondissent en même temps que je sens mes joues s'empourprer.

— Oh, mais ce n'est pas ce que vous croyez. Il n'y a rien entre Jim et moi. Rien du tout.

Elle relève les yeux vers moi, surprise.

— Vraiment ? Pourtant, il y a bien longtemps que je ne l'avais pas vu regarder une femme comme ça !

...

Mes oreilles résonnent encore des propos d'Évelyne tandis que je me laisse aller sur mon lit. Mon téléphone me tire de mes rêveries et c'est avec joie que j'entends Tristan me dire qu'il est bien rentré chez lui.

— J'ai fait un petit somme avant de te téléphoner. Et toi, comment ça va, ma chouquette ? Je te manque, j'espère !

Je lui fais un condensé de ce que j'ai lu dans le premier carnet de Rose et les certitudes que ces écrits ont fait naître en moi. Je brûle d'évoquer le sujet de Jim, mais si je le fais, ce serait reconnaître officiellement qu'il ne me laisse pas indifférente. Trop tard, les mots m'échappent, je suis déjà en train de raconter à Tristan notre entrevue de ce matin.

— Il t'a invitée à une soirée ? s'écrie mon meilleur ami. Mais, chouquette, qu'est-ce que tu fais encore au téléphone avec moi ? Il faut te préparer ! Vite !

Je proteste :

— Je n'ai pas dit que je comptais y aller.

— Moi, je t'ordonne d'y aller. Et puis tu m'en as parlé tout de suite, donc ça veut dire que, quand même, tu en crèves d'envie.

Je mets en avant l'excuse bidon de ne pas savoir quelle tenue je dois porter pour l'occasion.

— Tu as ta robe prune, en soie ?

— Ce n'est pas un tête-à-tête, Tristan. C'est un anniversaire. Avec plein de monde.

— Et alors ? Il n'y avait pas écrit « uniquement pour les rendez-vous amoureux » sur l'étiquette quand tu l'as achetée, il me semble !

Je file me doucher et me décide finalement pour une tenue plus simple, une petite robe sage en coton bleu foncé, ornée d'ancres marines et d'un col claudine. J'ai envie de passer une bonne soirée, pas d'envoyer des signaux du style « drague-moi ». Oui, je sais que je ne suis pas très crédible, mais je dois bien essayer de me convaincre, non ? Et puis, il est hors de question que je passe pour la Parisienne qui débarque dans la campagne et se jette sur le premier provincial venu. Ce soir, je compte m'amuser, découvrir qui sont les jeunes d'ici, ce qu'ils font et ce à quoi ils aspirent.

Je souligne mes yeux d'un trait noir et ajoute un peu de rose sur mes lèvres, rien de plus. Ce n'est qu'une simple soirée entre copains. Alors pourquoi est-ce que je me surprends à devoir refréner les battements trop rapides de mon cœur ? Et si, finalement, je restais ici ? Mes mains tremblent un peu. Arrête de faire l'idiote, ma grande. Tu ne vas pas te faire bouffer. Un, deux, trois. Je sors vivement de ma chambre avant de changer d'avis et me précipite hors de l'auberge. Si Évelyne tente de m'aborder, je suis fichue. Une fois dehors, j'essaie de relâcher la pression en prenant une longue bouffée d'air frais. J'y suis, j'y vais. J'y suis, j'y vais. J'y suis, j'y vais. J'arrive au carrefour. Cinq mètres. Quatre. Trois. Deux. Le bar. Je pousse la porte, par laquelle s'échappent des airs de musique latino. Je m'avance lentement et la pensée incongrue que je dois ressembler à un cow-boy entrant dans un saloon surgit dans mon cerveau. Même les gens assis en première ligne me dévisagent, comme dans les westerns. Bon, le cow-boy n'est pas très sûr de lui, ce soir, et a plutôt envie de faire demi-tour.

— Oh, Lola alias chouquette !

Je me retourne, frôlant la crise cardiaque. Mais quand même, je suis soulagée de le voir.

Jim s'avance vers moi, un grand sourire illuminant son visage.

— Tu parais vraiment content de me voir, dis donc.

— Pourquoi est-ce que je ne le serais pas ? J'étais sûr que tu ne viendrais pas, alors c'est une sacrée bonne surprise. Viens, dit-il, je vais te présenter aux autres.

Quels autres, déjà ? Ah oui, ses potes et ceux d'Élise. Je suis là pour un anniversaire, pas pour un tête-à-tête. J'avais presque oublié ! Dommage, car je dois bien reconnaître que Jim est plutôt séduisant dans sa chemise bleu indigo, dont les manches sont roulées jusqu'aux coudes. On se calme, Lola. Arrête de te conduire comme une ado énamourée. Je peux presque entendre la voix exaspérée de Tristan dans ma tête.

Jim me présente à la petite bande assise autour d'une table. Élise est entourée par son mari, Jonathan, et leurs amis : Ludovic, également bénévole à la bibliothèque, Chloé, la meilleure amie d'Élise, Gaëtan et son frère Bertrand, amis d'enfance. Ça en fait du monde ! Jim me présente comme…

— Et donc voici Lola, qui est de passage ici pour régler une affaire d'héritage.

De passage. Voilà, c'est dit, je suis quelqu'un de passage. Évelyne se trompait sur toute la ligne, il n'envisage rien avec moi. J'en suis soulagée, et en même temps j'ai envie de lui coller une baffe. Je ne suis pas à un paradoxe près. Gaëtan, ou bien Bertrand, celui qui a des boutons d'acné dans le cou, me demande si je suis la nouvelle cousine de Vincent. Jim s'éloigne afin d'aller me chercher à boire et je réponds :

— Plus ou moins. C'est assez compliqué, en fait.

Puis je me tourne vers Élise, très en beauté dans une robe noire à taille empire :

— Joyeux anniversaire. Je suis désolée de me taper un peu l'incruste ; Jim m'a invitée ce matin.

Elle m'assure qu'elle espérait vraiment que je vienne, afin que nous puissions mieux faire connaissance. Jim revient avec un cocktail.

— Tequila, rhum blanc, jus d'ananas et jus de pamplemousse, annonce-t-il en posant le breuvage sous mon nez.

OK, donc il va essayer de me faire boire plus que de raison. Peut-être qu'il veut que je me ridiculise, et que je rentre vite fait à Paris. Je serai morte de honte si je raconte n'importe quoi… Toutes mes pensées se bloquent tandis que Jim s'installe à côté de moi. Je le remercie pour le cocktail, et très vite, la conversation qui se tenait à cette table avant mon arrivée reprend son cours. Ils évoquent des personnes que je ne connais pas et des anecdotes qui les concernent, alors je sirote mon cocktail, qui est, ma foi, vraiment délicieux. Je pioche également dans les assiettes de tapas qui sont disposées sur la table. Boire de l'alcool le ventre vide ne m'a jamais rien apporté de bon.

— Dites ! s'écrie soudainement Chloé, celle qui me semble être la plus extravertie de la bande, on n'est pas très sympa, là ! On met carrément Lola de côté. Alors, ma chérie, dis-nous tout ; qu'est-ce que tu fais, à Paris ?

Non, mais j'étais bien, moi, à les observer ! Je n'étais pas obligée de parler de moi, pendant ce temps. J'évoque brièvement le salon de thé, tout en précisant que je ne compte pas y faire carrière. Puis, après une question d'Élise, je parle un peu de ce qui m'amène à Aubéry. La joyeuse troupe décide d'improviser une piste de danse. Je reste assise sur la banquette, Jim ne fait pas mine de bouger non plus.

— Vincent va passer, me prévient-il, obligé de s'approcher de mon oreille pour que je l'entende.

Je me mets aussitôt sur la défensive.

— Tu veux que je parte ?

— Non. Il sait que tu es là. Et il va quand même venir. En coup de vent, mais il va venir.

Je me redresse et le regarde droit dans les yeux.

— Je me tiendrai tranquille, promis.

Son rire éclate, comme une musique joyeuse et harmonieuse qui n'appartient qu'à lui. Ce mec possède vraiment un truc particulier ; un instant, son visage fermé peut vous faire redouter de vous en prendre une, et le moment d'après, son rire vous fait vous sentir bien. J'ai chaud. J'ai presque terminé mon verre et des petites bulles commencent à pétiller dans mon cerveau. Je ne suis jamais autant en confiance que lorsque je suis pompette. Alors je me lance :

— Jim, je voulais te dire que tu avais raison, ce matin.

Il me regarde et attend la suite, les bras croisés. Je poursuis :

— Tu m'as dit que j'avais la trouille. Et c'est vrai, tu sais. J'ai toujours eu peur de faire des choix, parce qu'un choix implique forcément qu'on doive renoncer à quelque chose ou à quelqu'un.

Il se penche à nouveau vers moi.

— T'es super mignonne, Lola. En fait, ton pire coup dur dans la vie, ç'a été quoi ? Le jour où tu as perdu ton ourson, en maternelle ?

Le coup fait mal, mais je prends le parti d'en rire. Enfin, pas trop, en fait. Je croasse :

— Tu ne connais rien de moi.

— Je ne demande qu'à en savoir plus.

— C'est un message subliminal ?

— Non, il me semble très clair.

Nous restons là, à nous fixer dans le blanc des yeux. Il va se passer un truc, c'est obligé. Son bras droit est à présent étendu sur le dossier de la banquette et s'il le baissait un petit peu, il pourrait m'enlacer. Peut-être que je vais rompre le charme en balançant une énorme connerie, peut-être qu'il va m'ôter le verre des mains et m'embrasser, peut-être que je vais moi-même poser le verre et m'enfuir en courant. Il y avait longtemps qu'un homme ne m'avait pas autant troublée, à sonder mon âme de son regard intense. Peter et l'Australie sont loin, très loin.

— Salut.

Quoi ? Qui ose ? Jim et moi sursautons de concert et nos regards se quittent avec regret, pour se poser sur la personne qui a interrompu notre silence chargé de tension. Vincent tend la main à Jim et la lui serre. Il s'assoit pile en face de moi et me gratifie d'un bref signe de tête.

— Bonsoir, Lola.

Je sais que je devrais dire quelque chose. Je devrais répondre et le saluer moi aussi. C'est le minimum exigé par la politesse. Mais il se passe un truc complètement dingue ; les mots restent coincés dans ma gorge. J'ai l'impression que mes lèvres sont scellées, je n'ai plus de salive. Je vais réussir à faire fuir mon propre cousin/frère. C'est Jim qui me sauve la mise :

— Vincent, je suis désolé, j'ai oublié de prévenir Lola que tu venais. Je crois que nous sommes en train de la perdre, du coup.

Je parviens à m'extirper de ma torpeur et articule, tout en remerciant Jim du regard :

— Salut, Vincent.

— Je vous laisse, dit Jim, avant de se lever pour rejoindre le comptoir.

Pourvu qu'il ne me rapporte pas un autre cocktail. Si je suis ivre, je serai hors de contrôle. Vincent me dévisage silencieusement et je ne peux m'empêcher d'en faire autant. Nous voici dans de beaux draps. Si ça se trouve, Jim va revenir dans vingt minutes et nous en serons toujours au même point, à nous toiser sans oser nous aborder franchement.

Vincent semble fatigué, des poches alourdissent son regard. Ce regard si semblable au mien. Je ne peux pas lui dire que nous sommes peut-être jumeaux, pas avant d'en avoir au moins la preuve ou la certitude. Seule une platitude me vient à l'esprit, mais c'est mieux que rien :

— Alors, tu fais quoi, dans la vie ?

— Je suis mécanicien.

Je ne lui cache pas ma surprise ; je m'attendais pratiquement à ce qu'il soit jardinier, à l'instar de son père
et d'Édouard. Je le lui dis.

— Jardinier ? s'étonne-t-il. Non, ce n'est pas trop
mon truc. Je préfère les bagnoles. C'est notre grand-
mère qui m'a appris à conduire. Elle adorait ça. Elle
pouvait même faire des petites réparations sur une
voiture si c'était nécessaire.

Il l'a dit. Il a sorti *notre* grand-mère, alors qu'il aurait
pu dire *ma* grand-mère. Il intègre donc le fait qu'un
lien familial nous unit.

— Je sais qu'elle aimait ça, réponds-je.

Il fronce les sourcils, visiblement surpris :

— Comment tu le sais ?

Je lui explique alors le jeu de pistes que Rose a mis
en place tout spécialement à mon intention.

— C'est un peu comme une chasse au trésor, tu
vois. Sauf que le trésor, c'est d'apprendre pourquoi j'ai
grandi dans une autre famille.

Il hoche lentement la tête.

— Elle a toujours aimé compliquer la vie des gens,
je crois.

— C'est de la colère, que j'entends dans ta voix ?

— Non, c'est un constat. Mon père était très proche
d'elle et, en même temps, il disait qu'elle pouvait se
montrer terrible. Je suis désolé si je viens un peu casser
tout ce que tu aurais pu imaginer, mais Rose était
seule, à la fin de sa vie.

— Pourquoi ?

Vincent se penche légèrement et croise les mains.

— Je ne sais pas. On ne m'a jamais rien dit. Mon père ne parlait pas de ces choses-là.

Je lui demande s'il a connu Édouard.

— Non, il est mort au début de l'année 1987, je crois. Un accident de voiture, mais je n'en sais pas davantage. Cela va te paraître bizarre, mais si je m'entendais bien avec Rose, nous n'étions pas non plus super proches. Il y avait comme des barrières érigées un peu partout autour d'elle.

— Et tu n'as jamais cherché à creuser?

— Pour quoi faire? De toute façon, les Garnier sont des taiseux.

Une ébauche de sourire se dessine sur son visage.

— C'est même un miracle que je sois en train de te dire tout ça.

Je l'en remercie et lui demande ce qui l'a fait changer d'avis à mon sujet.

— Jim, répond-il. Pour qu'il me parle d'une fille, c'est qu'elle en vaut la peine.

Sa dernière phrase atteint son but; je ne sais plus où me mettre, pour le coup. Aussi, je reprends mon intarissable flot de questions, ce qui vaudra mieux.

— Tu as entendu parler de Louise?

Une sorte de rire nerveux s'échappe de sa bouche.

— Oui, mais pas en bien.

Il me confie que Daniel, son père, avait un jour surpris Louise en train de gifler Rose. Depuis ce temps, il l'avait évitée comme la peste, la comparant sans cesse à un tyran. Cette information me fait froid dans le dos.

Je passe machinalement l'index sur le haut de mon verre et lâche timidement :

— Et mes vrais parents ? Tu sais quelque chose à leur sujet ?

Il secoue négativement la tête et je lis dans son regard qu'il en est désolé.

— C'était le sujet tabou, à la maison. On ne parlait surtout pas de ta mère.

Je suis déçue, mais cela ne m'étonne même pas. Je n'en ai pas fini avec les secrets de Rose. Soudain, Vincent se lève.

— Je suis désolé, Lola, mais je dois y aller. Ma femme m'attend à la maison.

— Est-ce que…

Je n'ose pas poser la question, qu'il semble pourtant deviner. Il me dit, tout en enfilant sa veste :

— Il n'est pas normal que j'aie appris ton existence il y a seulement une semaine. Moi aussi, j'ai droit à la vérité. Rose et mon père ont emporté tous leurs secrets dans la tombe. Quant à ma mère, elle prétend ne rien savoir.

Je lui propose de l'informer au fur et à mesure de mes découvertes.

— Je ne suis pas très patient, comme mec. Je préfère attendre que tu saches toute l'histoire pour m'en faire un résumé. Par contre, je veux bien apprendre à connaître ma cousine. On se ressemble un peu, tu ne trouves pas ?

Je crois qu'un sourire se dessine sur mon visage tandis qu'un néon « *YES! YES! YES!* » clignote en lettres rouges dans mon esprit. Je lui donne mon numéro de téléphone et il me fait la bise en partant. Je me sens soulagée. Enfin, pas pour longtemps, car Jim revient vers moi et me tend un verre de Coca.

— Merci, lui dis-je en m'asseyant à nouveau. Et pas que pour le Coca.

— Pourquoi, alors ? demande-t-il, non sans surprise.

— Vincent m'a dit que c'est grâce à toi qu'il a eu envie de m'accorder une chance.

Nous faisons mine de regarder ses amis en train de danser. Je dois trouver un moyen de rompre ce silence entre nous avant que cela devienne trop gênant. Mais je dis quoi ? *Hé, t'as vu comme il a fait beau, aujourd'hui ? Et tu ne sais pas, ma grand-mère a épousé Édouard alors qu'elle en aimait un autre, c'est dingue, hein ? Et puis c'est fou ce que tu ressembles à Clovis Cornillac, quand même !* Comment passer pour complètement débile en moins de cinquante mots. Avant qu'il ne me trouve définitivement niaise, je lance une bombe :

— Peut-être que je vais rester à Aubéry, en fin de compte.

Mais en même temps, il me demande :

— Tu veux aller faire un tour ?

Nous rions, un peu gênés. Il ne repose pas sa question, préférant rebondir sur ce que je viens de balancer.

— Tu veux vraiment rester ?

— Tout à l'heure, tu as dit que j'étais de passage. Ça a sonné faux à mes oreilles. Je crois que toute cette histoire d'héritage, c'est enfin l'occasion que j'attendais pour prendre mon envol.

Il hoche la tête, ce qui doit être pour lui un signe d'encouragement, alors je continue :

— C'est assez compliqué à expliquer, mais ce qui me freinait jusque-là, c'était plus la peur de la réussite que celle de l'échec. Si je me plante, je sais que mes parents seront là.

— Tu me ferais voir l'emplacement de cette éventuelle librairie ?

Mon cœur danse au rythme de la musique latino diffusée dans le bar. Mais ce n'est pas dû à l'alcool ni à mon goût pour la salsa. Une force mystérieuse, ce truc qui vous fait perdre tous vos moyens face à un sosie de Clovis Cornillac vous proposant une balade nocturne, me pousse à accepter. À moins que ce ne soit tout simplement mon côté irréfléchi. Je sens bien que quelques regards intrigués nous scrutent plus ou moins discrètement lorsque nous prenons congé, mais je préfère faire semblant de ne pas m'en rendre compte.

Dehors, je refuse de laisser le silence s'installer à nouveau entre nous.

— Au fait, tu t'es trompé. Mon pire coup dur, ç'a été quand j'ai dû annoncer à ma grand-mère que je ne pourrais jamais être en couple avec Tristan.

Il rit franchement et cela suffit à réchauffer l'air autour de nous.

— J'ai peut-être été un peu dur avec toi, reconnaît-il. Tu sais, il faut souvent frôler le pire pour prendre ensuite conscience de la valeur de la vie.

— C'est ce qui t'est arrivé ?

Il ne me répond pas. Je sens qu'il était sur le point de me confier quelque chose d'important à ses yeux, avant de se rendre compte qu'on ne se connaît pas assez pour cela. Il dit simplement :

— J'ai compris que la vie est trop courte pour qu'on s'emmerde, Lola. On est là pour vivre, pas pour végéter en attendant de disparaître. Sinon, ça sert à quoi tout ça ?

J'aime bien sa façon de voir les choses. Avec ses yeux, son rire et ses avant-bras musclés, ça commence à faire beaucoup de choses que j'aime bien chez lui. Cette dernière pensée a dû me faire soupirer car il me demande ce qu'il y a. Je me contente de sourire en me faisant violence pour ne pas me réfugier contre lui.

Nous entrons dans ma maison et j'appuie sur l'interrupteur. Jim laisse échapper un long sifflement :

— Avec un tel espace, tu aurais tort de ne pas poursuivre ton rêve !

Il avise les vieilleries à jeter que Tristan et moi avons entassées.

— Tu te débarrasses de tout ça ?

— Oui, je dois téléphoner à la mairie pour qu'ils viennent tout prendre.

— Ne t'embête pas, je vais demander à Vincent de me prêter un véhicule utilitaire et j'emmènerai le tout à la déchetterie.

— C'est *cool* de ta part.

Il examine les quatre coins de l'ancienne boutique et, histoire de ne pas rester muette, je lance :

— Je te proposerais bien un verre, mais je n'ai rien ici.

— Alors ne propose pas, marmonne-t-il dans sa barbe, tout en inspectant la cheminée.

Il se retourne vers moi au bout de quelques minutes et annonce, tel un expert venu établir un devis :

— Il y aura bien sûr des travaux à faire, mais si tu transformes ce lieu en librairie, Lola, tu vas faire un malheur.

— Tu crois?

— Je dis toujours ce que je pense.

Je me propose de lui faire visiter le reste et il me suit dans chaque pièce. Il me demande si je compte vivre dans la maison, ce à quoi je proteste vigoureusement.

— Je n'ai pas envie de vivre *ici*, tu comprends? Ces murs contiennent trop de souvenirs et doivent les garder. Je préférerais louer un appartement dans le coin.

Nous descendons l'escalier en silence, Jim me précédant. Dans un film romantique, c'est là que l'héroïne, par on ne sait quel aléa, se prend les pieds dans un obstacle inconnu et tombe dans les bras du mec qui fait battre son cœur. Moi, je me cramponne bien à la rampe, parce que pour de vrai, si je m'étale, je risque surtout de terminer le nez sur le carrelage.

Je n'ai pas vu le coup venir, Jim prend ma main pour m'aider à descendre les dernières marches, son pouce s'attardant sur mon poignet. Nous sommes proches, très proches. D'un côté, tout crie en moi «Oui, oui, oui!» et de l'autre «Non, non, non!» Je sens sur sa peau un parfum aux notes minérales, tandis que son souffle se rapproche du mien. Mon cœur est au bord de l'explosion quand il replace une mèche de mes cheveux, avant de prendre mon visage en coupe entre ses mains. Pourtant, je trouve la force de le repousser.

— Je ne peux pas, Jim, pas si vite.

— Tu trouves que ça va vite, toi? Je n'ai même pas encore essayé de t'embrasser.

Même dans un instant pareil il réussit à m'arracher un sourire.

— Jim, tu sais que j'ai vraiment beaucoup de choses en tête, en ce moment. C'est compliqué.

— Non mais dis donc, tu ne veux quand même pas que je te courtise pour de bon et que je te sorte le grand numéro?

J'explose de rire, tandis qu'il s'appuie au chambranle de la porte qui mène à la boutique.

— Je n'aurais rien contre un véritable premier rendez-vous, à vrai dire…

Un nouveau sourire et ses yeux bleus pétillent de malice.

— Très bien, Lola alias chouquette. Je te donne la semaine pour venir à bout de tes secrets de famille. Samedi, je t'emmène faire un tour en barque et nous irons souper au restaurant. Ce sera assez romantique pour toi?

# 28.

Aucune découverte majeure ne vient marquer les jours suivants et, pourtant, je sens en moi cette excitation qui précède généralement les grands changements. J'ai du mal à redescendre sur Terre depuis cette soirée magique où Jim m'a raccompagnée jusqu'à l'auberge, se contentant de porter ma main à ses lèvres pour me dire au revoir. J'ai évidemment failli lui courir après, avant de décider de m'en tenir à notre petit accord. J'ai ensuite réprimé mon envie de téléphoner à Tristan pour lui hurler ma joie dans les oreilles ; je lui ai seulement envoyé un texto agrémenté de multiples points d'exclamation.

Le lundi matin, Jim m'a réveillée par un texto pour me dire qu'il passerait chercher mes vieux meubles dans l'après-midi. Cela m'a laissé le temps de découvrir les cahiers de recettes de Rose et d'ouvrir son deuxième journal intime, un carnet beaucoup moins épais que le premier et qui recouvre la période de 1954 à 1959. Il n'y a pas eu d'événements marquants durant ces années en apparence paisibles, même si au plus profond d'elle-même, Rose menaçait d'imploser.

Le frère d'Édouard et son épouse ont accueilli en 1955 le deuxième fils qu'ils attendaient tant, huit ans après l'aîné. Ils le prénommèrent Emmanuel. Rose ne parvenait toujours pas à s'entendre avec les femmes de cette famille, qui ne vivaient que pour les apparences. Depuis la mort d'Armand, sa veuve s'était enfermée dans une sorte de tristesse maîtrisée et étudiée avec le plus grand soin. Elle aimait s'apitoyer sur son sort, répéter à qui voulait l'entendre que si seulement son mari l'avait écoutée et avait lâché un peu la bouteille, il serait probablement encore de ce monde. Rose se gardait bien de lui faire connaître le fond de sa pensée ; l'alcoolisme d'Armand avait peut-être été aussi un moyen pour lui de mieux supporter le dragon qu'il avait épousé. Louise partageait d'ailleurs cette opinion, s'éloignant de plus en plus de celle avec qui, encore quelques années plus tôt, elle conspirait pour unir leurs enfants.

L'aîné des Garnier et sa femme s'étaient installés avec Thérèse au château. Paulette agissait en propriétaire des lieux, se comportant comme ces nouveaux riches qui se sentaient obligés d'étaler leur argent à la vue de tous. Elle empilait de façon ostentatoire les meubles et la décoration de mauvais goût, rabaissait les personnes dont le compte en banque n'était pas aussi bien garni que celui de son mari. Rose, qui ne l'appréciait déjà pas auparavant, la trouvait désormais des plus détestables.

Mais la jeune femme était rongée par d'autres tourments encore plus affligeants. Elle était arrivée à un point où elle ne se reconnaissait plus elle-même. Elle prenait conscience qu'elle devenait acerbe envers les autres femmes. Depuis qu'elle avait appris la vérité concernant le départ de Richard, elle voyait en chaque femme ou presque une harpie rongée par le vice et la malice, prête à faire du mal à ses congénères les plus faibles. Son carnet contient des pages entières de critiques à l'encontre des femmes de sa famille, mais aussi des villageoises. Elle n'y allait pas de main morte avec celles qu'elle considérait comme des dépravées. Il m'apparaît de plus en plus évident que Rose souffrait d'une grave dépression, que personne n'a prise en compte. En public, elle sauvait les apparences, arborant son sourire de façade, et consacrait la majeure partie de son temps libre à Daniel, qu'elle aimait faire marcher dans la campagne les jours où il n'avait pas école. Ses pas la portaient toujours vers les lieux où Richard et elle avaient pu donner libre cours à leur amour, lui permettant ainsi de s'échapper dans un passé vieux de dix ans. D'autres fois, elle aimait prendre la voiture et emmener Daniel là où Louise avait grandi. Elle aimait marcher dans cette campagne retombée à l'état sauvage, où tout n'était plus que bâtiments à moitié écroulés, prés et champs à l'abandon. Ici, personne ne venait la déranger ; tandis que son fils jouait et galopait à en perdre haleine, elle pouvait imaginer que Richard allait faire irruption d'un instant à l'autre et la faire tournoyer dans ses bras puissants.

Ce dernier lui écrivait du Kenya et lui racontait son quotidien de médecin, ces personnes si démunies qu'il soignait comme il le pouvait, bien souvent en vain. Toujours, le sujet de Babeth finissait par resurgir. Babeth s'acclimatait bien, Babeth avait mis au monde deux belles jumelles qu'ils avaient prénommées Bénédicte et Lorraine, Babeth faisait tout ce qu'on attendait d'elle. Si Rose l'avait eue en face d'elle, elle lui aurait crevé les yeux, à cette créature si lisse et si parfaite.

Richard était revenu à deux reprises, d'abord en 1955, pour le mariage de sa sœur, puis quatre ans plus tard, avant d'être affecté vers les Indes. Rose n'avait pas eu l'occasion de le voir en tête-à-tête et en avait été vivement frustrée. Leurs regards dévorés par la passion inassouvie s'étaient cherchés durant toutes les heures où ils avaient été si près l'un de l'autre sans pouvoir se toucher.

Aubéry avait commencé à entrer dans une ère plus moderne. De vieux magasins avaient mis la clé sous la porte, cédant la place à des enseignes plus à la mode. La mère Janine avait laissé le bail de sa boutique à un jeune couple qui avait continué à vendre disques et livres, mais également des babioles en tout genre. Le café du Bourg avait également fermé ses portes. Les hommes qui souhaitaient aller boire un verre disposaient tout de même de quatre autres bars pour se désaltérer. Édouard et ses copains avaient désormais élu domicile au café des Sports, s'entichant de cette salle sombre aux allures de taverne et de sa plantureuse patronne, qui fut dépeinte dans le journal de Rose comme « *une catin de la pire espèce* ». Le café du Bourg avait laissé place à une épicerie, tandis qu'une pharmacie, la deuxième du village, avait ouvert juste à côté.

Dans la boutique des Gestin, les grands changements eurent lieu dès 1958. Henriette, la sœur aînée de Louise, disparut subitement, emportée comme leur mère par une crise cardiaque. Louise prit peur et se décida une bonne fois pour toutes à laisser tomber la confection des vêtements pour ne vendre que du prêt-à-porter, afin de ménager son cœur. De toute façon, coudre ne lui plaisait pas plus que cela, elle l'avait fait par nécessité, pour l'essor de son magasin. Ainsi que l'écrivit Rose dans son journal, ce problème de santé n'était que la version officielle et tombait à pic. Louise avait surtout voulu tirer profit d'une usine de textile qui avait ouvert ses portes à la sortie d'Aubéry et embauché beaucoup de jeunes du village. Elle avait immédiatement flairé que, si elle voulait tirer son épingle du jeu, il lui faudrait distribuer les vêtements qui sortaient de cette usine. Elle signa donc un contrat avec eux, et une fois de plus, y gagna sur tous les plans.

Rose voyait ses parents vieillir. Sa mère restait infatigable et avait toujours de l'énergie à revendre, malgré ses cinquante-huit ans, alors que son père, qui approchait des soixante-cinq ans, souffrait de plus en plus à cause de sa jambe. Les médicaments le soulageaient et il développa fatalement une sorte d'accoutumance. Au moins, ses accès de mélancolie avaient fini par lui passer complètement et Martin offrait l'image d'un grand-père profitant simplement de la vie. Rose avait maintenu des liens étroits avec son père, renforcés depuis que ce dernier lui avait confié ses secrets. Elle ignorait s'il voyait toujours son amant, elle ne cherchait même pas à le savoir. Tout ce qu'elle constatait, c'était que son père semblait heureux et elle se demandait si la clé du bonheur n'était pas là; se marier pour les apparences, à condition de pouvoir se donner corps et âme, en secret, à l'être véritablement aimé. Sauf que Richard vivait à l'autre bout du monde. Et puis, si elle se conduisait de la sorte, ne deviendrait-elle pas comme toutes ces voleuses d'hommes qu'elle détestait tant? Finalement, ne détestait-elle pas toutes ces femmes parce qu'elles étaient dotées du cran qui lui faisait défaut?

Sa relation avec Édouard s'était stabilisée. Souvent, elle avait envie de le secouer, mais au fond, ce n'était pas de sa faute si elle n'était pas amoureuse de lui. Elle culpabilisait beaucoup, car il n'était pas méchant et il travaillait dur pour rapporter de l'argent à la maison. Le couple n'avait pas touché à l'héritage reçu à la mort d'Armand, mettant la somme de côté en attendant d'acheter une maison. Édouard continuait à travailler dans les jardins du château, subissant en serrant les dents les railleries de son frère aîné. Si son emploi n'en avait pas dépendu, avait-il confié à Rose, il aurait déjà coupé les ponts depuis des lustres. Mais le jardinage lui plaisait et, au moins, il n'avait de comptes à rendre à personne.

Édouard faisait l'effort de ne plus aller boire quotidiennement. Il avait depuis longtemps abandonné tout espoir de se faire aimer de Rose, comprenant aussi qu'il attirait d'autres femmes, peu à cheval sur les convenances. Si Édouard était un homme discret, il pouvait se métamorphoser en très bel homme si l'envie de flirter le prenait. Ses yeux verts et ses mots tirés des livres lui suffisaient pour séduire les belles, qui n'en demandaient pas tant. Rose n'était pas sans ignorer qu'il lui était parfois infidèle, mais elle en tenait surtout rigueur aux femmes qui savaient qu'il était marié et lui mettaient néanmoins le grappin dessus. Son mari n'était pas un coureur de jupons, mais à trente ans passés, il avait surtout besoin de se rassurer sur son pouvoir de séduction en se prouvant que, si Rose ne l'aimait pas, d'autres, moins difficiles, pouvaient lui tomber dans les bras.

Malgré leur manque d'intimité, Édouard ne considérait pas sa femme comme faisant partie des meubles et s'ouvrait souvent à elle de ses démons intérieurs. Elle comprit ainsi qu'il avait besoin de boire pour oublier qu'il n'avait pas été à la hauteur des espérances de ses parents. Que pouvait-elle redire à cela? Elle préférait finalement s'enfuir dans les lettres de Richard et dans les livres qu'elle lisait, toujours en plus grande quantité. Ernest Hemingway, Daphne du Maurier, François Mauriac, Boris Vian ou encore Agatha Christie faisaient partie des auteurs dont elle aimait dévorer les romans, ce qui était encore plus simple depuis 1953, année où les livres avaient commencé à être édités en format de poche.

J'ai le sentiment qu'à un moment ou à un autre, ils se sont tous reposés sur leurs lauriers, à l'exception de Louise qui continuait à se battre pour faire vivre la boutique. Édouard s'est résigné à ne jamais être aimé de sa femme, tandis que Rose a laissé le ressentiment l'envahir, maintenue en vie par Daniel, les romans, la pâtisserie – elle était notamment réputée pour son fameux gâteau marbré au chocolat –, et les lettres de Richard. Léonie n'envoyait que de très rares nouvelles depuis son couvent et l'oncle Jacques ne venait plus qu'une fois par an. Malgré cela, ils sauvaient les apparences; on ne parlait surtout pas de ce qui n'allait pas, relayant les états d'âme loin, très loin.

Comment ont-ils pu laisser les choses prendre cette tournure et se résigner ainsi ? Un troisième carnet m'a appris que cet état de choses a perduré durant quelques années encore, même si, entre-temps, Thérèse a été emportée par une péritonite. Personne n'en a vraiment été attristé, peut-être même qu'ils étaient tous un peu soulagés, ne sachant plus que faire de cette vieille femme devenue gênante et restée engoncée à l'époque des crinolines et des voitures à chevaux, qui regrettait amèrement que le monde ne fût pas resté comme il l'était avant la Grande Guerre.

Ce nouveau carnet ne m'a finalement pas appris grand-chose, si ce n'est que ma grand-mère avait perdu toute légèreté et fait une croix sur la jeune fille au tempérament exalté qu'elle avait été autrefois. Elle se contentait de ce quotidien morne qu'elle exécrait, mais contre lequel elle ne pouvait plus rien. Les choses se sont sûrement améliorées ensuite, puisque ma mère est née en 1965. Mais cela, je le saurai lors de ma prochaine excursion dans le passé.

...

Comme convenu, Jim est passé récupérer tout ce dont je souhaitais me débarrasser. À mon grand désarroi, il ne s'est pas attardé, même s'il a encore réussi à me troubler avec son sourire à damner un saint. Il m'a demandé de le rejoindre samedi, aux alentours de quatorze heures, devant le bar.

— Même si j'espère bien que nous nous croiserons avant, a-t-il ajouté.

Tristan m'a téléphoné après sa journée de travail, voulant connaître chaque détail de ma soirée au bar. J'ai senti qu'il se retenait de sauter sur place, reprenant à son compte tous les points d'exclamation dont j'avais agrémenté mon texto de la veille.

Ce mardi matin, je me lève du bon pied, décidée à me renseigner sur les formations qui seraient susceptibles de m'apprendre à gérer une librairie. Cela constitue une très bonne excuse pour aller effectuer mes recherches à la médiathèque. Si les dieux de la bibliothèque sont avec moi, peut-être que Jim sera de service.

— Tu viens encore pour des recherches sur Vincent?

Il est là, il est là! Son ton doucement moqueur ne m'énerve plus du tout. Bien au contraire. Je le salue, avec une nonchalance affectée:

— Oh, salut Jim! Non, je viens me renseigner pour une reconversion professionnelle, s'il y a un ordinateur de libre, bien sûr.

Il me montre la salle d'un geste large et me répond d'un ton plein de sous-entendus:

— Comme tu le vois, il n'y a que toi et moi, ce matin.

Mon cœur frise à nouveau l'explosion, mais je dois garder mon sang-froid. Je le remercie et me dirige comme si de rien n'était vers un ordinateur. Je sens bien son regard dans mon dos, tandis que j'entame mes recherches, et je suis consciente qu'à ce rythme-là, je ne vais pas trouver grand-chose. Et puis, un groupe de petites vieilles vient me sauver. Elles cherchent dix exemplaires de *Peyton Place* pour leur club de lecture.

Je tends l'oreille malgré moi, car je me souviens avoir dévoré ce roman, en vacances chez mamie Constance, alors que cette dernière ronflait à en faire trembler les murs.

J'entends vaguement Jim marmonner dans sa barbe qu'ils n'en ont même pas un exemplaire à disposition.

— Ce qu'il faudrait, à Aubéry, dit-il en haussant exagérément la voix pour être sûr que je l'entende, c'est une bonne librairie !

Je ris sous cape en remplissant un formulaire pour recevoir de la documentation. Maintenant que j'ai trouvé ce que je voulais, je dois téléphoner à mes parents.

...

— Tu es sûre de toi ?

C'est la seule question que me pose maman, alors que je viens de lui faire part de mon projet. Celui de suivre ma formation à Paris, pendant huit mois, durant lesquels je retournerai vivre chez eux afin d'économiser sur le loyer. J'ai de l'argent de côté, là n'est pas le problème, mais je préférerais l'injecter directement dans la librairie.

— Cette formation m'aiderait justement à être sûre, maman, à bien cerner mon projet.

Comme tous les parents sensés, les miens émettent quelques inquiétudes, en me précisant qu'ils me soutiendront quoi qu'il en soit. Maman insiste néanmoins :

— Mais ta librairie, tu ne pourrais pas l'ouvrir ici, à Paris ?

Je trouve cette remarque aussi naïve que touchante.

— Non, maman, je ne peux pas. Il y a déjà mille librairies à Paris et aucune à Aubéry. Je dispose déjà de la boutique, c'est quand même un atout non négligeable.

— C'est ton choix, ma puce. Papa et moi sommes évidemment contents que tu puisses envisager un tel projet.

Je sais que maman passera sans doute une nuit blanche, à repenser à chaque instant que nous avons passé ensemble depuis mon adoption. Elle reverra mes premiers pas, les purées qui finissent par terre, mon premier jour à l'école, mon premier chagrin d'amour. Elle se dira peut-être même qu'il est injuste que, finalement, je décide de tenter ma chance dans ce village qui n'a pas voulu de moi lorsque je suis née. Elle redoutera le moment où je sonnerai peut-être à leur porte pour leur annoncer que mon projet s'est écroulé. Alors je la rassure, en lui disant que, si je concrétise mon rêve, je lui téléphonerai régulièrement, monterai les voir autant que je le pourrai et qu'ils seront également les bienvenus ici quand bon leur semblera. Je me doute qu'il n'est jamais facile de laisser son enfant partir loin du nid.

Je déjeune à l'auberge avec Frédérick, tout en lui faisant part en détail de mes projets. Je lui fais entièrement confiance pour me dire si tout cela tient la route ou pas. Je lui explique point par point ce que je compte faire de cette maison.

— Vous tenez une merveilleuse idée, Lola, sifflet-il. Je souhaite vraiment que vous réussissiez. Vous apporteriez à Aubéry quelque chose qui lui manque actuellement. Les villages alentour pourraient en bénéficier également. N'hésitez pas si je peux vous aider, notamment en ce qui concerne les détails juridiques.

— Merci, Frédérick. Je pense que je vais devoir devenir une professionnelle de l'organisation, mais je peux y arriver. Je ne manquerai pas de faire appel à vous.

...

Maintenant que Jim m'a débarrassée de beaucoup de vieilleries inutiles, je peux enfin chasser les poussières qui se sont incrustées au fil des ans dans l'ancien magasin. La maison conserve cette même odeur que l'on retrouve dans ces modestes magasins d'antiquités dans lesquels on peut tomber sur des trésors cachés, emplis de valeur sentimentale plus que monétaire. J'espère au fond de moi que l'odeur restera toujours imprégnée, même si celle des livres vient s'y mêler.

Je me sens réellement en vie, à présent qu'un vrai projet m'anime. C'est comme si, de simple spectatrice, je devenais enfin actrice de ma propre vie. Il était temps, non ? Malheureusement, je pense également à Jim et je n'arrête pas de me demander si les choses ne vont pas un peu trop vite entre nous. Est-ce que je vais vraiment avoir du temps à consacrer à une histoire d'amour naissante ? De plus, je vais retourner à Paris pour au moins huit mois, le temps de suivre cette formation ; je ne peux pas demander à Jim de m'attendre jusqu'à ce que mon projet se concrétise ! Et puis, avant de me lancer dans une nouvelle relation, je préférerais apprendre à le connaître. Je ne peux pas m'en tenir uniquement au fait que mon cœur s'emballe dès qu'il se trouve à moins de dix mètres de moi. Tristan m'aidera sans doute à y voir plus clair.

Je me retourne et lâche le tuyau de l'aspirateur en voyant qu'une grande femme aux cheveux poivre et sel m'observe, plantée dans le chambranle de la porte de la boutique. Son regard inamical n'augure rien de bon, aussi je m'empresse de couper l'appareil. Je m'essuie machinalement les mains sur mon jean et m'approche de la femme aux cheveux raides, coupés au carré. Ses yeux marron me toisent tandis que j'avance vers elle. Je lui demande si je peux lui être utile. Avec une pointe de méfiance dans la voix, elle veut savoir si je suis bien Lola.

— Oui. Et vous êtes ?

— La mère de Vincent.

OK. Les ennuis arrivent pour de bon. Je lui propose d'entrer, mais elle me stoppe dans mon élan.

— Ne vous embêtez surtout pas avec la politesse, dit-elle d'une voix cassante. Vincent m'a dit que vous étiez en train de déterrer le passé. C'est votre droit, mais laissez-le tranquille avec ça.

De la colère. Cette femme est en colère, mais il y a autre chose aussi. De la crainte. Calmement, je lui demande :

— De quoi avez-vous peur, au juste ?

Elle se redresse, tentant de me dominer de sa hauteur – ce qui n'est pas bien compliqué puisqu'elle doit mesurer un bon mètre soixante-quinze.

— Je n'ai peur de rien, qu'allez-vous imaginer ! Je veux seulement qu'on laisse mon fils tranquille.

— Il est aussi mon cousin et semble décidé à me connaître.

— Tenez-vous éloignée de lui. Il a réussi à se construire une vie de famille. Si ce n'est pas votre cas, ne le lui faites pas payer.

Après un court silence, elle reprend d'une voix acerbe :

— Rose nous a assez empoisonné l'existence comme ça. Rentrez chez vous et oubliez mon fils.

Je fais claquer ma langue en répondant :

— Je n'en ai vraiment pas l'intention, désolée.

— Rentrez chez vous, se met-elle à éructer de désespoir, en pénétrant dans la boutique. Partez ! Quittez ce village ! Nous n'avons pas besoin de vous !

Avant qu'elle ne me fasse un véritable scandale, je lui ordonne d'une voix ferme :

— Sortez de chez moi tout de suite.

Ma phrase a dû lui faire l'effet d'une douche froide, car elle recule, les épaules basses. Deux grosses larmes roulent à présent sur ses joues.

— J'ai travaillé ici, vous savez. C'est comme ça que j'ai rencontré Daniel. Si j'avais su ! Je ne vous demande qu'une chose : laissez Vincent en dehors de tout cela.

Elle s'en va, me laissant sidérée sur le seuil de la boutique. Je la regarde s'éloigner en direction de la place et rejoindre sa voiture, une petite citadine de couleur grise. Je ne comprends pas trop pourquoi cette femme est venue jusqu'ici, en fait. Puis je reviens à ma première impression ; elle a forcément peur. Peur de ce que je pourrais découvrir. Et si Vincent était bien mon frère ? Cela signifierait qu'il n'est pas réellement son fils. Alors si j'étais à sa place, moi aussi j'aurais peur.

Il me reste un carnet à lire. Rose s'est mise à écrire de façon plus aléatoire au fil des ans. Ma pause est terminée. Il est l'heure de découvrir la suite de mon histoire.

29.

*1964-1965.*

Il faisait une chaleur torride, en cette journée de juillet 1964. Vêtue d'une robe vichy à carreaux bleus et blancs, Rose fumait une cigarette sur le seuil de la boutique, laissant des légères traces de rouge à lèvres sur le filtre. En attendant la fin de sa pause, elle observait les touristes attablés sur la terrasse de l'Auberge des Voyageurs et songea un instant qu'elle n'était jamais partie en vacances. À bientôt quarante ans, n'était-il pas triste qu'elle n'ait jamais vu la mer? Elle se promit d'en parler à Édouard. De toute façon, son mari ne prenait jamais vraiment les décisions, on lui demandait son avis histoire de dire qu'on ne le laissait pas de côté, mais au final, il finissait toujours par acquiescer. Rose avait compris très tôt qu'Édouard était doté d'un caractère plutôt conciliant, mais elle aurait tout de même préféré qu'il ait un peu plus de poigne.

Derrière elle, elle sentait l'excitation croissante de ses collègues; Louise et Martin se préparaient à partir pour l'après-midi, ils devaient faire des bilans médicaux complets et iraient ensuite au cinéma pour voir *Docteur Folamour*. Les vendeuses trépignaient d'impatience, car elles allaient enfin pouvoir faire jouer dans la boutique des disques plus entraînants que ceux tolérés par Louise, les chansons de Jacques Brel, Charles Aznavour ou Georges Brassens. Les jeunes femmes n'en pouvaient plus d'entendre à longueur de temps ces trois chanteurs répéter inlassablement les mêmes refrains sur le tourne-disque que Martin avait mis à disposition des employées. Même Rose, qui affectionnait pourtant la variété française, commençait à en avoir assez. L'envie de danser la démangeait et elle avait hâte que ses parents disparaissent pour l'après-midi entière. Sa collègue Liliane pourrait enfin sortir de son sac le disque qui allait égayer leur journée : le dernier 33 tours des Beach Boys.

Ses parents apparurent, prêts à partir. Elle écrasa sa cigarette sur le trottoir, avisa une dernière fois les touristes et entra dans la boutique. Pour le reste de la journée, elle allait être responsable du magasin. Ce n'était pas une activité qui lui tenait particulièrement à cœur, d'autant plus que depuis que Louise avait décidé de ne vendre que du prêt-à-porter, il y avait forcément moins de travail. Elle aurait préféré être au bord de la mer, avec Daniel. Ce dernier était monté passer la journée au château, pendant que son père y travaillait, où il jouait avec le plus jeune de ses cousins, Emmanuel. L'aîné, Yves, était sans doute parti pérorer au bord de la rivière.

La journée était particulièrement chaude, c'était l'une de ces après-midi où pas une cliente ne mettrait les pieds au magasin avant seize heures. Les minutes allaient s'égrener lentement. Rose et ses collègues s'adonneraient aux ragots pour passer le temps ; la grosse Berthon avait encore pris de l'embonpoint, M<sup>me</sup> Leroux trompait son mari avec le petit Quinquin, la catin du café des Sports avait jeté son dévolu sur le grand Dédé et celle de la poste sur Titi Simonet. Les sujets de discussion ne viendraient jamais à manquer. Mais aujourd'hui, Rose se fichait éperdument des histoires des uns et des autres. Pour l'heure, un autre sujet la préoccupait ; elle avait reçu une nouvelle lettre de Richard et savait qu'il devait être arrivé à Aubéry depuis la veille. Cela faisait cinq ans qu'elle ne l'avait pas revu et quatorze qu'elle ne s'était pas trouvée seule avec lui. Quatorze ans ! Cette pensée lui comprima la gorge. Comme Richard lui manquait ! On lui avait pourtant dit que ses sentiments finiraient par se tarir. Et c'était peut-être vrai. Mais le manque physique et la frustration étaient toujours là, eux. Cette année, il n'y avait pas de fête prévue pour son retour. L'ancien résistant revenait dans la discrétion la plus totale. Il y avait donc de fortes chances pour que Rose ne recroise même pas Richard…

...

Rose, Liliane et Sophie se repassaient pour la quatrième fois d'affilée *I Get Around*. Elles se déhanchaient à en perdre haleine, tout en réussissant l'exploit de couvrir les voix pourtant haut perchées de Brian Wilson et ses frères. Tout à coup, sans crier gare, une silhouette se dessina sur le seuil de la porte restée ouverte. Et puis il apparut, les traits à peine vieillis. Le cœur de Rose manqua un battement lorsqu'elle reconnut l'homme qui se tenait dans l'encadrement de la porte. Autour d'elle, tout sembla se figer. Les Beach Boys continuaient à chanter, pourtant plus aucun mouvement n'était perceptible, excepté celui de son sang qui affluait à son cerveau. Liliane et Sophie avaient stoppé leur danse effrénée, stupéfaites de voir un client les surprendre en flagrant délit de distraction. Elles se tenaient la tête basse, honteuses, derrière Rose, elle-même livide.

Richard pénétra dans la boutique et s'avança lentement vers le comptoir. Rose reprit vite ses esprits, comme si on lui avait aspergé le visage d'eau froide, et envoya ses collègues prendre une pause dans la cour. Ces dernières ne se firent pas prier.

— Richard, murmura simplement Rose, en lissant les pans de sa robe.

Il fit quelques pas de plus vers elle et lui tendit un paquet :

— J'attendais que tes parents soient partis. Je suis venu t'apporter un cadeau.

— Un cadeau ? s'étonna-t-elle.

Elle franchit le comptoir qui les séparait et s'avança, inclinant la tête pour mieux voir l'objet que brandissait Richard.

— C'est un peu lourd, la prévint-il en le lui donnant.

Rose défit le paquet et découvrit avec stupeur et enchantement une magnifique boîte en marbre, incrustée de pierreries et de fleurs exotiques peintes en bleu.

— Elle est magnifique, souffla-t-elle. Mais pourquoi?

— Parce que tu me manques, répondit-il sur le même ton. Et je ne t'ai jamais rien offert, à part pour ton mariage, ce qui ne compte pas, donc.

— Tu ne peux pas rester là, Richard, réalisa Rose, prise de panique. Que diraient les gens s'ils te voyaient ici, seul avec moi?

— Il y a longtemps qu'ils ont oublié que nous avons été amants. Cela fera bientôt vingt ans.

— Les gens se souviennent de chaque détail du passé, détrompe-toi.

— Alors fuguons pour la journée. Viens avec moi!

Il avait lâché ces derniers mots sur un ton plein d'espoir. Cette idée était si folle! Pourtant, combien de fois Rose avait-elle rêvé d'entendre ces paroles? Toutes ses pensées contradictoires lui revinrent en mémoire: assouvir son manque de Richard, tromper Édouard, se comporter comme les catins pour lesquelles elle n'avait que mépris. Pourtant, ils pouvaient s'arranger pour que personne ne sache jamais rien de cette escapade.

— Et ta femme, Richard? articula-t-elle difficilement, comme si ces mots étaient autant d'aiguilles plantées sur sa langue.

— Babeth? Mais pourquoi me parles-tu d'elle? Elle passe la journée en ville, avec les filles, si tu veux tout savoir.

Un sourire franc illuminait désormais le visage de ce premier amour dont la perte l'avait cruellement fait souffrir. Ses yeux arboraient toujours une expression qui vous invitait à la désobéissance et Rose comprit qu'il ne lui servirait à rien de lutter contre la tentation.

Elle allait céder et peut-être que cela apaiserait enfin ses maux.

— Attends-moi sur le pont dans un quart d'heure, capitula-t-elle.

Richard sortit de la boutique et Rose prévint ses collègues qu'elle devait s'absenter durant une heure ou deux.

— Ne dites rien à mes parents, surtout.

— Quelque chose de grave? voulut savoir Liliane.

— Non… enfin… je ne sais pas. C'est mon amie Béatrice qui… a besoin de me voir. Ne dites pas un mot, à personne, et je m'arrange pour vous octroyer deux jours de congé supplémentaires le mois prochain.

Elle quitta la boutique presque en courant et attendit Richard sur le pont. Par chance, les villageois restaient bien à l'ombre, chez eux, afin de ne pas étouffer sous cette chaleur estivale. Seuls les touristes s'aventuraient en plein soleil. Rose ne risquait pas d'être reconnue. Elle s'engouffra dans la voiture de Richard lorsqu'il s'arrêta à sa hauteur.

— Promets-moi que personne n'en saura rien, supplia-t-elle.

— Je ne comptais pas aller m'en vanter, ne t'inquiète pas, dit-il d'un ton presque désinvolte.

Ils roulèrent durant quelques minutes dans la campagne et s'arrêtèrent à la sortie d'un village voisin, sur les berges désertes d'une rivière. Là, ils se jetèrent l'un sur l'autre pour s'embrasser à pleine bouche.

— Tu es si belle, Rose, gémit Richard.

Elle se recula pour le scruter, les deux mains accrochées à ses épaules.

— Qu'est-ce que nous sommes en train de faire? Les lettres que tu n'as eu de cesse de m'envoyer n'ont fait qu'attiser ma frustration, Richard. J'ai parfois cru que j'allais devenir folle. Pourquoi m'as-tu écrit? Ne pouvais-tu pas me laisser en paix, tout simplement?

Ils sortirent de la voiture et marchèrent le long des rives, sous le soleil de juillet. Richard lui expliqua que c'était plus fort que lui; il avait beau avoir une épouse parfaite et des petites filles pleines de vie, il pensait toujours à Rose, à son tempérament passionné, à leurs étreintes et leurs balades dans la campagne, à la façon unique qu'elle avait de lui passer la main dans les cheveux.

— Comme ce temps est loin! soupira-t-elle de dépit.

Elle lui parla de son mariage raté.

— C'est ma mère qui a tout gâché, constata-t-elle avec amertume.

— Chut, Rose, oublions tout ça. Profitons simplement du présent. Nous sommes là, ensemble, et c'est ce qui compte. Personne n'en saura rien. Et j'ai très envie de t'enlever ta robe, bien que tu sois magnifique dedans.

Il la serra dans ses bras et commença à l'embrasser doucement dans le cou, tout en défaisant les boutons qui fermaient le vêtement. Rose se laissa complètement aller sous la bouche de Richard, oubliant tout de ses doutes, de ses pensées paradoxales, de son mariage. Elle était à nouveau la jeune femme de vingt ans qui découvrait les joies de l'amour physique dans les bras de l'homme qu'elle aimait. Elle redécouvrit son corps tandis qu'il la goûtait et la caressait. Ils firent l'amour deux fois, à l'abri des regards, dans la moiteur estivale de cette après-midi qui serait, à leurs yeux, inoubliable. Par un pacte silencieux, ils surent qu'ils mettaient un terme définitif, mais délibéré, à cette relation qui avait été stoppée net vingt ans plus tôt, sans qu'on leur ait demandé leur avis. Ils savaient qu'il n'y aurait pas de prochaine fois et qu'ils devaient jouir l'un de l'autre à n'en plus pouvoir, à en oublier tout le mal qui avait été fait.

...

Deux mois s'étaient écoulés depuis cette journée d'été où Rose et Richard avaient donné libre cours à leur passion. Personne n'en avait rien su et les choses en resteraient là. Il était inutile de faire du mal à Édouard et Babeth.

Rose ne souffrait plus du manque, le jeune homme qu'elle avait autrefois aimé avait disparu pour laisser la place à un homme marié, un père de famille, un médecin humanitaire respecté de tous. Elle avait retrouvé sa fougue lors de leurs ébats, mais tout le reste n'était plus qu'un souvenir. Or on ne pouvait pas se languir d'un souvenir, d'une chose ou d'un être qui n'existait plus. Elle-même n'était plus cette jeune fille exaltée qu'il avait connue et aimée, plus rien ne venait semer des paillettes dans son regard ni faire battre son cœur à tout rompre. Ils avaient accepté le fait que leur jeunesse s'était enfuie, emportant avec elle les traces de leur passion.

Rose était enfin apaisée dans sa chair et dans son âme. Elle ne se sentait pas coupable. Elle n'avait pas non plus l'impression d'être une dépravée. Rose était d'humeur joyeuse, sortant même parfois de son lit, le matin, dans un état proche de l'euphorie. Elle avait l'impression de flotter dans une espèce de bulle de bonheur et d'insouciance, ce qui surprit tout le monde. Édouard la dévisageait souvent d'un drôle d'air, Louise se demandait sans arrêt ce que le comportement de sa fille pouvait bien cacher. Si elle avait su ! Rose souriait d'ailleurs fréquemment à cette idée, en imaginant l'air scandalisé que n'aurait pas manqué de prendre Louise si elle avait pu deviner ce qui était réellement arrivé.

Rose avait pris conscience que certains changements physiologiques s'opéraient en elle. Elle mettait cela sur le compte de l'âge ; ses seins et sa taille s'alourdissaient, ses règles semblaient avoir disparu pour de bon, même si parfois elle ressentait des tiraillements dans le bas-ventre. Et puis, un matin, en rendant son petit déjeuner, elle réalisa que tous ces changements n'étaient pas dus à la ménopause. Rose était enceinte. Et Édouard ne l'avait pas touchée depuis plus de six mois.

...

Elle réfléchit longuement à ce qu'elle devait faire. Maintenant qu'elle était certaine de sentir à nouveau la vie en elle, il était hors de question d'avoir recours à une faiseuse d'anges. Rose pourrait faire croire à ses parents qu'au bout de dix-sept ans de mariage, elle avait toujours une activité conjugale avec son mari, mais Édouard ne serait pas dupe. Elle pourrait lui jeter à la figure ses infidélités et le fait qu'il l'avait complètement délaissée. Oui, s'il la menaçait ou se mettait en colère, c'est ce qu'elle ferait ; elle jouerait sur la culpabilité de son époux. Après tout, il serait plutôt mal placé pour lui en vouloir, non ? Elle allait assumer cette grossesse, ce cadeau de la vie. La seule chose qui l'embêtait réellement était qu'elle n'avait aucun moyen de prévenir Richard. Il s'était tant habitué à ce qu'elle ne réponde pas à ses lettres qu'il ne lui avait même pas transmis son adresse. D'ailleurs, depuis qu'ils avaient assouvi leur passion dans les bras l'un de l'autre, elle n'était plus certaine du tout qu'il allait continuer à lui écrire. Fanny ou Béatrice lui révélerait peut-être que Rose avait eu un second enfant et il ferait lui-même le calcul. Avec beaucoup de peut-être, on pouvait envisager bien des éventualités. Mais rien ne se déroula comme prévu.

...

Un matin, en entrant dans la boutique de ses parents, Rose décida qu'il était temps de leur annoncer la nouvelle. Daniel devait les rejoindre, alors il lui faudrait faire vite. Édouard n'était pas encore au courant, mais elle l'en informerait le soir même.

Louise se trouvait seule dans la cuisine, Martin lisant son journal à l'étage, dans le salon.

À soixante-quatre ans, Louise restait un petit bout de femme dynamique et caractériel, encore plus depuis qu'elle avait arrêté de fumer. Rose préféra donc mettre les formes afin de lui annoncer la nouvelle.

— Je dois te parler, maman, commença-t-elle en se tordant les mains dans tous les sens.

— Je t'écoute.

Sa mère s'empara d'un torchon, dans lequel elle essuya lentement ses mains, son regard de feu fouillant celui de sa fille.

— Eh bien, tu sais, ces derniers temps, j'ai cru que je devenais vieille. Que je ne serais plus jamais fécondable.

— Allons, allons, répliqua Louise en esquissant un large geste de la main. Ça m'est tombé dessus à cinquante-deux ans, tu as encore le temps.

— Je sais, maman. Comment dire?

Rose laissa échapper un petit rire nerveux.

— En fait, je suis encore tout à fait capable de porter un enfant. Pour preuve, je suis enceinte.

Rose ne vit pas venir la gifle que lui assena sa mère. Puis, la voix de Daniel cria, derrière elle:

— Pourquoi tu as giflé ma mère, espèce de vieille cinglée?

Heureusement, Rose faisait barrage de son corps entre sa mère et Daniel. Martin, alerté par les hauts cris, descendit l'escalier le plus vite que sa jambe le lui permettait. Il prit Daniel par les épaules afin de l'emmener se calmer dans une autre pièce. Lorsque son fils fut complètement hors de portée de voix, Rose lança sèchement à sa mère:

— Tu es contente de toi?

— Et toi? invectiva Louise en s'avançant vers elle. Tu comptes me faire croire que ton mari est le père de l'enfant que tu portes? Qu'es-tu allée faire de tes fesses, enfin? Tu te prends pour une traînée?

— Je te défends de me parler de la sorte! Si tu n'avais pas cherché à me gâcher la vie, je n'en serais certainement pas là aujourd'hui!

Louise marqua un temps d'arrêt, tentant d'assimiler ce que venait de lui dire sa fille. Puis, tout fut clair dans son esprit.

— Richard! C'est Richard! Tu l'as revu, n'est-ce pas?

— Qu'est-ce que cela peut bien faire?

— Oh, mon dieu. Et tout cela est de ma faute. J'aurais bien dû me douter que tu n'en étais pas guérie.

— Eh bien, réjouis-toi, maintenant je le suis. Et je vais garder cet enfant.

Louise se servit un verre d'eau et en tendit un à Rose.

— Et Édouard? demanda-t-elle.

— Il sera au courant dès ce soir.

Louise avala la totalité de son verre d'eau et tira ses conclusions:

— Tu as de la chance dans ton malheur. Ton mari n'a aucun tempérament. Il ne te jettera pas et fera comme si de rien n'était.

Elle fit une pause et reprit:

— Alors nous n'en parlerons plus. Ton enfant sera bien un Garnier et Édouard aura réussi, aux yeux des autres, l'exploit de t'en faire un deuxième.

Ainsi, l'accord était tacite; l'affaire serait passée sous silence. Il restait juste à espérer qu'Édouard réagirait selon les prévisions de Louise.

— Vous viendrez souper tous les deux ici, ce soir, ajouta la vieille femme. Tu lui annonceras la nouvelle en notre présence, même si je doute sincèrement qu'il fasse un esclandre. Maintenant, va parler à ton père.

Rose ne se fit pas prier et trouva son père dans le garage, où il expliquait à Daniel quelques rudiments de mécanique. Mais l'adolescent s'en fichait éperdument, ruminant sa colère contre Louise.

— Maman! s'exclama-t-il en voyant Rose arriver. Tu vas bien?

— Oui. Tout va très bien, Daniel, répondit-elle en passant un bras autour des épaules de son fils.

— Pourquoi elle t'a fait ça?

— Elle… elle avait mal compris quelque chose que je lui ai dit et elle s'est un peu emportée. Je t'expliquerai plus tard.

— Jamais je ne lui pardonnerai!

Rose extirpa un peu de monnaie de sa poche.

— Va t'acheter ce que tu veux, Daniel, puis rentre à la maison. Je dois parler à ton grand-père.

Rose observa son fils s'éloigner. Il ressemblait de façon frappante à son grand-père décédé, Armand Garnier. Grand, il était parti pour développer une carrure imposante. Déjà, ses camarades d'école ne se frottaient pas trop à lui, craignant d'être broyés entre ses mains puissantes.

— Que se passe-t-il, ma fille? demanda Martin avec une pointe d'inquiétude dans la voix.

— Oh, papa, roulons, je t'en prie. J'ai fait une bêtise.

Rose s'installa au volant de la voiture de son père, Martin prenant place du côté passager. Elle démarra et s'engagea vers la sortie d'Aubéry, roulant à vive allure dans la campagne qui se parait des couleurs de l'automne, accumulant les feuilles mortes aux couleurs jaunâtres et rougeâtres des arbres qui se dénudaient. Rouler de la sorte l'aidait à faire le vide en elle, à reléguer ses soucis dans un coin de son cerveau. Au bout de quelques kilomètres durant lesquels Martin respecta le silence de sa fille, Rose se décida enfin à parler :

— Cet été, lorsque Richard est revenu, j'ai couché avec lui.

— Ah.

Martin tourna la tête vers Rose, indécis. Enfin, il lui demanda :

— Pourquoi as-tu ressenti le besoin de nous le dire ?

— Parce que je porte son enfant.

— Je comprends donc ce qui a fait sortir ta mère de ses gonds.

Il soupira, cherchant à chasser de sa canne une poussière imaginaire.

— Pourquoi n'avez-vous pas pensé à faire attention ?

Rose écarquilla les yeux de surprise.

— Quelle question, papa ! Qui aurait pu penser qu'à bientôt quarante ans je pourrais à nouveau être enceinte ? Cette idée ne m'avait pas effleurée.

Martin sourit tristement.

— Rose, tu sais bien que je ne te jugerai jamais. Nous faisons tous des erreurs, plus ou moins importantes…

Il laissa sa phrase en suspens, haussa les épaules et reprit :

— Édouard est-il au courant ?

— Pas encore. Il le sera ce soir.

Elle lui parla du souper prévu par Louise.

— Je suis assez d'accord avec ta mère, ma Rose. Il vaut mieux que vous ne soyez pas seuls à ce moment-là.

Louise et moi convaincrons Édouard, si cela s'avérait nécessaire, de sauver les apparences. C'est ce que tu veux, n'est-ce pas? demanda-t-il avec une pointe d'hésitation dans la voix.

Rose lâcha un rire sarcastique.

— Je te rassure, papa, je ne compte pas rejoindre Richard à Bombay et ruiner son mariage. Ce qui s'est passé entre nous était une sorte d'adieu. Dont je vais visiblement garder un souvenir.

Martin posa sa main sur celle de sa fille.

— Quoi qu'il arrive, ma chérie, je serai là. Et je sais que ce sera également le cas de ta mère. Au besoin, nous ne manquerons pas de rappeler à ton mari que s'il ne t'avait pas délaissée, tu ne serais peut-être pas allée te consoler ailleurs.

...

Le souper qui se déroula le soir même resta gravé dans la mémoire de Rose comme étant l'un des pires moments de son existence. Daniel regardait sa grand-mère en chien de faïence, tandis qu'Édouard se demandait pourquoi on cassait la routine un soir de semaine. Louise parlait bien plus qu'à son habitude, elle avait même allumé une cigarette pour la première fois depuis deux ans, trahissant ainsi sa nervosité. Martin n'avait de cesse de fixer sa fille, d'un air soucieux. Cette dernière avalait difficilement chaque morceau de viande qu'elle coupait. Après le dessert, Louise proposa à son petit-fils :

— Daniel, tu peux aller écouter de la musique en bas. Il n'y a pas de clients, c'est le moment de mettre les disques que tu veux.

Si l'adolescent trouva cette proposition étrange, il n'en dit rien et quitta la pièce, sans un mot pour sa grand-mère. Louise servit le café et Martin toussota, faisant comprendre à Rose que le moment était venu. Comme elle ne semblait pourtant pas se décider, Louise dit, en se tournant vers son gendre :

— Je crois que Rose a une nouvelle à nous annoncer, ce soir.

Édouard lança un regard interrogateur à sa femme. Elle ne pouvait plus se défiler. Alors, elle se para d'un sourire innocent et annonça à la cantonade, comme si c'était une nouvelle que tout le monde espérait :

— Je suis enceinte.

Un silence de plomb retomba autour de la table tandis que la voix de Petula Clark chantant *Downtown* montait de la boutique. Rose parvint à fixer son mari jusqu'au bout, même lorsqu'une lueur de mépris traversa son regard vert. Édouard se remplit un copieux verre de vin, le descendit cul sec et déclara :

— Eh bien, c'est une nouvelle vraiment surprenante, mais ma foi, nous ferons avec.

Rose le regarda comme s'il avait perdu la raison. Louise ouvrit la bouche et la referma aussitôt, tout mot sensé restant coincé dans sa gorge. Martin osa intervenir :

— Je pense qu'étant donné les circonstances, on ne peut pas tenir rigueur à Rose de…

Mais Édouard coupa aussitôt la parole à son beau-père :

— Non, nous ne tiendrons rigueur de rien à personne. Rose est enceinte, nous allons donc avoir un deuxième enfant. Il est temps pour nous d'acheter une maison, non?

...

Nadège, une fillette vigoureuse, naquit à la fin du mois de mars 1965, dans la maison que le couple Garnier avait achetée trois mois auparavant. Rose avait perdu les eaux chez ses parents, un dimanche après-midi où toute la famille était réunie dans le salon. Elle se souviendrait toute sa vie qu'à cet instant précis, Daniel et Emmanuel lisaient des albums dessinés dans la boutique, laissant les Beatles chanter à tue-tête *Help!* sur le tourne-disque. Il était trop tard pour la conduire à l'hôpital, situé à plus de trente kilomètres de là, mais avec l'appui de son mari et de sa mère, elle avait pu rejoindre sa maison, qui se trouvait dans la même rue. Paulette, sa belle-sœur, avait déclaré d'un air dégoûté qu'il valait mieux qu'elle emmène les garçons au château.

— Tant mieux, nous ne l'aurons pas dans les pattes, avait soupiré Louise.

Édouard était allé quérir le docteur, le père de Richard, qui ignorait totalement qu'il était le grand-père de la petite fille qui s'apprêtait à voir le jour. Rose accoucha dans d'atroces douleurs, le bébé se présentant par le siège. Prise de délires, elle vit cela comme une punition divine pour avoir commis un terrible péché.

Édouard s'occupa immédiatement du bébé comme de sa propre fille. Ils n'avaient reparlé qu'une seule fois de cette grossesse adultère, un soir où Édouard avait bu plus que de raison.

— C'est Richard, n'est-ce pas? avait-il lancé.

Rose avait acquiescé silencieusement. Il avait ensuite quitté la maison pour aller se saouler. Plus jamais ils n'évoquèrent le sujet et Daniel ne sut rien. Âgé de quatorze ans, il accueillit sa petite sœur comme un cadeau du ciel, une poupée délicate aux boucles châtaines, à protéger de tout.

L'adolescent, qui avait été autrefois si proche de sa grand-mère, s'était franchement éloigné d'elle depuis la gifle qu'elle avait assenée à Rose. Il la fuyait comme la peste, se rendant chez elle quand il n'avait vraiment pas d'autre choix. Rose, quant à elle, se montrait parfois des plus indulgentes envers Louise alors que, d'autres fois, elle marmonnait que sa mère était à l'origine de tous leurs malheurs. Daniel ne se considérait pas comme malheureux et tenta bien d'élucider ce mystère, mais lorsqu'il évoquait le sujet, sa mère s'enfermait dans un mutisme qui cessait uniquement lorsqu'elle sortait du four l'un de ses délicieux gâteaux marbrés au chocolat. Alors, le ciel aurait bien pu s'effondrer.

## 30.

*1965-1980.*

Au cours des deux premières années de Nadège, Rose connut une rare félicité. Sa fille était ravissante, avec son teint de porcelaine et ses boucles châtaines. Surtout, la flamme qui dansait dans ses yeux était exactement la même qui animait le regard de Richard. On y lisait son côté frondeur et espiègle ; sa mère ne l'en aimait que davantage.

Tout le monde était fou de cette gamine : Édouard, à la plus grande surprise de sa femme, se comportait en père joueur et attentif, comme il ne l'avait même jamais fait avec Daniel. Cette petite semblait tout représenter à ses yeux. Louise la gâtait également énormément. Rose écrivait dans son journal que tous cherchaient certainement à compenser le fait qu'elle ne connaîtrait jamais sa véritable ascendance. Alors ils la comblaient par tous les moyens possibles, prévenant le moindre de ses besoins, afin qu'elle n'aille jamais chercher ailleurs si l'herbe pouvait être plus verte. Édouard en oubliait même de boire et se rapprochait de plus en plus de Rose, partageant avec elle des soirées complices, durant lesquelles ils refaisaient le monde, lisaient, regardaient la télévision ou faisaient l'amour comme jamais ils ne se l'étaient permis auparavant. Dans une certaine mesure, Nadège sauva ce qu'il restait du mariage de ses parents.

Désormais, les Garnier partaient chaque été trois semaines au bord de la mer, en Vendée. Rose trouvait l'eau trop froide pour s'y baigner, mais elle aimait prendre le soleil et lire sur la plage – quand le vent ne tournait pas les pages plus vite qu'elle ne pouvait les lire –, tandis que Daniel et Édouard initiaient Nadège au plaisir des vagues. Ils avaient réussi à créer une certaine harmonie familiale, qu'ils savaient néanmoins fragile. C'était peut-être pour cette raison qu'ils faisaient tout pour profiter de chaque instant de cette miraculeuse paix qui leur était accordée. Daniel, devenu un véritable passionné de la terre et des plantes, entra comme apprenti jardinier au château, aux côtés de son père. Rose travaillait toujours à la boutique, confiant Nadège à Martin, pour le plus grand plaisir de ce grand-père qui se plaisait à éveiller sa petite-fille à la lecture, aux jeux en tout genre, à la musique et aux promenades. Pourtant, cette accalmie leur fut retirée en avril 1968.

C'était un vendredi après-midi. Nadège avait soufflé ses trois bougies le mois précédent. Ce jour-là, l'activité de la boutique tournait au ralenti et Rose s'était octroyé une heure de pause, pour emmener sa fille se promener le long de la rivière. L'enfant avait été grognon et capricieuse durant toute la matinée, aussi put-elle se calmer en courant dans les herbes hautes, cherchant à y dénicher des papillons, sa passion du moment. Le ciel s'était soudainement chargé de lourds nuages gris, prenant la couleur du bitume avant de s'assombrir complètement. Mère et fille n'avaient eu que le temps de courir pour aller se réfugier à la boutique. De grosses gouttes de pluie tambourinaient contre les vitres du magasin, dans lequel on avait dû allumer la lumière à cause de ce temps quasi apocalyptique.

Rose s'ébroua à l'entrée de la boutique et ôta le manteau de Nadège, lui ordonnant d'aller se sécher près du poêle, dans la cuisine. Liliane était en train de faire essayer une robe à une cliente. Rose ne vit pas tout de suite sa mère, adossée contre le comptoir, comme si elle portait tout le poids du monde sur ses épaules.

— Rose, appela Louise d'une voix blanche.

L'interpellée posa alors son regard sur la vieille femme et se mit à redouter le pire.

— Maman? Qu'est-ce qu'il y a? Tu ne te sens pas bien?

— Je vais bien, ne t'inquiète pas.

— C'est papa? cria Rose. Où est-il?

— Il est au téléphone, en haut. Monte le rejoindre, s'il te plaît, je vais m'occuper de Nadège.

Rose se précipita dans l'escalier et trouva son père dans le salon, alors qu'il raccrochait juste le combiné du téléphone. Il posa sur elle un regard plein de tristesse.

— Rose, viens t'asseoir, ma fille.

Mais elle resta fermement plantée sur le seuil de la pièce.

— Est-ce que quelqu'un peut me dire ce qui se passe, ici?

Martin soupira, affichant un air des plus désolés.

— Ta mère et moi venons d'avoir Fanny au téléphone.

— Il est arrivé quelque chose à Béatrice ?

Son père hocha négativement la tête et ce fut à ce moment-là que Rose sut. Sa respiration se fit plus saccadée, au fur et à mesure que les mots de Martin flottaient dans la pièce :

— C'est Richard. Il a attrapé une sorte de fièvre, suite à une piqûre de moustique, en Asie du Sud-Est. Son état a rapidement empiré et il a succombé. Je suis navré, Rose.

Elle ne parvenait plus à respirer, son cœur semblant être remonté pour lui comprimer entièrement la gorge. Peut-être qu'elle hurla. Peut-être même qu'elle eut le temps de pleurer. Et puis d'un coup, le trou noir.

...

À nouveau, Rose perdit pied et le bonheur se faufila rapidement vers le sens de la sortie, pour ne plus revenir.

Le corps de Richard fut rapatrié à Aubéry. Les funérailles s'avérèrent déchirantes, on salua ce héros de la Résistance qui avait pu miraculeusement s'enfuir d'Allemagne et rentrer sain et sauf à Aubéry avant de s'engager dans le maquis. On rendit un vibrant hommage à ce médecin dévoué à la santé des plus démunis de ce monde. Après une semaine durant laquelle elle dut garder le lit, Rose ne s'était pas sentie en état d'assister aux funérailles. Parfois, elle avait l'impression que sa raison vacillait, sans jamais s'enfuir tout à fait. Alors elle regardait Nadège, ce souvenir que lui avait laissé Richard, mort sans savoir qu'il avait été père pour une troisième fois, et elle se disait qu'il lui restait au moins une raison de vivre. Les manifestations et troubles du mois de mai glissèrent sur elle comme s'ils n'avaient même pas existé. La mort de Richard lui ôta complètement tout intérêt pour ce qui se passait dans le pays. Pour ses enfants, elle reprit tant bien que mal le cours de sa vie, même si l'aigreur la gagnait à nouveau.

Peu après les funérailles de Richard, on apprit que Babeth avait décidé de venir vivre à Aubéry, près de chez ses beaux-parents. Rose avait senti monter en elle une bouffée de colère et, sans rien dire à personne, avait un jour traversé le village d'un pas ferme, s'arrêtant seulement une fois arrivée devant la maison que louait Babeth. Elle sonna avec insistance et lorsque la veuve vint lui ouvrir, elle la bouscula sans ménagement et vociféra :

— C'est de ta faute, s'il est mort !

Babeth resta un instant interdite, avant de balbutier :

— Mais enfin, Rose, que veux-tu dire ?

— C'est de ta faute ! cria-t-elle encore, en envoyant un coup de poing dans le mur. Tu as toujours su ce qu'il y avait entre nous et tu l'as tué ! Je ne l'aurais pas laissé mourir, moi !

Rose fut soudain saisie par les épaules et ramenée fermement en arrière.

— Tu te calmes, Rose !

C'était Gérald, le père de Richard. Le médecin et sa femme, invités à prendre le café chez Babeth, étaient arrivés au bon moment. Rose croisa le regard de Fanny et sembla tout à coup revenir à la raison. Elle fondit en larmes et tomba dans les bras de l'amie de Louise.

— C'est de la faute de ma mère, haleta-t-elle. Si elle n'avait pas… fait tout ce mal… Richard ne serait peut-être pas mort, à l'heure qu'il est.

— Allons, allons, tenta de l'apaiser Fanny. On ne peut rien y faire, Rose.

Au bout de quelques minutes, Gérald raccompagna Rose chez elle, non sans lui avoir préalablement administré un léger calmant.

...

De nouvelles années s'écoulèrent sans qu'aucun événement particulier ne vienne troubler la famille, unie autour de Nadège. Si Rose avait emmagasiné en elle une grande amertume, elle gardait toute son énergie pour sa fille.

Nadège était élevée dans un véritable cocon et ses proches avaient pris l'habitude de céder au moindre de ses caprices. Maintenant que son véritable père était mort, comme l'écrivait Rose, n'allait-elle pas ressentir inconsciemment une sorte de manque? Alors on comblait les désirs de la petite, à laquelle on ne posait pratiquement pas de limites. Seul Martin osait parfois protester que la gâter ainsi n'était pas la solution, mais il se faisait immanquablement remettre en place par Louise, Rose et Édouard, terrifiés à l'idée de contrarier la gamine, qui faisait d'eux tout ce qu'elle voulait.

Toute la famille continuait à mener son petit train de vie. L'été, les Garnier s'entassaient dans la petite voiture achetée par Édouard et ils partaient en Vendée. Daniel découvrait les joies des amourettes, mais il ne s'attachait jamais vraiment à ses conquêtes. Rose en vint à se demander s'il n'allait pas suivre les traces de l'oncle Jacques, qui, à soixante-cinq ans, ne s'était toujours pas fixé. Il fallait pourtant bien que jeunesse se passe et, finalement, elle y trouvait son compte, pas certaine de se sentir prête à marier son fils. Il avait bien le temps, après tout, et Louise approuvait tout à fait le raisonnement de Rose. Les relations conflictuelles dont les deux femmes avaient été autrefois coutumières étaient désormais loin derrière elles. Si Rose n'était pas toujours certaine de comprendre les choix de Louise, elle avait appris à faire avec cette mère qui se démarquait de toutes les autres et avait réussi à étouffer l'oiseau dans son œuf. Rose ne lui tenait toutefois plus rigueur de la trahison de 1947 et savait savourer les moments passés chez ses parents. Le dimanche, ils se réunissaient en famille. Martin et Édouard sortaient parfois en barque avec quelques autres villageois, pour le plaisir d'aller pêcher quelques truites et carpes dans la rivière. Ce fut ainsi que l'accident se produisit.

C'était en 1971, à la fin du mois de septembre. La journée était fraîche mais ensoleillée, les feuilles tourbillonnaient en tombant des arbres, avant de former un tapis aux couleurs automnales. Les cheminées se rallumaient les unes après les autres, charriant cette odeur si particulière qui rappelait que l'hiver allait bientôt venir figer la nature. Après le dîner dominical chez les Gestin, Édouard, Daniel et Martin étaient partis rejoindre quelques copains pour une sortie en barque. Martin, malgré ses soixante-dix-sept ans et sa jambe qui le faisait parfois cruellement souffrir, ne parvenait pas à renoncer à ce plaisir, duquel il rentrait à chaque fois ragaillardi.

Une heure s'était écoulée depuis le départ des hommes et, après avoir bavardé avec Louise autour d'un dernier café, Rose aidait sa mère à essuyer la vaisselle. Nadège coiffait une énième poupée que son père lui avait offerte. La petite savait y faire, avec ses deux yeux foncés et espiègles qui leur rappelaient tant par quel coup du destin elle était née.

Tout à coup, les deux femmes sursautèrent en entendant une ruée dans la boutique. Elles s'y précipitèrent et tombèrent sur les hommes, qui soutenaient Martin.

— Il faut le mettre au lit avec une bouillotte et des couvertures, lança Daniel, affolé.

Grand et fort, il prit son grand-père dans ses bras pour le monter jusqu'à sa chambre. Rose s'élança à sa suite, entendant son père protester qu'il n'allait pas se briser en mille morceaux.

— Mais enfin, Daniel, qu'est-il arrivé ? demanda-t-elle, essoufflée d'avoir couru dans les escaliers.

Les vêtements de Martin étaient trempés. Elle ouvrit l'armoire pour en sortir deux grosses couvertures qu'elle enroula autour de son père. Pendant ce temps, Daniel lui expliqua que le vieil homme s'était mis debout dans la barque en sentant une carpe mordre à l'hameçon. Une vive douleur s'était alors emparée de sa jambe, le déséquilibrant. Il était tombé à l'eau.

— J'ai sauté, continua Daniel, mais le courant m'a ralenti. Papa m'a aidé et à nous deux on a pu le ramener.

Louise apporta une bouillotte et les aida à mettre Martin au lit. Elles donnèrent des serviettes et vêtements chauds à Daniel et Édouard, leur servant du café. Tout le monde fut finalement soulagé qu'il y ait eu plus de peur que de mal.

Pourtant, le lendemain matin, Martin commença à subir des quintes de toux assez importantes. Le jeune médecin qui venait de s'installer au village diagnostiqua une bronchite et lui prescrivit des médicaments. Malgré tout, l'état de santé de Martin se dégrada, la fièvre augmenta en même temps que la toux, il se plaignait de douleurs de plus en plus importantes à la poitrine. Faible, il ne pouvait même plus sortir du lit. Le docteur décida de le faire hospitaliser. La bronchite avait dégénéré en pneumonie. Le vieil homme n'y survécut pas et s'éteignit entouré des siens, tenant la main de Louise dans la sienne.

Si Martin avait vécu en homme discret, gardant pour lui ses secrets sans faire de vagues, sa mort laissa pourtant un grand vide à la boutique. Rose se sentit orpheline et pleura longuement ce père tant aimé. Louise resta digne, bien qu'elle semblât avoir pris dix ans d'un seul coup. Elle perdit rapidement son énergie légendaire et devint plus frêle, remplaçant de plus en plus souvent Martin sur le banc devant le magasin. Léonie, bien que pieuse, fut également affectée par la mort de son père mais ne put apporter aucune parole de réconfort à sa mère.

...

Les mois s'écoulèrent lentement. Rose était restée une femme d'une beauté délicate, sur laquelle aimaient se retourner les hommes. La bonne entente avec Édouard, retrouvée à la naissance de Nadège, perdurait. Il ne buvait plus une seule goutte d'alcool et Rose avait enfin consenti à se laisser aimer. Un jour, pourtant, une cliente lui rapporta que les Garnier étaient la cible de ragots. Il se murmurait en effet qu'Édouard entretenait une liaison avec Babeth, la veuve de Richard.

Son mari avec la veuve de celui qui avait été son grand amour! L'ironie de la situation ne lui échappait pas et elle ne savait plus que penser. Certains jours, elle n'y croyait pas, se disant que l'on racontait cela par pure méchanceté, tandis qu'à d'autres moments, ceux où elle sentait le ressentiment et la colère livrer bataille en elle, elle imaginait sans mal Babeth en briseuse de ménages, la narguant d'un sourire de triomphe.

Édouard remarquait que sa femme semblait tracassée, mais il n'osait pas insister lorsqu'elle lui mentait en prétendant que tout allait bien. Elle passait des nuits blanches à écouter ronfler son mari, anticipant déjà la dispute qui aurait lieu si jamais elle évoquait le sujet. Il lui jetterait certainement à la figure qu'elle ne manquait pas de culot, puisque, après tout, elle avait été engrossée par un autre!

Finalement, un soir, n'y tenant plus, alors que Daniel était sorti et Nadège au lit, elle lança sur un air de conversation, tout en tricotant:

— Certaines personnes disent que tu couches avec Babeth.

Édouard baissa son journal et la dévisagea. Il reposa le crayon qui lui servait à remplir les mots croisés et se pencha vers sa femme.

— Ne me dis pas que tu prêtes une oreille attentive à ces rumeurs.

— Cela me travaille, c'est tout.

Il soupira et secoua la tête, dans un mouvement de dénégation.

— Rose, regarde-moi bien. J'ai eu des aventures dans le passé, je le reconnais. Nous avons traversé une phase délicate, toi et moi. Mais nous avons trouvé un certain équilibre et je t'assure que je n'ai plus envie d'aller voir ailleurs.

Rose lut la sincérité dans ses yeux et il ajouta :

— Et puis, je ne suis pas mauvais au point de vouloir te faire souffrir en choisissant délibérément cette femme pour maîtresse, enfin !

L'incident fut clos et Rose retrouva le sommeil.

Il se murmurait que l'usine de textile allait prochainement fermer ses portes. La crise pétrolière de 1973 avait fragilisé le monde et certains commerçants commençaient à jeter l'éponge. L'épicerie qui avait remplacé le café du Bourg n'existait déjà plus, ayant ployé sous le poids de la concurrence des supermarchés qui ouvraient aux alentours. Rose savait qu'ils étaient à l'abri du besoin, mais elle ne pouvait s'empêcher de craindre pour la boutique. Si l'usine fermait, que leur resterait-il à vendre ? À bientôt cinquante ans, elle se fichait bien de ne plus travailler, mais elle s'inquiétait de la réaction de sa mère si cette dernière devait fermer le magasin qu'elle s'échinait à faire vivre depuis 1920.

Louise ne s'était jamais résolue à prendre sa retraite. Pourtant, depuis la mort de Martin, elle ne s'intéressait plus vraiment aux affaires, se réfugiant le plus souvent dans ses pensées, revivant sans doute ses jeunes années. Louise avait-elle des regrets? Si tout était à refaire, agirait-elle de la même façon? Rose savait qu'elle n'aurait jamais les réponses à ses questions; sa mère ignorait qu'elle était au courant des circonstances de son mariage avec Martin.

Assistant au lent déclin de sa mère, Rose se remémorait les actes commis par le passé et se demandait ce qu'auraient été leurs vies si les choix des uns et des autres avaient été différents. Il y avait eu trop de drames. Elle en concluait invariablement que les femmes de leur famille n'étaient que des poisons qui distillaient lentement leur venin.

L'année 1978 arriva et fut une année particulièrement cruciale. Daniel rencontra une jeune femme de son âge, Laurence, une grande et belle fille au doux regard marron. Laurence était issue d'un milieu ouvrier; ses parents s'étaient installés à Aubéry lors de l'ouverture de l'usine de textile. Rose l'embaucha à la boutique, pour remplacer Liliane, qui partait à la retraite. Daniel s'enticha immédiatement de la jeune fille et Rose sut que, cette fois-ci, son fils allait partir pour de bon. Un soir où il se préparait à emmener sa belle à la discothèque, Rose lui demanda de but en blanc s'il était amoureux.

Daniel soupira, gêné de devoir évoquer ces choses-là avec sa mère. Il était devenu un homme séduisant avec son regard clair et sa moue boudeuse.

— Est-ce que je te pose des questions, moi, maman?

Pourtant, si elle n'aimait pas contrarier son fils, Rose insista:

— Tu vas l'épouser?

— Je crois bien que oui, répondit-il en souriant.

Ajustant son col de chemise, il continua:

— Nous comptons nous installer ensemble, alors je suppose que nous passerons devant monsieur le maire. Et puis Laurence a compris mon point de vue, c'est le principal.

Rose lança, étonnée:

— Ton point de vue?

Il se retourna vers elle et répondit, avant de sortir:

— Je ne veux pas d'enfants, maman. Il y aurait trop de risques pour que ce soit une fille. Tu m'as dit toi-même que, dans notre famille, les femmes n'apportent que du malheur. Je ne veux pas perpétuer la tradition.

Rose en resta effarée, horrifiée. Quand avait-elle bien pu dire cela? Est-ce que Daniel l'avait entendue se parler à elle-même, lorsqu'elle ressassait le passé? Avait-il pu tomber sur son journal et le lire en cachette? Ou bien avait-elle distillé dans l'esprit de son fils le venin qui la rongeait?

Mais pour l'heure, elle avait d'autres préoccupations en tête. Si Daniel ne voulait pas avoir d'enfants, c'était son choix. Rose avait assez à faire. En grandissant, Nadège était devenue une adolescente assez imprévisible. À treize ans, elle était studieuse à l'école et se montrait pleine de vie. La jeune fille voulait tour à tour devenir chanteuse, danseuse ou actrice. Elle suivait des cours de danse, se trémoussait au son des musiques disco de Blondie, Abba, Boney M ou encore des Bee Gees, dévorait les revues qui s'adressaient aux adolescentes. Elle se passionnait également pour l'archéologie, la lecture et le corps humain. Depuis que Daniel et Laurence l'avaient emmenée voir *Grease* au cinéma, elle attendait même impatiemment d'être en âge de se teindre les cheveux afin de ressembler à Olivia Newton-John, la vedette féminine du film. Nadège était une adolescente qui n'avait pas hérité de la haute taille de ses parents, elle serait aussi petite que Louise. Elle était très jolie, ayant gardé son teint de lait, ses longues boucles châtaines et son regard à la fois profond et espiègle. La plupart du temps, elle se montrait adorable, mais elle pouvait parfois entrer dans des colères noires avant de tomber dans des mélancolies sans fin. Ces états n'avaient de cesse d'inquiéter Rose, car elle avait peur que sa fille ne se montre trop passionnée ou exaltée, comme elle-même l'avait été autrefois. Édouard continuait à s'occuper d'elle comme de la prunelle de ses yeux et l'adolescente ne semblait se douter de rien concernant son véritable géniteur. Mais Rose se promit d'emmener sa fille consulter un spécialiste.

Elle dut remettre ses projets à plus tard, car à la fin de l'année, on diagnostiqua à Louise une leucémie. La vieille femme était fatiguée, fragile, saignait beaucoup et contractait le moindre virus. Rose comprit que la fin était proche et se prépara à l'instant fatal où sa mère irait rejoindre Martin pour toujours. Son espérance de vie était réduite, elle ne tiendrait pas plus de deux ans. La famille décida de lui accorder une fin de vie des plus douces.

Rose ferma définitivement la boutique, en accord avec sa sœur. Un second choc pétrolier se produisit en 1979. L'usine de textile rendit les armes. Rose sut qu'elle avait pris la bonne décision, évitant ainsi un endettement irrémédiable. Les jeunes gens commençaient à quitter le village pour aller chercher du travail en ville. Daniel et Laurence restèrent, même si cette dernière se fit embaucher dans un supermarché, en tant que caissière.

Louise connut le bonheur de voir le mariage de son petit-fils. Plus la mort approchait, plus son caractère s'adoucissait. Rose en venait même parfois à douter que sa mère a été à l'origine de tant de drames. Le jeune homme accepta de faire l'effort, durant les derniers mois de l'existence de sa grand-mère, d'oublier les griefs qu'il gardait contre elle depuis cette matinée de 1964 où il l'avait vue gifler Rose.

Après une tentative de suicide avortée, Nadège vit enfin un médecin, qui diagnostiqua des épisodes de psychoses maniacodépressives. Elle dut prendre un traitement, bien lourd pour une adolescente, afin de réguler ses humeurs. Cette maladie était encore peu connue et les médicaments pas très adaptés. Néanmoins, Rose déboursa des sommes exorbitantes pour la faire soigner, ne regardant pas la dépense. Pour compenser le mal-être de sa fille, elle continuait à la gâter, lui offrit même un petit chien. Son père lui achetait tout ce qu'elle désirait et Daniel tenta d'avertir sa mère qu'ils étaient en train de faire une énorme bêtise en agissant ainsi. Rose lui rétorquait invariablement qu'il était jaloux et le jeune homme partait en claquant la porte. Le fait était là, ils n'avaient pas le cœur de refuser quoi que ce soit à Nadège, rongés par la culpabilité et la peur qu'elle n'ait l'idée de penser que, peut-être, un secret entourait sa naissance.

Au début de l'année 1980, Rose ne se consacrait plus qu'à sa mère. La fin était très proche et elle ne quittait désormais pratiquement plus la maison de ses parents, aidée par sa sœur, qui avait délaissé le couvent pour accompagner vers la fin du chemin une Louise diminuée, dont le regard était déjà habité par la mort. Un matin, la vieille femme appela, d'une voix qui n'était plus qu'un murmure :

— Rose… Léonie…

— Nous sommes là, maman.

— Je suis en train de partir. Votre père vient me chercher.

Les larmes montèrent aux yeux de Rose tandis que Louise articulait difficilement :

— Je suis si désolée pour tout. Maintenant qu'un autre monde m'attend, je me rends compte que tout cela, ce n'était rien, en fait.

— Chut ! Repose-toi, maman, ne te tourmente pas.

— J'aurais dû tout faire pour vous rendre heureuses. Mais je n'ai pensé qu'à moi. Au moins, Léonie, tu as su trouver ton chemin. Mais toi, ma Rose, tu as tant souffert ! Ta vulnérabilité m'effrayait, tu sais, et m'a fait commettre d'énormes bêtises. Je n'ai pas agi comme je l'aurais dû. Saurez-vous me pardonner, toutes les deux ?

Rose fit signe à sa sœur que le moment était venu. Elles accompagnèrent leur mère dans son passage vers d'autres cieux, lui tenant chacune une main, leurs doigts entrelacés.

L'enterrement de Louise Gestin rassembla une bonne partie du village ; la foule entière ne put être contenue dans la petite église. On salua sa mémoire, reconnaissant la femme de poigne qu'elle avait été, ce qui lui avait permis de faire d'un simple magasin de confection une affaire florissante durant près de soixante ans. Avec Louise, c'était toute une époque qui s'éteignait définitivement.

Rose sentit un gouffre s'ouvrir en elle, une forme de vide qui lui donna le vertige lorsqu'elle réalisa pour de bon que ses deux parents n'étaient plus. Le deuil de son père avait été difficile à faire et la mort emmenait avec Louise les dernières traces d'un passé familial aussi intense que mouvementé. Sa mère ne la tiendrait plus jamais sous son joug, mais cette pensée, loin de la réconforter, lui donnait le sentiment angoissant de n'être plus qu'une petite fille perdue.

31.

*Lola.*

Un flot ininterrompu de larmes ruisselle sur mes joues. Certaines gouttes tracent un lent chemin jusque sous ma mâchoire pour stopper leur course le long de ma gorge. Avant de refermer définitivement le carnet, je consulte une note laissée par Rose, sur la couverture intérieure :

*« Pour connaître le secret lié à ta naissance et à ton abandon, tu devras aller voir Frédérick, qui te remettra en mains propres une dernière enveloppe. Tu pourras la récupérer au bout de dix jours de recherches, pas avant. »*

Dix jours de recherches. Jeudi 7 mai. Après-demain, donc. Soit encore quarante-huit longues heures avant de posséder enfin toutes les réponses à mes questions. Pourquoi Rose a-t-elle confié cette dernière enveloppe au notaire ? Je me creuse les méninges pour tenter de comprendre. Le problème, c'est que je suis ce genre de femme dont les larmes ont tendance à noyer toute activité cérébrale. J'envisage malgré tout une hypothèse qui me paraît vraisemblable. Rose voulait peut-être être certaine que je sois bien imprégnée de notre histoire familiale. Son défi est rempli ; ses carnets ont réussi à me tenir en haleine. Mais que vais-je bien pouvoir faire d'ici jeudi ?

D'un revers de la main, je tente d'essuyer maladroitement ce qu'il reste de mes larmes. J'ai du mal à me remettre de tout ce que je viens de lire. J'ai vécu les deuils comme si je les avais connus, avec douleur, tristesse et sentiment de gâchis. Comme se l'est demandé Rose, je ne peux m'empêcher de me questionner sur ce qu'aurait été notre histoire si Louise n'était pas intervenue directement dans le destin de sa fille. Ou si Rose avait eu la force de se secouer et de tenir tête à sa mère. Nous ne le saurons jamais. La seule certitude que j'ai, c'est que je suis la petite-fille de Richard et non celle d'Édouard. Je ris légèrement en me souvenant que, lors de ma visite à Béatrice, je me sentais bien au point d'avoir l'impression d'être comme chez une vieille tante. Finalement *j'étais* chez une vieille tante… Voilà. Demain matin, je vais commencer par aller la voir. Elle est forcément au courant que Richard était mon grand-père.

J'avale un verre d'eau et rallume mon téléphone. La maison me paraît froide et vide, maintenant que je suis arrivée à ce stade de l'histoire où ses personnages ne sont plus en vie. Le passé se fond à nouveau dans le présent, me laissant avec un sentiment d'impuissance qui ne disparaîtra sans doute que lorsque je découvrirai ce qui est arrivé à Nadège. Ma mère. Je tire une chaise jusque dans la cour et m'assois sous le soleil de cette fin de journée. J'ai reçu deux textos. Le premier de

Vincent, qui me propose de venir passer la journée chez lui vendredi. Si je suis d'accord, il viendra me chercher et nous ferons un barbecue durant lequel il me présentera à sa femme et à son fils. Il l'ignore encore, mais vendredi, je saurai de façon définitive si nous sommes jumeaux ou cousins. Je lui réponds que sa proposition me touche vraiment et que je serai là.

Le second message est de Tristan. Il me supplie de lui téléphoner dès que j'aurai un moment. Je déplace ma chaise pour suivre le soleil déclinant, tournant ainsi le dos à la porte. Parler avec Tristan me changera les idées et me fera le plus grand bien. Il décroche à la deuxième sonnerie.

— Ma chouquette, tu ne devineras jamais! s'exclame-t-il avec plein d'excitation dans la voix.

Je réponds malicieusement:

— Quoi? Tu as croisé un chasseur de têtes qui a enfin remarqué tout ton potentiel pour faire du mannequinat?

Il rit et reprend:

— Non, mieux que ça! Mon client préféré est passé au bureau, en début d'après-midi; mon chef était encore en pause, tout était calme. Nous avons discuté un peu – j'ai appris qu'il travaille au service de presse d'une maison d'édition, c'est pour cette raison qu'il poste souvent des colis. Je ne sais pas pourquoi, je me suis senti pousser des ailes, et je lui ai noté mon numéro de téléphone au dos de son reçu.

Je m'écrie dans le combiné:

— C'est génial, Tristan! Je suis vraiment contente que tu aies osé franchir le pas! Tu as eu des nouvelles?

Tristan décide de faire durer le suspense et je l'entends déglutir, avalant probablement une gorgée de je ne sais quelle boisson. Du champagne, peut-être ? Je m'impatiente :

— Eh, je t'ai posé une question !

— OK, je ne te fais pas mariner. Il m'a envoyé un texto pour me dire qu'il était soulagé, parce qu'il avait peur que je sois hétéro.

Je réprime un rire.

— Il a besoin de lunettes, peut-être ?

Tristan tempère mes propos :

— Tu sais, avec la mode des *hipsters* et des métro-sexuels, parfois, on ne sait pas vraiment à quoi s'en tenir. Je lui ai répondu que je n'étais absolument pas porté sur les filles et il m'a proposé d'aller boire un verre dans la semaine.

— C'est formidable, mon chéri ! dis-je de bon cœur.

— Et toi, tu en es où ? Tu as une drôle de voix, comme si tu avais pleuré.

Je lui raconte les événements vécus par ma famille biologique, la naissance de Nadège, les drames et les deuils.

— C'est passionnant, affirme mon meilleur ami. Dans l'attitude de Rose, il y avait quelque chose de désespéré et romantique à la fois, je trouve.

Ne voyant pas trop où il veut en venir, j'entortille une mèche de mes cheveux autour de mon index, en attendant qu'il s'explique.

— Le romantisme est une chose qui se vit. C'est une attitude. Et ça ne passe pas forcément par les fleurs et les dîners aux chandelles. Il y avait quelque chose de ce genre dans la personnalité de ta grand-mère. Cette journée où elle s'est donnée entièrement à Richard, c'était une volonté d'aller au bout de leur relation. Cela ne m'étonne même pas qu'elle soit tombée enceinte ; c'était dans l'ordre des choses.

— Tu me parles de karma, en définitive ?

Comme bien souvent, Tristan saute du coq à l'âne :

— Tu as revu le beau Jim ?

Une nouvelle mèche de cheveux s'enroule autour de mes doigts, alors que ma cheville danse autour du pied de la chaise.

— Ce matin, à la médiathèque. Mais, tu sais, je me dis que ce serait dégueulasse de ma part de commencer quelque chose avec lui.

Tristan ne cache pas sa surprise et me demande de plus amples explications.

— Évelyne m'a dit qu'il a souffert du départ soudain de son ex, alors qu'ils faisaient des projets de mariage.

— Et alors ? Tu as peur qu'il ne l'ait pas complètement oubliée ?

— Non, ce n'est pas ça. Mais il y a ma formation, qui va prendre presque une année entière.

— Je ne vois toujours pas ce qui te bloque, soupire Tristan. Tu ne serais pas encore en train de te chercher de fausses excuses, par hasard ?

J'inspire lentement avant de lui répondre :

— C'est juste qu'étant donné les circonstances, je ne veux pas lui donner de faux espoirs alors que je vais rentrer à Paris.

Tristan s'énerve franchement :

— Mais jamais tu ne te laisseras porter par une relation, Lola ? Arrête de toujours envisager le pire.

— J'essaie seulement d'être réaliste.

— Tu as déjà entendu parler d'Internet, du train et des trajets en voiture, ma chouquette ? Parce qu'avec toutes ces solutions, je peux t'assurer que tes quelques mois passés à Paris ne seront rien, comparés aux belles années qui vous attendent derrière.

— Je ne sais pas, Tristan. Franchement, je ne sais pas.

Je raccroche et un toussotement manque de me faire bondir de ma chaise. Avec horreur, je découvre Jim, vêtu d'un jean et d'un t-shirt gris, accoudé au chambranle de la porte de la cour. Son menton repose dans l'une de ses mains et il frotte nerveusement sa barbe. Mais le pire, c'est qu'il me regarde comme si je venais de lui annoncer que j'avais tué sa petite sœur. Je balbutie :

— Jim ? Je… je ne t'avais pas entendu… arriver.

— C'est pour ça que je me suis permis d'entrer. Je passais juste te voir comme ça, parce que j'avais envie d'être avec toi.

Il me dévisage silencieusement et j'ai envie de me jeter dans ses bras. Son ton m'en dissuade :

— Là, j'étais en train de me demander si je devais repartir, et puis finalement, je voulais être sûr que j'avais bien entendu ce que tu viens de dire au téléphone.

Merde, merde, merde.

— Tu as entendu quoi, au juste ?

— J'ai entendu à partir de : « Je ne veux pas lui donner de faux espoirs alors que je vais rentrer à Paris. »

C'est encore pire que ce que je pensais et je tente de me justifier :

— Je reconnais que, pris hors contexte, ça peut paraître bizarre. Mais je t'assure que ce n'est pas ce que tu crois.

— Je ne crois que ce que j'entends, Lola.

Avançant de quelques pas vers lui, j'insiste :

— Je t'assure que tu te méprends sur l'interprétation à faire de…

Mais il me stoppe dans mon élan :

— Ne te fatigue pas, va, fait-il en haussant les épaules. Tu as raison ; je ne devrais pas me faire de faux espoirs.

Il me plante là, sans me permettre de lui expliquer le contenu exact de ma conversation avec Tristan. Je crois bien que c'est le coup de grâce. J'ai à peine le temps de réaliser ce qui vient de se passer, mais ma tête me dit que ça ne joue pas en ma faveur. Quant à mon cœur, il semble hésiter entre sortir de ma poitrine pour courir après Jim, ou se répandre en confettis froissés de lendemains de fête. Si je fumais, je grillerais un paquet entier de cigarettes. Si je buvais, j'irais dans le premier bar venu et me saoulerais jusqu'à en perdre la mémoire. En désespoir de cause, je file à l'auberge pour pleurer dans les jupes d'Évelyne.

— J'ai fait une connerie, lui dis-je sans préambule, alors qu'un « Oh ! » de surprise se dessine sur sa bouche.

Elle lisse les pans de son tablier en mettant la touche finale à un bouquet de fleurs, puis s'approche doucement de moi. Je lui explique la scène qui vient de se dérouler et elle ne peut s'empêcher de glousser de plaisir à l'idée que je me confie à elle. Alors que je termine mon récit, elle me fait signe d'attendre, s'absente un instant et revient avec deux assiettes de velouté de petits pois au fromage de chèvre.

— Franck est parti voir un match de foot chez un de ses copains, alors soupons ensemble, ma belle.

Je m'installe face à elle. Elle porte une cuillerée du délicieux potage à sa bouche puis me regarde avec l'air de réfléchir.

— Lola, c'est Jim qui a déraillé, pas vous. Ce pauvre garçon semble tout interpréter de travers.

— Si seulement j'avais remarqué sa présence, aussi !

Évelyne hoche la tête, davantage pour elle-même que pour moi.

— Forcément, avec le coup que lui a fait son ex, il a certainement cru que vous comptiez rentrer pour toujours à Paris.

— Mais ce n'est pas le cas, pourtant ! Il ne m'a même pas laissé le temps de le lui expliquer. Il est reparti comme il est arrivé, d'un coup, sans prévenir. Et j'ai lu une telle déception dans son regard !

— Pourquoi ne lui envoyez-vous pas un texto ? suggère-t-elle en se servant d'un morceau de pain.

— Parce qu'on ne parle pas de ces choses-là par texto, et je suis quasi certaine qu'il partage mon point de vue à ce sujet.

— Bon, alors laissez-le ruminer un peu, il va peut-être finir par se rendre compte qu'il a tiré des conclusions un peu trop hâtives.

Elle pose son bras sur le mien, et me demande, sur le ton de la confidence :

— Alors j'avais raison, vous comptiez bien envisager quelque chose avec lui?

Je laisse échapper un long soupir et lui réponds:

— Je ne sais pas, Évelyne. Quand Jim m'a surprise au téléphone, j'étais en train de confier à mon meilleur ami que j'avais peur que notre éventuelle relation ne débute mal, puisque je vais suivre une formation à Paris pendant huit mois.

Elle incline la tête, comme cherchant ce qui peut bien clocher chez moi, puis plisse les yeux et me dit:

— Mais, enfin, Lola, pourquoi vous inquiéter à ce sujet? Nous sommes en 2015, l'éloignement n'est plus ce qu'il était par le passé.

— C'est ce que m'a dit Tristan, oui, reconnais-je tristement.

— J'en reviens à ma première idée; vous devriez lui envoyer un texto.

Je sais qu'elle a raison, un simple texto me permettrait de lui faire comprendre sa méprise. Pourtant, je ne peux m'y résoudre. Je préférerais tellement tout lui dire de vive voix!

Après avoir remercié mon hôtesse pour le souper, je remonte dans ma chambre, les épaules basses et les pensées assombries par tous les événements de la journée et des décennies écoulées. Je téléphone à mes parents pour leur faire part de mes dernières découvertes et maman paraît vraiment désolée par toute cette histoire. Je préfère ne pas lui parler de Jim.

Je vais me doucher. J'ai beau me frotter la peau et les cheveux avec vigueur, l'image de Jim me regardant de son air déçu ne cesse de me hanter. Je revois ces instants passés au bar, puis lorsqu'il a voulu visiter la maison et a failli m'embrasser. En quelques mots prêtant à confusion, j'ai gâché mes chances avec le mec dont seuls les yeux et le sourire suffisent à m'évoquer une matinée de printemps. Je m'enroule dans mon peignoir et m'empare vivement de mon MP3. La musique parviendra peut-être à me détendre. Mais quitte à rater aussi toute ma soirée, j'oublie que j'avais mis la liste de lecture en mode aléatoire. Dans mes oreilles, Lana Del Rey susurre de sa voix suave *Blue Jeans*, l'histoire de cette fille qui s'éprend d'un *bad boy*. Je sens que je ne vais pas tarder à me remettre à pleurer. Sans trop savoir pourquoi, je repense à l'histoire de Rose. J'imagine ce qu'elle a dû ressentir quand Richard est parti loin d'elle. Puis quand il est mort. Ma grand-mère a fait le choix de subir le destin qu'on lui a imposé. Je ne peux pas. Je ne veux pas prendre le risque de passer à côté de quelque chose de fort. Je ne peux pas laisser un tel malentendu planer entre Jim et moi. Alors, je prends mon téléphone et commence à écrire :

Jim, je suis vraiment désolée pour ce qui est arrivé tout à l'heure. Laisse-moi au moins une chance de t'expliquer le sens de mes propos. Je me sens vraiment mal.

Je ne reçois pas l'accusé réception de mon message. Il n'a pas envie d'entendre ma voix ce soir. Il a éteint son téléphone, ruinant mes chances de me justifier. Comme il doit me détester !

...

Le lendemain matin, je me réveille à huit heures, après une nuit difficile. J'ai rêvé, pêle-mêle, d'un homme tombant à l'eau, d'une Louise diminuée au fond de son lit et d'une jeune fille se déhanchant en écoutant *Heart of Glass*, de Blondie. Ce que j'ai lu dans le carnet de Rose m'a laissé une forte impression.

Tout en prenant mon petit déjeuner, je téléphone à Frédérick, qui semble heureux de m'entendre. Je lui explique que j'ai lu le dernier carnet et lui déclare, sur un ton amusé :

— Vous pouvez enfin abattre votre dernière carte ! Je sais que vous avez une enveloppe à me transmettre.

Frédérick me répond sur le même ton :

— Oui, mais pas avant demain, Lola. Mais comme je suis gentil, vous pourrez passer à mon étude dès dix heures.

Je me cale contre le dossier de ma chaise, émiette mon croissant et m'offusque :

— Et pourquoi pas dès neuf heures ?

— Parce que je serai en rendez-vous.

Je vais me maquiller légèrement. On ne sait jamais, peut-être que les dieux de l'amour décideront de me faire croiser Jim ; dans ce cas, je n'ai pas envie que mes traits lui dévoilent que j'ai passé une mauvaise nuit. Je consulte mon téléphone, mais visiblement il n'a toujours pas rallumé le sien. Peut-être qu'il n'a plus de batterie et ne s'en est pas rendu compte. À moins qu'il ait changé de numéro directement en sortant de ma maison, pour que je l'oublie et ne le harcèle pas. C'est fou tout ce qu'on peut imaginer, en fait. C'est bête, car cela ne fait même pas une semaine que je le connais ;

pourtant, je n'ai pas envie de l'oublier. Est-ce qu'un coup de foudre, ça s'explique? Y a-t-il quelque chose de rationnel quand mon cœur se met à battre plus que de raison à la simple évocation de son nom, alors qu'il m'a copieusement agacée lors de notre première rencontre?

Je file chez Béatrice. Lorsqu'elle vient m'ouvrir, vêtue d'une robe rose pâle, il nous suffit d'un regard pour nous rendre compte que, toutes les deux, nous savons. Elle me fait signe de la suivre, ne souhaitant pas rester dehors malgré le soleil à peine voilé de nuages blancs. Une fois à l'intérieur, Béatrice soupire avec émotion :

— Enfin, Lola, depuis le temps que j'espérais ce moment!

Sans trop comprendre ni comment ni pourquoi, je me retrouve entourée de ses deux bras, et je pleure. Elle pleure aussi. Son mari nous trouve ainsi et lâche un laconique :

— On enterre quelqu'un?

Nos larmes se transforment en éclats de rire. Ma grand-tante m'offre un café et des biscuits. Assise sur le canapé, je lui relate tout ce que j'ai appris des écrits de Rose. Après avoir croqué délicatement dans un sablé, elle déclare :

— Bon, il ne te reste plus que très peu de choses à découvrir. Normalement, demain tu connaîtras enfin tout de tes origines.

— Dois-je m'attendre à… je ne sais pas, à un truc vraiment horrible?

Béatrice croise les mains sur ses genoux, cherchant ses mots.

— C'est sûr que, si on y réfléchit bien… Mais non, après tout… Je suis vraiment désolée, Lola, ce n'est pas à moi de te le dire.

— Je comprends.

Les dix mille questions que j'ai à la bouche ne demandent plus qu'à sortir.

— Vous savez depuis longtemps que Richard était en fait le père de Nadège?

Un sourire triste s'affiche sur son visage.

— Je l'ai soupçonné un jour où j'ai croisé le regard de Nadège. Elle devait avoir six ou sept ans, guère plus. Elle venait me montrer un dessin qu'elle avait fait, et quand ses yeux se sont posés sur moi, j'ai cru voir mon frère. J'ai toujours gardé cette impression pour moi, bien sûr… Mais je…

Elle reprend sa tasse de café et la porte à sa bouche. Puis elle déclare:

— À partir de ce jour-là, oui, j'ai su. Mais Rose ne m'en a parlé que bien plus tard, lorsque son secret devenait trop lourd à porter, après le décès de Louise.

Béatrice lève ses grands yeux sur moi:

— Je veux que tu saches que lorsque, Rose a pris la décision de te confier à l'orphelinat, je me suis proposée pour t'adopter. J'étais alors une toute jeune grand-mère et je me sentais la force d'élever un nouvel enfant. Ta grand-mère n'a pas voulu et j'ai souvent regretté de ne pas m'être imposée davantage.

Ses paroles me touchent beaucoup et je réponds:

— Vous n'avez rien à regretter. Je n'ai manqué de rien et j'ai eu une enfance vraiment heureuse.

Béatrice me prie ensuite de la tutoyer.

— Le même sang coule dans nos veines, après tout! dit-elle joyeusement. Et je veux que tu saches que tu seras toujours la bienvenue ici, Lola. Tu fais partie de notre famille aussi. Tu es la petite-fille de mon frère, et même si tu ne portes aucun de ses traits sur ton visage, c'est quelque chose d'immense pour moi, ce bonheur d'avoir pu enfin te rencontrer.

Si je connais maintenant les grandes lignes de mon véritable passé, certains détails me turlupinent quand même. Je veux savoir:

— Le carnet de Rose se termine en 1980. Je ne sais pas ce qu'il est advenu de Léonie et de l'oncle Jacques.

Béatrice hoche calmement la tête avant de me répondre:

— Ils ont continué à mener leur petite vie. Léonie s'est éteinte dans son couvent il y a quatre ans, et l'oncle de ta grand-mère a presque fini centenaire. Il est décédé en 2004, de sa belle mort.

Je passe le reste de la matinée à flâner sur les berges. Debout, face à la rivière, je repense au destin de Rose. Je sais qu'il ne sert à rien de ressasser le passé, parce qu'on ne peut pas le réparer. Mais d'une certaine façon, je suis soulagée d'être en possession de cette histoire, de connaître enfin mes racines. Je me sens même plutôt privilégiée, car bon nombre d'enfants qui grandissent dans leur famille naturelle ignorent tout de leur histoire, victimes d'un passé souvent condamné au silence par des secrets de famille inavouables, honteux, enterrés profondément dans la mémoire de ceux qui ne vivent plus.

Je consacre mon après-midi à fouiner dans le grenier, à la recherche de nouveaux trésors. Je ne trouve plus rien à jeter et déniche des vieux meubles et objets auxquels je décide d'accorder une seconde vie. Ma future librairie commence réellement à prendre forme dans mon esprit et il y a là-dedans quelque chose d'exaltant et de libérateur. Je me sens impatiente à l'idée de me lancer dans ce projet, à l'idée d'accomplir quelque chose dans ma vie, quelque chose lié à ma passion pour les livres. Si Rose ne s'était pas souvenue de moi, me forçant à déterrer le passé pour avancer, peut-être que je n'aurais jamais eu ce cran. Sans Rose, bien des choses seraient restées en l'état, enfouies. Désormais, je ne cherche plus à retenir le passé, à tenter de l'empêcher de s'enfuir. Je vis pour aujourd'hui et pour demain.

Ces pensées me ramènent forcément à Jim. Il a allumé son téléphone, puisqu'un signal m'a avertie que mon texto a bien été reçu. Je n'ai eu aucune nouvelle de sa part. Peut-être qu'il travaille. Peut-être qu'il s'est dit que je n'en valais pas la peine et qu'il en verrait d'autres.

Je passe en revue les divers albums photos que j'avais dénichés lors de la visite de Tristan. Je feuillette les pages pleines de souvenirs des Garnier. Je peux les découvrir à la plage, Édouard, Daniel et Nadège s'ébrouant dans l'eau, Rose prenant le soleil, un livre dans une main, une cigarette dans l'autre. D'autres clichés représentent la famille dans la boutique, autour de repas familiaux avec Louise et Martin ou encore au château, avec Charles, Paulette, Yves et Emmanuel. Je tombe sur les photos du mariage de mon oncle avec Laurence, cette même femme qui est venue m'invectiver hier, à la boutique. Les clichés en noir et blanc aux bords dentelés côtoient les premières photos en couleur, de la fin des années soixante. Je contemple tour à tour la France rurale de de Gaulle, de Pompidou et de Giscard d'Estaing. J'assimile les visages de Daniel et Nadège. Je découvre que je dois mon teint à ma mère, ainsi que l'implantation des cheveux et des sourcils. J'ai probablement certains traits de mon père, aussi, mais pour l'heure, j'ignore toujours qui il est.

...

Le soir, je téléphone à Tristan pour m'épancher sur mes déboires amoureux. Il est peiné d'être indirectement l'objet de la discorde entre Jim et moi. Je lui réponds que ce n'est pas de sa faute, j'aurais tout aussi bien pu être en train de tenir ces propos à ma mère. Il espère que Jim finira par me donner signe de vie.

Si, à cet instant, je pouvais être dotée du même optimisme que le sien! Malheureusement, Jim semble décidé à bouder dans son coin. Je consulte mon téléphone toutes les dix minutes, comme si cela allait le faire sonner. Je sais qu'il est impossible que j'aie raté un message et, pourtant, je n'arrête pas de vérifier. Que fait-il, en ce moment même? Pense-t-il à moi? Rumine-t-il sur cette malheureuse phrase qu'il a entendue et mal interprétée? Pourquoi ne prend-il même pas la peine de me répondre? A-t-il déjà réussi à m'effacer complètement de sa mémoire? Demain, je vais découvrir la vérité au sujet de mes parents et c'est à Jim que je n'arrête pas de penser. Je m'endors la tête pleine de questions et le cœur vide de sa présence.

Le lendemain matin, j'arrive avec dix minutes d'avance à l'étude de Frédérick. C'est un rendez-vous officiel, mais cette fois-ci, je ne me suis pas vraiment préoccupée de choisir la bonne tenue. J'ai enfilé une tunique fleurie sur un jean blanc. Le notaire m'accueille chaleureusement, me proposant un café. Mes ongles tambourinent sur son bureau tandis qu'il nous prépare les boissons. Je jette un rapide coup d'œil aux photos de Nora et de leur fille, qu'il a disposées çà et là, parmi les livres de droit et les dossiers.

Nous faisons le point sur ce que j'ai appris. Parce que je le considère désormais comme un ami et puisque ma grand-mère l'estimait beaucoup, il est en droit de connaître lui aussi toute l'histoire de ma famille. Il ne peut s'empêcher de siffler à la fin de mon récit.

— Eh bien, j'étais loin d'imaginer tout cela ! Vous devez être un peu soulagée, dans une certaine mesure, non ?

Oui, le soulagement commence à se frayer un chemin en moi, même s'il reste une petite part de confusion.

— Je pense que je me sentirai réellement libérée quand je connaîtrai le fin mot de cette histoire. Quand j'aurai vraiment compris et accepté les raisons de mon abandon.

Il hoche la tête, ouvre un tiroir et me tend une enveloppe blanche.

— Cette fois-ci, c'est à vous seule d'en lire le contenu. Même moi, j'ignore ce qu'il y a dedans.

— Rose m'aura certainement écrit une nouvelle lettre pour me faire part de ses derniers secrets.

Frédérick joint ses mains sur son bureau.

— Si ces révélations s'avèrent être trop difficiles pour vous, n'oubliez pas que vous pouvez me téléphoner. Un autre rendez-vous m'attend, donc je ne vous retiens pas.

Je dévale les escaliers et me retrouve rapidement à l'extérieur. C'est une nouvelle belle journée qui s'annonce. Je n'ai pas envie d'aller m'enfermer à l'intérieur de la maison de mes ancêtres. Je demande à Évelyne si elle pourrait à nouveau me préparer de quoi faire un pique-nique très simple. Une demi-heure plus tard, je repars, avec mon panier sous un bras et l'enveloppe kraft coincée sous l'autre. Je retourne dans ce joli coin de nature que Frédérick m'a indiqué le jour où Tristan a débarqué. J'ôte mes chaussures, relève le bas de mon jean et laisse mes jambes pendre au bord de la rive, mes orteils vernis de rose jouant avec l'eau de la rivière. J'ouvre l'enveloppe et découvre un nombre assez important de feuilles. La première est une nouvelle lettre, ainsi que je m'en doutais.

« *Lola,*

*Si tu tiens cette lettre entre tes mains, alors cela veut dire que ma mission est accomplie. J'ai réussi à t'intéresser à notre histoire et à te donner l'envie de la découvrir, malgré nos actes souvent dénués de toute raison.*

*Dans ma première lettre, je te demandais si tu étais heureuse. Je savais qu'en acceptant de fouiller dans notre passé commun, tu trouverais en toi TA vérité. Partir en* quête de sa propre identité est souvent un douloureux voyage, qui nécessite de faire une halte dans le passé afin de mieux comprendre le présent. Si tu as réussi à donner un sens à ta vie, alors je suis fière de toi et heureuse, car cela signifie que j'ai pu faire quelque chose de positif avec ce lourd passé pourtant destructeur. C'était ma seule façon de me racheter de notre conduite à tous. Pour qu'au moins nos erreurs aient un sens.

Tu te demandes sans aucun doute comment j'ai su ce dont tu avais exactement besoin. C'est finalement un point sans importance. Le principal, c'est qu'à travers ma mort, j'ai pu enfin faire mon devoir de grand-mère et t'aider à rassembler certaines pièces du grand casse-tête de ta vie.

J'ai cessé d'écrire mon journal après la mort de ma mère. Au fil des années, je n'avais déjà plus grand-chose à y noter, mais le décès de maman n'a fait que m'ôter cette volonté de relater mon quotidien. Je me suis consacrée aux problèmes de ma fille, m'isolant chaque jour davantage tandis que j'essayais de trouver des remèdes à ses maux. Mais c'était peine perdue, et en la laissant plus ou moins servir de cobaye à des médecins peu scrupuleux, je pense que je n'ai fait qu'aggraver son état. J'ai ressenti le besoin d'exorciser ma douleur, le dernier secret de notre famille, celui qui a entouré ta naissance. J'ai passé quelques heures à écrire ce que furent les dernières années de ma fille, cherchant mes mots afin de rendre l'histoire avec exactitude. Après son décès, j'ai retrouvé son journal intime, qui m'a beaucoup aidée à reconstituer le fil de certains événements. Lola, aujourd'hui, je te laisse découvrir ces feuilles. Tu as le droit de t'arrêter ici, de ne pas vouloir aller plus loin. La vérité n'est pas facile à lire, même si on peut se dire qu'il y a toujours pire cas que le sien. Si tu choisis de ne pas savoir, laisse-moi au moins t'expliquer pourquoi tu as grandi dans une autre famille.

En te confiant à l'orphelinat, je pensais vraiment que c'était là le meilleur cadeau que je pouvais te faire, et je le pense toujours aujourd'hui. Je n'avais pas le cœur de te transmettre les valeurs que je n'avais pas su inculquer à mes propres enfants. Je n'avais pas le cœur de distiller mon venin en toi. Je me suis toujours tenue pour responsable du côté taciturne de Daniel et de l'état maniacodépressif de Nadège. Je ne voulais pas te rendre malheureuse. J'avais peur qu'à force de nous côtoyer, tu deviennes comme nous et que tu perdes la raison à ton tour. Grandir à Aubéry aurait été néfaste pour toi. Nous avons été des femmes fortes, pour mieux cacher nos failles et nos dysfonctionnements. C'était une carapace, et cela aurait été injuste que tu grandisses avec tant de malheur autour de toi.

J'espère que tu sauras nous pardonner à tous. Et si tu lis finalement ces quelques feuilles que j'ai rédigées, alors c'est que tu es encore plus forte que je ne le pensais. Sois-en fière et fais de ta force un moteur, Lola.

Tendrement,

Rose. »

## 32.

Il y avait un an et demi que Nadège avait voulu, pour la troisième fois, se suicider, perturbée par toutes les idées noires qui envahissaient parfois son cerveau. Rose avait fermement refusé de la faire interner, tentant avec acharnement et l'appui des médecins un énième traitement dans l'espoir que sa fille aille mieux. Pour une fois, les médicaments et l'hygiène de vie suivie par la jeune femme semblaient faire effet. Depuis la fin de l'année 1985, les Garnier pouvaient enfin souffler un peu ; Nadège avait retrouvé son entrain et n'avait plus jamais fait la moindre crise d'angoisse, ni connu de nouvel épisode dépressif. Elle suivait des cours de lettres à l'université, même si elle n'avait pas encore d'idée quant au métier qu'elle souhaitait exercer plus tard. À l'instar de Rose à son âge, Nadège se voyait artiste, s'intéressant à tout sans exception.

À presque vingt-deux ans, elle n'avait finalement pas teint ses cheveux en blond platine pour ressembler à Olivia Newton-John. Et c'était mieux ainsi, car Nadège n'avait pas vraiment besoin de cet artifice ;

elle était d'une beauté saisissante. Elle n'avait presque pas changé depuis son plus jeune âge. Elle avait gardé ses belles boucles chocolat, qui lui tombaient sous les épaules, un grain de peau pâle et lumineux, des yeux malicieux qui pétillaient dans ses bons moments et dans lesquels dansait souvent la flamme de la contestation. Elle n'était pas très grande, plutôt mince, mais parce qu'elle surveillait sa ligne. Sans cela, elle aurait eu tendance à l'embonpoint à cause des médicaments qu'elle devait absorber. Elle avait pu passer son permis de conduire et, tout comme Rose, elle aimait s'évader au volant de sa petite Renault 5 bleue, en écoutant à fond ses cassettes de Depeche Mode, des Bangles, de Culture Club ou encore de The Cure. Lorsqu'elle roulait ainsi, elle se sentait presque normale et saine d'esprit.

Nadège avait eu quelques petits amis, mais aucune histoire sérieuse. En raison de ses problèmes psychologiques, elle ne parvenait pas non plus à garder la moindre amie. Ses sautes d'humeur et son comportement parfois étrange faisaient peur aux filles de son âge. Elle savait qu'à Aubéry, on parlait à voix basse sur son passage, lorsqu'elle allait s'acheter des disques ou des livres dans le bourg, ou encore lorsqu'elle entrait à la boucherie, accompagnée de sa mère. On la regardait le plus souvent comme si on craignait qu'elle se mette à piquer une crise d'hystérie. Pire, comme si on espérait que sa santé mentale fébrile allait la faire dérailler, là, devant eux, histoire que les villageois aient quelque chose à raconter. Mais elle s'en fichait. Un jour, ils la tiendraient en respect, elle en était certaine.

Heureusement, la jeune femme n'était pas totalement isolée. Elle se confiait beaucoup à son cousin, Emmanuel, de dix ans son aîné. Manu était un peu comme elle, pas maniacodépressif, mais différent à sa façon, un peu marginal sur les bords. Si son frère menait avec succès une carrière professionnelle dans la banque, Manu, lui, n'avait toujours pas trouvé sa voie. À vrai dire, il ne la cherchait pas vraiment non plus, estimant que l'argent gracieusement octroyé par ses parents suffisait largement à le faire vivre. Il avait aménagé en studio une des dépendances du château. Emmanuel était vraiment doué de ses mains et bricoleur, mais ses parents n'avaient jamais voulu qu'il entre en apprentissage ; ils lui avaient répété qu'il était hors de question qu'il finisse en simple ouvrier. Depuis, ils semblaient considérer que ne rien faire, c'était encore mieux que de devenir une sorte d'artisan incapable d'effectuer le moindre placement d'argent. Alors Manu profitait de la vie, voyait ses copains, s'envoyait en l'air avec des filles, picolait un peu et fumait beaucoup, consommait parfois des substances illicites. Nadège savait qu'Édouard et Rose désapprouvaient le comportement de leur neveu mais puisqu'il était le seul ami de leur fille, ils n'osaient trop rien dire. Au fond, il n'était pas méchant, seulement étrange. Par ailleurs, lorsque Nadège n'avait pas de petit copain, son cousin l'emmenait au cinéma ou jouer aux quilles. Il savait pertinemment qu'il n'avait pas le droit de la pousser à fréquenter des lieux comme les discothèques ou les bars et il respectait cette recommandation à la lettre.

Dans l'ensemble, la jeune femme allait plutôt bien. Tout le monde savait pourtant qu'il suffirait du moindre choc pour la faire plonger à nouveau dans les méandres de ses pensées ténébreuses, aussi continuaient-ils à la maintenir dans une sorte de cocon, ne regardant pas à la dépense pour lui faire plaisir. Ils voyageaient partout en France, lui achetaient des vêtements et des parfums coûteux, lui octroyaient de l'argent de poche. Rose avait conservé la maison de ses parents, mais vendu tout le reste. Ainsi, l'argent était là et pouvait servir à combler le moindre souhait de Nadège. Une paix relative avait été instaurée, bien qu'une menace sourde rôdât toujours, telle une épée de Damoclès suspendue au-dessus de leur tête, Rose s'efforçant de l'ignorer.

Pourtant, tout bascula à nouveau. Ce jour-là, Daniel était venu rendre visite à sa mère, et le ton était rapidement monté entre eux. Il ne comprenait pas pourquoi il fallait toujours couver Nadège et surveiller le moindre mot en sa présence.

— Tais-toi donc, l'avait supplié Rose. Ta sœur est en train de faire une sieste.

Daniel s'était alors franchement énervé :

— Et tu trouves normal qu'à vingt-deux ans elle passe la moitié de son temps à dormir, quand elle n'a pas cours ?

— Ce sont ses médicaments qui font ça, Daniel ! Tu es injuste !

— Tu ne vois pas que ce sont toutes ces pilules qui font empirer son état ? Et l'argent qu'elle vous plume, c'est dû à son traitement aussi ? Vous lui cédez sur tout ; que va-t-il vous rester pour vos vieux jours, hein ?

— Je pourrais toujours vendre la maison de mes parents, si l'argent venait à manquer, avait faiblement suggéré Rose.

Daniel, excédé, avait levé les bras au ciel :

— Et l'idée que Nadège pourrait faire comme tout le monde et travailler, ça ne vous a jamais effleuré l'esprit, à papa et à toi ?

Il était parti en claquant la porte, croisant son père qui rentrait de sa journée de travail. Ce que Rose ignorait alors, c'est que le bruit mat de la porte avait réveillé Nadège. La jeune femme, qui surprenait souvent ses parents en train d'interrompre une conversation à voix feutrées lorsqu'elle entrait dans la pièce, trouvait cela franchement louche. Elle décida de rester cachée en haut de l'escalier, remerciant silencieusement son frère de l'avoir réveillée. Cette fois-ci, elle entendit donc tout de la discussion qui suivit entre ses parents.

— Que se passe-t-il ? demanda tranquillement Édouard en commençant à se frictionner les mains de savon, au-dessus de l'évier de la cuisine.

Rose soupira :

— Daniel trouve que nous sommes trop coulants avec sa sœur.

— Ce n'est pas la première fois qu'il en parle, fit remarquer Édouard en haussant les épaules.

Comme à son habitude, il s'essuya lentement les mains avec un torchon. N'y tenant plus, Rose se leva subitement de sa chaise et lança, sur un ton qu'elle essaya de contenir :

— Mais je n'en peux plus de cette situation, Édouard ! J'ai l'impression que notre fille aura éternellement dix ans. Nous marchons toujours sur des œufs avec elle et je me demande si elle n'en profite pas un peu.

Édouard ouvrit un placard, en sortit une tasse et un paquet de biscuits secs. Il se versa du café dans la tasse, ajouta du lait, déposa le tout sur la table de la cuisine et regarda un instant sa femme droit dans les yeux. Enfin, il lui répondit, mesurant ses mots :

— Tu sais, Rose, si Nadège avait été le fruit de notre union, nous n'en serions pas arrivés à ce point aujourd'hui. Nous l'avons protégée de tout afin qu'elle ne se doute pas que je ne suis pas son vrai père. Et au final, qu'en résulte-t-il ? Une gamine gâtée qui menace de se suicider à la moindre contrariété. Je suis autant coupable que ta mère et toi, je ne le nie pas. Mais si ce jour-là tu n'avais pas revu Richard…

— Tais-toi, Édouard ! Comment peux-tu ainsi me jeter le passé à la figure ?

Déjà, Nadège n'écoutait plus la dispute entre ses parents. Elle se sentait choquée, même si elle s'était toujours doutée que certaines choses n'étaient pas claires. Elle se précipita dans sa chambre, se plantant devant sa psyché, afin de s'observer sous toutes les coutures. Elle tenait bien certains traits de sa mère, mais son regard, par exemple, à qui le devait-elle ? Elle se souvenait du regard ambré que mémé Louise posait sur le monde. Mais le sien était plus foncé, d'un marron qui tirait presque sur le noir. Du côté de Martin et des Garnier, les yeux étaient clairs. Le doute n'était plus permis et jamais cette éventualité ne lui avait auparavant effleuré l'esprit. Jamais elle ne serait allée chercher cela ! Mon dieu ; sa mère avait été infidèle à son père ! Elle qui la mettait tant en garde contre les hommes et la priait de ne pas devenir une espèce de traînée, comme beaucoup de jeunes femmes de son âge! Qu'avait-elle fait?

Elle eut soudainement envie de casser quelque chose. Elle inspira et expira profondément, tentant de réprimer la colère qui montait sournoisement en elle. Nadège devait sortir et aller prendre l'air. Sinon, elle sentait qu'elle allait commencer par tourner en rond, jusqu'à ce que son cerveau soit à nouveau envahi par des idées bizarres et qu'elle devienne incontrôlable. Elle tenta de se composer un air des plus naturels et descendit. Édouard regardait son émission culturelle quotidienne, assis dans son fauteuil, tandis que Rose badigeonnait un poulet avec des herbes aromatiques. Elle prévint sa mère:

— Je vais voir Manu. Ne m'attendez pas pour dîner, je rentrerai vers vingt et une heures.

— Vous resterez au château, n'est-ce pas? demanda Rose, sans même se retourner.

— Évidemment, maman. Où pourrions-nous aller, fin janvier, un soir de semaine?

Après avoir démarré sa petite voiture, Nadège effectua le trajet jusqu'au château en dix minutes, le temps d'écouter deux morceaux et demi de Cyndi Lauper, une jeune chanteuse débraillée et montée sur ressorts, avec des cheveux qui changeaient de couleur selon son humeur. Rose ne pouvait pas la voir en peinture. La jeune femme fonça directement dans la dépendance aménagée de son cousin, et frappa trois coups, leur signal, pour s'annoncer.

Manu lui ouvrit la porte, vêtu d'un t-shirt à l'effigie d'un groupe de hard rock et d'un jean usé. Une barbe de plusieurs jours recouvrait ses joues de poils foncés, saisissant contraste avec ses yeux bleus. Ses cheveux gras et trop longs auraient eu besoin d'un bon shampoing et d'un petit tour chez le coiffeur.

— Ça va? demanda-t-il, surpris, en voyant la tête de sa cousine.

— Ouais, répondit-elle en s'asseyant lourdement sur le canapé.

Son cousin ayant poussé le chauffage à fond, elle se délesta de son manteau et de son gilet de laine. Nadège détestait la chaleur. À la maison, elle gardait presque tout le temps la fenêtre de sa chambre ouverte. Là, en t-shirt, elle se sentit déjà mieux. Elle laissa son regard errer tout autour d'elle et reprit:

— Manu, toi qui es plus vieux que moi, tu n'as jamais rien entendu de bizarre concernant ma mère?

— Bah, non. Enfin, ma mère n'a jamais été tendre avec elle, mais je n'ai rien entendu d'autre que les litanies habituelles.

Une idée vint à la jeune femme:

— Et tu sais pourquoi nos mères ne se sont jamais entendues?

— La mienne m'a toujours dit que la tienne était jalouse.

Il haussa les épaules avant de continuer:

— Je ne vois pas en quoi ta mère aurait dû être jalouse, mais bon. Les histoires de bonnes femmes, moi, tu sais…

— Ouais, je sais.

— Tu es toute pâle; tu ne vas pas faire une de tes crises, hein?

— Non, tu es là, donc ça va aller.

— Tu veux te détendre?

Ils fumèrent de l'herbe et ne tardèrent pas à se laisser gagner par une sorte de torpeur planante.

— T'es vachement belle, comme cousine, lui déclara-t-il tout à coup.

Nadège se leva et se planta face à lui:

— Tu veux que je te dise? Oublie tout ça. Je ne suis même pas ta cousine.

Elle fondit en larmes et Manu se leva pour la prendre dans ses bras.

— Comment ça, tu n'es pas ma cousine? demanda-t-il, inquiet.

Elle lui relata la dispute de ses parents. Ils fumèrent un deuxième joint et burent de la bière. Manu décida de mettre un peu de musique et la rockeuse Joan Jett entama de sa voix rauque une ballade à la fois langoureuse et rythmée, *Crimson and Clover*. Nadège se laissa aller au son de la musique, se déhanchant en rythme. Son bassin ondulait lascivement, sa poitrine mise en valeur par le t-shirt rouge qu'elle portait près du corps. Son cousin, assis par terre, la regarda, une étincelle de désir s'allumant dans son regard. Sans plus réfléchir, il se leva, la prit par les hanches et finit par l'embrasser.

— Puisque nous ne sommes finalement pas cousins, murmura Manu, il ne peut pas y avoir de mal à cela, n'est-ce pas?

Ils passèrent la nuit ensemble, oubliant tout du passé et de la vie, se donnant l'un à l'autre sans plus se poser aucune question.

...

*Un mois et demi plus tard.*

Une nouvelle fois, Nadège ne se sentit vraiment pas bien après avoir avalé son petit déjeuner. Depuis deux semaines, elle avait réussi à se cacher de ses parents, mais cela allait s'avérer de plus en plus compliqué. D'autant plus qu'elle n'assumait absolument pas ce qu'elle avait fait.

Ce matin de fin janvier, après s'être réveillée à côté de Manu, elle avait compris aussitôt qu'elle avait fait une énorme connerie. Aussi s'était-elle montrée claire avec lui, en lui disant que c'était une erreur, qui ne se reproduirait plus. Son cousin avait acquiescé, même s'il ne voyait pas cela comme une bêtise.

— Après tout, puisque nous ne partageons pas le même sang, il n'y a pas de mal à ce qu'on se soit fait du bien.

— Peut-être, Manu. Mais au fond, ça reste quand même bizarre. On doit éviter de recommencer.

Depuis, elle avait carrément cessé de voir Emmanuel. Elle s'était dit qu'en laissant quelques mois s'écouler, les choses reviendraient à la normale, comme si elle n'avait jamais fait l'amour avec lui. Mais ce qu'elle n'avait pas du tout envisagé, c'était de tomber enceinte.

— Nadège, tout va bien ? cria Rose, inquiète, du bas de l'escalier.

Mais elle n'attendit pas la réponse de sa fille et monta prestement les marches. Nadège sortait justement des toilettes.

— Oh, mon dieu, mais tu as vomi ? Que se passe-t-il ? Tu as de la fièvre ? Tu n'as pas digéré ce que tu as mangé hier soir ?

Rose marchait derrière sa fille pour la presser de questions, la suivant jusque dans sa chambre. Nadège n'était pas faite du bois qui permet de garder un lourd secret en attendant de trouver une solution au problème. Elle avait bien trop peur des conséquences et savait que le fait de ruminer trop longtemps ne lui apportait rien de bon. De plus, elle se sentait complètement démunie face à cette situation qu'elle n'avait pas prévue. Voyant la mine inquiète de sa mère et prise de la peur que cette dernière ne l'emmène voir un docteur, elle craqua et lui avoua qu'elle avait couché avec Manu et pensait être enceinte. Rose pâlit d'un coup sous le fard rosé qu'elle avait étalé sur ses joues et se laissa choir sur le lit, à côté de sa fille.

— Tu as fait quoi ? lâcha-t-elle, au comble de l'horreur. Avec Emmanuel ? Oh seigneur… Mais c'est incestueux ! Nadège, qu'avais-tu en tête, bon sang ?

— J'avais fumé de l'herbe et un peu bu, répondit-elle, la tête basse, en triturant un coin de la couverture en crochet qui ornait son lit.

— Tu sais pourtant que tu dois éviter d'agir ainsi ! s'indigna Rose. Mais qu'allons-nous devenir ?

Nadège se leva d'un bond, agacée par cette dernière phrase, empreinte de lamentations. Le livre qu'elle avait laissé ouvert sur son lit tomba lourdement, tandis qu'elle s'exclama :

— Comment ça, maman, ce que *nous allons* devenir ? Je vais garder cet enfant et l'élever, c'est tout !

— Mais tu n'y penses pas, enfin ! Que feras-tu si tu accouches d'un enfant trisomique ?

Nadège laissa échapper un rire de mépris :

— Tu sais pourquoi j'ai fait ça, maman ? Tu tiens vraiment à le savoir ? Je suis peut-être folle, mais si Manu avait vraiment été mon cousin, je n'aurais jamais couché avec lui.

Alors elle lui déballa tout :

— J'ai entendu papa te dire qu'il n'était pas mon père ! Tu imagines un instant ce que j'ai ressenti ? Toi, la prude et sage Rose Garnier, dans les bras d'un autre ? C'est bien vrai, maman, il n'a pas menti, n'est-ce pas ?

Rose s'avoua vaincue et ses épaules s'avachirent d'un coup.

— Non, Nadège, il n'a pas menti. Ton vrai père s'appelait Richard. Il est mort trois ans après ta naissance.

Elle essaya de lui expliquer du mieux qu'elle le put comment elle en était arrivée à revoir Richard, son amour de jeunesse, mais elle buta sur les mots, balbutia en tentant de se justifier et ne parvint pas à se faire totalement comprendre de sa fille, qui la considérait à présent d'un œil nouveau.

Elles passèrent le restant de la journée chacune dans une pièce, jusqu'à ce qu'Édouard rentre du travail. Nadège avait supplié sa mère de ne rien lui dire, mais c'était une chose impossible. Puisqu'elle voulait visiblement garder l'enfant, il faudrait qu'elle en assume les conséquences. Cette grossesse ne pourrait pas être cachée à Édouard, elle aurait mieux fait d'y réfléchir avant de tomber dans les bras de Manu.

Rose parla donc longuement à son mari, assise sur une chaise, dans la cuisine, les épaules voûtées. Elle lui révéla point par point tout ce que lui avait confié Nadège. Édouard faisait les cent pas, les mains croisées dans son dos. La pénombre avait pleinement gagné la cuisine, sans qu'ils ne s'en rendent compte. Quand Rose eut terminé, Édouard alluma la lumière et, pour la première fois depuis des années, avala la moitié d'une bouteille de whisky. Sans dire un mot, il récupéra sa veste et enfila ses chaussures. Il revint à la cuisine afin de boire une autre rasade et prit ses clés de voiture.

— Mais enfin, où vas-tu, Édouard? demanda Rose, sur un ton plein d'angoisse.

— Faire ce que mon frère aurait dû faire depuis longtemps. Je vais mettre une bonne raclée à ce bon à rien qui a engrossé ma fille. Il est temps que je me comporte en homme.

— Tu as bu, Édouard, attends demain, au moins!

— Non! tonna-t-il.

Et il partit en claquant la porte. Ce fut la dernière fois que Rose le vit encore vivant. Édouard ne parvint pas à destination. L'obscurité de la forêt qu'il traversa en voiture et l'alcool qu'il n'avait plus l'habitude de boire lui firent quitter la route, dans un virage qu'il rata. Il percuta un arbre de plein fouet et mourut sur le coup.

...

Le décès d'Édouard fut si soudain et tragique qu'il prit tout le monde de court. Seules Rose et Nadège savaient ce qui l'avait réellement tué et ce fardeau s'élevait désormais entre elles comme un mur d'acier. Rose alla identifier le corps avec Daniel et ils organisèrent les obsèques.

La mort de son mari lui fit prendre pleinement conscience à quel point, durant ces dernières années, ils avaient été soudés. Cette perte allait laisser en elle un vide incommensurable. Beaucoup de monde se pressa à l'église le matin des obsèques. Laurence s'occupait de Nadège, qu'il avait fallu faire hospitaliser durant deux jours ; à l'annonce du décès de son père, elle avait été prise d'une crise de nerfs. Une fois rentrée de l'hôpital, elle était tombée dans un mutisme qui arrangeait Rose. Elle s'en voulait de penser cela, mais pour elle, Nadège était responsable de tout ce chaos. Peut-être parviendrait-elle finalement à voir les choses sous un angle différent, mais pour l'heure, cela lui était impossible. Elle avait donc demandé à Laurence de s'occuper de la jeune femme, s'en sentant elle-même incapable. Il était hors de question que Nadège prenne part à l'enterrement, elle risquait de ne pas le supporter. Elle n'avait pas non plus été autorisée à se recueillir sur la dépouille d'Édouard.

Rose se tenait au premier rang, avec Daniel. Charles, Paulette et leurs deux fils ne tardèrent pas à les rejoindre, dans la petite église qui se remplissait à vue d'œil. Emmanuel, qui ne se doutait absolument pas des circonstances exactes de la mort de son oncle, eut le malheur de croiser le regard de sa tante. Rose ne le supporta pas et se retint de se jeter sur lui. Elle voulait l'accuser avec virulence d'avoir profité de la faiblesse de Nadège. Elle voulait le gifler, le griffer, le mordre, même.

— Maman, ça va aller ? demanda Daniel en voyant sa mère blêmir.

Daniel. Son fils serait désormais son unique appui. Le seul à pouvoir l'aider à prendre une décision concrète. Daniel était un homme solide, avec la tête sur les épaules. Le soir même, elle lui révéla tout. Elle lui expliqua pourquoi son père avait voulu retourner au château après sa journée de travail. Elle lui révéla que Manu avait profité sans scrupule de Nadège, après l'avoir fait boire et fumer de l'herbe. Elle omit toutefois de lui faire part de la conversation qui avait mis la jeune femme dans tous ses états.

— Je vais le tuer ! rugit Daniel. Il a mis ma sœur enceinte, bordel ! Sa propre cousine !

Daniel se leva de sa chaise, incrédule, et se mit à faire les cent pas, de la même manière que son père quelques jours plus tôt.

— Et tu dis qu'elle veut garder l'enfant ?

Rose le supplia de ne pas agir sur une impulsion.

— Très bien, lâcha-t-il finalement. Mais les choses ne vont pas s'arrêter là. Crois-moi, il va le payer.

Les jours suivants, une échographie révéla que non pas un, mais deux bébés grandissaient dans le ventre de Nadège. Rose crut défaillir pour de bon à l'annonce de la nouvelle. Un seul bébé aurait été facile à gérer ; mais deux ! Elle se souvint que Richard avait eu des jumelles avec Babeth. Son premier amour était donc porteur du gène de la gémellité et l'avait transmis à Nadège. Rose finit par s'adoucir à l'égard de sa fille et se promit de l'aider pour le mieux.

Deux semaines après l'enterrement d'Édouard, Daniel débarqua, un soir, peu après le dîner.

— Nadège dort? voulut-il savoir.

— Non, je crois qu'elle a prévu de regarder une émission de variétés.

— Très bien. Qu'elle reste devant la télévision, surtout. Viens avec moi, maman. J'ai donné rendez-vous à Emmanuel sur les berges. Soit il assume ce qu'il a fait, soit il se tire de là. Je lui laisse le choix. On ne fait pas impunément du mal à ma petite sœur, même si elle ne perd rien pour attendre.

...

En cette soirée glaciale de mars, Daniel gara sa voiture sur le champ de foire. Rose, l'esprit confus et préoccupé, retint néanmoins qu'une chanteuse à la voix presque masculine interprétait dans le poste de radio, sans vraiment prendre la peine d'articuler, «C'est comme ça», lui cassant les oreilles. Il faisait tellement froid que les rues étaient désertes. Rose sortit du côté passager. Elle aurait préféré rester et s'enfuir durant quelques heures avec la voiture de son fils, parcourir la campagne et oublier tous ses soucis. À soixante-deux ans, elle n'avait plus tellement l'habitude de sortir si tardivement le soir et savait qu'elle le paierait le lendemain matin. À vrai dire, depuis la mort d'Édouard, elle ne dormait plus beaucoup. Il lui faudrait bientôt prendre des somnifères, si elle continuait à ce rythme-là. Emmitouflée dans un lourd manteau, Rose glissa un bras sous celui de son fils et ils descendirent lentement en direction des rives. Le silence était total. Daniel avait fixé rendez-vous à son cousin peu avant le moulin. Ils bifurquèrent, s'enfonçant dans un chemin jalonné d'herbes hautes, que leurs pas faisaient bruisser. Manu était assis face à la rivière, une bouteille de vodka presque vide entre les mains. Il se retourna à peine en entendant son cousin et sa tante arriver.

— Nadège vous a dit ce qu'on a fait, n'est-ce pas ? avança-t-il simplement.

— Oui, c'est bien pour ça que nous sommes là. Félicitations, au fait, tu vas être papa ! attaqua Daniel.

Manu le dévisagea, ne semblant pas comprendre où son cousin voulait en venir.

— Mais de quoi tu parles ?

— Ma sœur est enceinte, voilà, de quoi je parle ! Elle a des jumeaux dans le ventre et compte les garder. Alors nous sommes venus te dire que soit tu assumes, soit je préviens tes parents moi-même. Auquel cas je te conseille de te barrer loin d'ici parce qu'il vaudra mieux que tu ne recroises jamais ma route, espèce de foutu bon à rien !

Emmanuel ne répondait toujours pas, aussi Daniel continua-t-il à régler ses comptes :

— Si toutefois tu décides d'assumer, tu pourras peut-être enfin penser à travailler si ça ne te fatigue pas trop !

Rose restait silencieuse, horrifiée par la tournure que prenaient les choses. Sa raison lui dictait de s'enfuir, mais elle était clouée là, incapable de bouger, ni même de parler. Elle tenta d'intervenir, ouvrant la bouche et la refermant aussitôt, les mots ne voulant pas sortir. Emmanuel répondit enfin à son cousin :

— Une minute, là ! Qui dit que je suis forcément le père de ces mioches, d'abord ?

— Ma sœur n'est pas une pute ! tonna Daniel.

— Ah ouais ? railla son cousin.

Emmanuel dévisagea alors Rose, tout en continuant à parler à Daniel :

— Pourtant, d'après ce que j'ai entendu dire, tante Rose a fait des folies par le passé. Va savoir si ce n'est pas dans les gènes, d'avoir chaud aux fesses !

Daniel s'approcha dangereusement de Manu, tandis que Rose reculait, de plus en plus près des berges.

— Je te défends de parler de ma mère comme ça, espèce de raté ! gronda Daniel.

— Bah alors, ma tante, provoqua Emmanuel, tu ne dis rien ? Dis-lui, à ton fils, que sa petite sœur est en fait une bâtarde ! Allez, vas-y, quoi, te dégonfle pas !

Il bondit presque sur Rose, lui secouant le bras pour la faire réagir. Daniel crut que sa mère allait basculer à l'eau, aussi se jeta-t-il sur son cousin et lui encercla-t-il la taille pour l'éloigner de Rose. Emmanuel, trop ivre pour comprendre qu'il devait arrêter de franchir les limites, continuait à tenir son discours, ne lâchant pas Rose du regard :

— Eh bien, ma tante tu es muette ? Tu peux bien dire à ton fils que Nadège est la fille d'un autre, non ?

Ce fut plus que Daniel ne put en supporter et il envoya un coup de poing dans la mâchoire de Manu, qui perdit l'équilibre et atterrit dans la rivière, là où le courant était particulièrement fort, charrié par le moulin.

— Non! hurla Rose.

Mais il était trop tard. Emmanuel avait déjà disparu, emporté par le courant et trop alcoolisé pour avoir le moindre réflexe de survie. Rose resta là, à fixer la rivière dans l'espoir que tout cela n'était qu'un mauvais rêve. Daniel fut plus prompt à réagir et l'entraîna, lui prenant la main.

— C'est trop tard, maman. On ne peut plus rien faire.

Rose avança tel un automate vers la voiture de son fils. Une fois assis, Daniel posa ses avant-bras de part et d'autre du volant. Sa mère se ressaisit à ce moment-là et bafouilla:

— Il a raison, tu sais... Manu... Quand il a dit que ta sœur n'est pas...

— Je sais, maman, fit-il, affligé. Sinon, tu aurais protesté.

Rose l'interrogea du regard. Il répondit:

— La gifle que tu as reçue de ta mère ce jour-là. C'est parce qu'elle savait, n'est-ce pas?

Elle hocha silencieusement la tête. Daniel mit le contact de la voiture et fixa Rose. Avant de reprendre la route, il lui déclara:

— Cette soirée n'a jamais eu lieu. Tu diras à Nadège que Laurence était un peu malade et que je me suis inquiété pour rien. On n'en reparlera plus jamais.

Le corps d'Emmanuel fut rejeté le lendemain, sur les berges d'un village voisin. L'enquête conclut que l'homme de trente-deux ans, ivre, était tombé dans la rivière et s'était noyé.

...

Rose vit dans ce nouveau deuil une forme de malédiction planant sur sa famille. Tout cela était le prix fort à payer pour les terribles erreurs qui avaient été commises, un effet domino qui s'arrêterait peut-être le jour où elle trouverait comment se racheter du passé.

Curieusement, Nadège ne s'effondra pas en apprenant la mort de son cousin. Elle paraissait même plus insouciante. Comme libérée d'un lourd fardeau qu'elle portait depuis le soir où elle s'était donnée à lui. Dans le fond, elle avait été terrifiée à l'idée qu'on lui demande d'épouser Manu. Elle ne l'aimait pas, pas comme ça. Même physiquement, il n'était pas son genre, il était bien trop négligé. Si elle avait fait l'amour avec lui, c'était uniquement parce qu'elle s'était trouvée sous le coup de la drogue et de l'alcool. Plus jamais elle ne toucherait à ces poisons.

Rose l'aiderait à élever ses enfants et peut-être que Nadège se ferait embaucher comme caissière, là où travaillait Laurence, pour subvenir à leurs besoins. L'idée de sa prochaine maternité lui donnait enfin un but dans la vie. Elle avait déjà trouvé les prénoms : Lola et Inès pour des filles, Vincent et Benjamin pour des garçons. Il ne lui venait pas un seul instant à l'esprit qu'elle pourrait donner naissance à des faux jumeaux. Rose se sentit soulagée de voir sa fille si pleine de projets, même si elle craignait beaucoup le contexte dans lequel seraient élevés ses petits-enfants. Tant de malheurs avaient frappé la famille! Est-ce que tout cela allait un jour s'arrêter? Toutefois, elle aidait sa fille à préparer l'arrivée des bébés, l'équipant en matériel de puériculture et tricotant de la layette. Nadège s'épanouissait, même si elle souffrait de fréquents maux de tête.

Un matin d'octobre, à huit mois de grossesse, tandis que Rose était en train d'éplucher des pommes de terre, Nadège se plaignit de contractions rapprochées. Rose la conduisit à la maternité, où on leur confirma que le travail avait commencé. Les bébés seraient donc des prématurés et auraient besoin de soins particuliers. Nadège souffrait, mais serrait les dents, le visage rouge et les veines gonflées. Elle marchait pour tenter d'accélérer le travail. Les fortes contractions avaient fait revenir ses migraines au galop. Ce fut au moment où elle commençait à se diriger à nouveau vers la salle de travail qu'elle tomba d'un seul coup évanouie, en poussant un cri presque animal.

Les infirmières se précipitèrent et on emmena Rose dans une salle d'attente dénuée de chaleur humaine. On lui dit de patienter en attendant les nouvelles et quelqu'un lui apporta un café infâme. Seule, assise sur une chaise en plastique, sa tête cherchait des réponses à ce qui venait de se produire. N'y tenant plus, elle demanda au secrétariat de téléphoner à Daniel et Laurence, afin de les prévenir qu'il y avait eu des complications. Ils arrivaient juste lorsqu'un chirurgien se présenta devant eux et leur annonça la terrible nouvelle. Nadège avait été victime d'une quadruple dissection d'artères cérébrales. On avait alors pratiqué une césarienne d'urgence afin de mettre les deux enfants au monde. Nadège n'avait pas survécu, succombant à une lourde hémorragie cérébrale. Les deux enfants, un garçon et une fille, étaient placés en couveuse. La famille pouvait leur rendre visite, ils allaient en avoir besoin puisqu'ils étaient privés du lait et de l'affection de leur mère.

Rose s'évanouit. Elle revint à elle quelques minutes après, étendue sur les chaises de la salle d'attente, une infirmière tapotant son front d'un linge imbibé d'eau fraîche. Elle avait tout perdu. Tout. Sa fille venait de mourir, il ne lui restait désormais plus rien d'autre que sa maison et son fils, qui s'était renfermé sur lui-même depuis cette soirée fatale où Emmanuel avait trouvé la mort.

Pourtant, malgré le chagrin qui lui déchirait les entrailles et menaçait de l'écorcher vive, ses idées étaient claires. Il n'y avait plus qu'une seule chose à faire. Daniel et Laurence étaient effondrés, aussi décida-t-elle d'attendre avant de leur faire part de sa décision. Elle ne put se résoudre à rendre visite aux nourrissons, laissant son fils et sa belle-fille s'acquitter de cette lourde tâche. Elle répondit toutefois « Lola et Vincent » à une infirmière qui vint lui demander avec douceur si sa fille avait choisi les prénoms des bébés.

Le lendemain matin, avant de se rendre à nouveau à l'hôpital, ils tinrent une sorte de conseil de famille. Daniel annonça à sa mère que Laurence avait eu une idée. Ils adopteraient le garçon. Rose pourrait s'occuper de la petite fille.

— Non, répondit-elle fermement. Je comptais les placer à l'adoption. Ils ne seront jamais heureux, avec nous.

— Laissez-nous au moins adopter Vincent, pour l'amour du ciel! s'exclama Laurence. Ce bébé est ma seule chance d'avoir un enfant.

— Alors pourquoi n'adoptez-vous pas les deux? interrogea Rose, la voix pleine de lassitude.

Daniel se leva et expliqua à nouveau pourquoi il ne voulait pas de fille. Il avait trop entendu dire que les femmes de sa famille n'avaient apporté que du malheur. Il saurait mieux élever un garçon. Les hommes, eux, s'en tiraient mieux. Il subviendrait aux besoins du garçon et l'élèverait comme son propre fils. Laurence pourrait ainsi combler son besoin de maternité.

Rose se laissa rallier à leur cause. Après tout, ils pourraient toujours convaincre le petit que Daniel et Laurence étaient ses véritables parents. Mais elle refusa de prendre en charge la fillette.

— Je n'en aurai pas la force, argumenta-t-elle. Je n'ai rien de bon à lui offrir. Seulement des regrets et une tristesse froide. Elle sera mieux dans une famille soudée et aimante, une famille prête à la rendre heureuse. Il me reste de l'argent, je vais engager des avocats et m'assurer qu'elle ne manque jamais de rien.

Ainsi fut scellé le sort de Vincent et Lola, nés en octobre 1987 de Nadège Garnier, décédée pendant l'accouchement, et de père inconnu.

Comme bien souvent, on ne reparla plus de tout cela. Rose fut soulagée lorsqu'un jeune couple de Parisiens lui parut correspondre parfaitement aux critères qu'elle avait souhaités pour l'avenir de Lola. Vincent fut officiellement adopté par Daniel et Laurence. À Aubéry, le bruit courut que le deuxième bébé était mort en même temps que Nadège. Vincent ne sut jamais rien des circonstances réelles de sa venue au monde et de sa véritable ascendance.

Il grandit entouré d'une mère parfois trop protectrice et d'un père taciturne qui semblait rongé par de terribles regrets. Rose savait qu'il avait toujours culpabilisé d'avoir propulsé Emmanuel vers une mort certaine en le faisant taire d'un coup de poing fatal. Daniel n'avait jamais pu remettre les pieds au château, avait donné sa démission et était parti travailler sur un autre domaine, jusqu'à ce qu'une crise cardiaque l'emporte en 2006.

## 33.

*Lola.*

La lecture de ces feuilles me laisse tout d'abord interdite. Je ne sais pas trop ce que je dois penser de tout cela, je n'ai pas envie de juger, je ne suis pas là pour ça. Je n'arrive pas à pleurer, et pourtant cette dernière partie de mon histoire me laisse comme un goût étrange, comme si je me trouvais à la fin d'un cycle et au début d'un autre, dans le brouillard de l'entre-deux. Je suis bien contente d'en avoir terminé, mais ce n'est pas à cela que je m'attendais. Je n'en reviens pas que la décision prise par Louise en 1946 ait pu à ce point affecter le destin de la lignée des Garnier. Je laisse mon regard se perdre au loin, en songeant que c'est dans cette même rivière que mon véritable père a perdu la vie. J'ai envie de me lever et de marcher jusqu'à ne plus en sentir mes jambes, jusqu'à ce que je ne puisse plus penser. Mais ce serait une fuite. Non, ce n'est pas ce que je veux. Tout à coup, une hirondelle se met à babiller et son chant printanier distille en moi une incroyable bouffée de sérénité. J'ai très envie d'entendre la voix de maman et je compose son numéro.

— Maman, je ne te dérange pas ?

Je sens une hésitation dans sa voix.

— Non… nous sommes en plein service, ma chérie. Il ne t'arrive rien de grave, au moins ?

— Non, maman. Je voulais juste te dire que je suis vraiment heureuse d'avoir pu grandir avec papa et toi. Il fallait que tu le saches. Je te rappelle ce soir.

Cette lecture m'a fait prendre conscience que ma véritable famille, c'est celle qui m'a élevée. Bien sûr, je me sens liée au destin de Louise, Rose et Nadège, mais pour moi, même si cette triste affaire m'a profondément chamboulée, leurs fantômes ne pourront jamais remplacer la douce enfance que Rose m'a permis d'avoir en me confiant à des inconnus. Je me sens libérée car je sais dorénavant pourquoi j'ai été placée à l'orphelinat. Et je sais que, comme l'a souligné ma grand-mère dans ses lettres, c'est la meilleure chose qu'elle a eu à m'offrir. Quel genre de personne serais-je devenue si j'avais grandi ici, dans l'ombre des fantômes du passé ?

Je range les feuilles dans l'enveloppe. Je les donnerai à Vincent, car lui aussi a le droit de connaître la vérité. Il doit savoir que je suis sa sœur. Il doit découvrir l'histoire de nos parents. J'appréhende d'ores et déjà une nouvelle visite de Laurence, mais tant pis. Puisque je suis conviée chez Vincent demain, je lui transmettrai ce dernier témoignage de Rose, notre grand-mère.

Mon estomac se rappelle à moi. C'est fou, même dans les moments cruciaux de l'existence, nous avons besoin de manger, de boire, d'aller aux toilettes, de chasser des insectes invisibles de notre peau, de cligner des yeux, de répondre au téléphone, de remettre en place une mèche rebelle, de jeter un coup d'œil inquiet à la météo. De respirer. De continuer à vivre.

J'ouvre le panier d'Évelyne et découvre quelques tranches de pain au jambon et aux olives. Ce sera parfait. J'en croque un morceau avec appétit, puis je décide qu'il est temps de téléphoner à Tristan, qui doit être en pause. Il décroche presque immédiatement et je lui révèle tout ce qui a conduit à ma naissance et à mon adoption.

— Quels sont tes sentiments ? me demande-t-il, avec une nuance d'inquiétude dans la voix.

Je ramène mes cheveux derrière mes oreilles et lui réponds posément :

— C'est une histoire presque sordide. Tragique, en tout cas. Mais je me sens différente, à présent. Je suis prête à avancer.

— C'est bien, ma chouquette, je suis fier de toi. N'oublie jamais que, malgré les actes commis par tes ancêtres, tu es une belle personne, Lola. Rose t'a au moins permis de te construire sainement.

— Oui, et je lui en serai éternellement reconnaissante.

Le vent s'engouffre dans mes cheveux, les faisant gonfler. Je remballe ce qui reste de mon pique-nique, le cœur presque léger d'être libérée d'un poids, celui de l'inconnu. Je me sens revivre, comme neuve et prête à soulever des montagnes. Demain, j'irai balayer et chasser tout de ce passé encombrant en compagnie de Vincent. De mon frère. Je compte également rattraper le temps perdu avec Béatrice et me consacrer à l'ouverture de ma librairie, dont j'imagine déjà l'enseigne. Pourtant, une chose m'attriste encore. Jim ne m'a toujours pas donné signe de vie.

...

Vendredi. Il est midi cinq lorsque Vincent me récupère devant l'auberge. Je serre l'enveloppe très fort contre mon cœur. Il reste un instant à me regarder de manière indécise, puis me fait la bise, une main sur mon épaule. À quel moment vais-je trouver le courage de tout lui dire? Entre le fromage et le dessert? Durant le trajet qui nous mène jusque chez lui, à cinq kilomètres après la sortie du village, il me pose des questions sur ma vie à Paris. Je lui réponds que j'ai pu grandir dans des conditions idéales, que je n'ai jamais souffert du manque de ma famille biologique. Une question m'échappe, presque malgré moi:

— Et toi, ton enfance?

Il me lance un bref regard de côté.

— Je n'ai pas eu à me plaindre. C'était plutôt silencieux à la maison, mais vivable.

Je me mords les lèvres pour ne pas lui expliquer pourquoi il a grandi dans une telle ambiance. Je préfère regarder défiler le paysage de champs de blé et de prés. Nous arrivons chez lui, une maison de plain-pied entourée d'un terrain assez vaste.

Une femme et un petit garçon nous attendent sous la véranda.

— Voici Sandra et Timéo, annonce-t-il fièrement.

J'écarquille les yeux.

— Quel âge a ton fils? Comme il te ressemble!

— C'est ce qu'on me dit, oui. Il a cinq ans.

Sandra s'avance à notre rencontre. C'est une femme de taille moyenne, qui me fait penser à une Italienne, avec ses longs cheveux noirs, ses yeux de biche, son visage de madone et ses rondeurs féminines mises en avant dans une jupe crayon ceinturée à la taille et une chemise sans manches. Elle m'embrasse chaleureusement et tous deux me font visiter la maison avant de me conduire dans le jardin, où la table a été dressée. Je suis avec mon frère, ma belle-sœur… et mon neveu. Je crois bien que je vais me mettre à pleurer. Sandra est partie chercher l'apéritif, accompagnée de Timéo. Elle traîne exagérément et je comprends qu'elle a surtout décidé que Vincent et moi devions passer un moment seuls, tous les deux.

— Tout va bien ? me demande-t-il, sans doute pris de court par mon regard qui menace de laisser échapper une véritable fontaine de larmes.

Je respire profondément, pour être sûre de ne pas craquer.

— Oui. J'aurais dû te prévenir, je suis plutôt émotive, en fait.

Un sourire en coin se dessine sur son visage.

— Moi aussi. Je sais bien qu'on ne le dirait pas, à me voir comme ça, mais je suis très sensible.

Sandra ne revient toujours pas, je suis sûre qu'elle nous observe, par la fenêtre de la cuisine, située derrière moi. Je ne sais pas si le moment est vraiment bien choisi, mais tant pis. Si je ne me lance pas maintenant, je ne le ferai jamais et je n'ai pas envie qu'un silence gênant s'installe entre nous.

— Écoute, Vincent, je t'ai apporté une enveloppe qui… Enfin, Rose m'a glissé la dernière partie de notre histoire à l'intérieur. Je sais qu'elle voulait que ce soit moi qui te dise tout, mais… C'est difficile.

Mon frère me fixe d'un drôle d'air. Il semble presque amusé. C'est vrai que nous nous ressemblons. Louise nous a transmis ses prunelles ambrées et Nadège son teint clair. Vincent est un peu plus grand que moi, mais pas tant que ça, en fait. Peut-être que nous tenons le reste d'Emmanuel. Des grains de beauté éparpillés ici et là, notre nez droit et court. Je ne sais pas. Il faudrait que je revoie les photos. Je me rends compte que je souris en lui rendant son regard. Nous échangeons notre premier moment de complicité et je ne sais même pas pourquoi. Avant que j'aie le temps de reprendre, Vincent me surprend. Il approche sa chaise de la mienne et s'empare de ma main. Il déclare, d'un ton très calme :

— Ma mère est passée me voir, mercredi soir. Elle était dans tous ses états. Elle m'a dit qu'elle était allée te parler.

Je baisse les yeux vers mes ballerines et ne trouve qu'à répondre :

— Ah.

Il poursuit :

— Il paraît qu'elle t'a fait une scène.

Il affiche un drôle de rictus, en fronçant à la fois les sourcils et le nez, sans doute en tentant d'imaginer les propos que m'a tenus Laurence. Je bafouille que j'ai essayé de rester calme face à la colère de sa mère, même si cela n'a pas été simple.

— Oui, ne t'inquiète pas, ça aussi, je le sais. Après cette scène, ma mère est rentrée chez elle pour réfléchir un peu. Elle est comme ça ; elle peut agir de manière impulsive, mais ensuite, elle se pose pour trouver des solutions.

Je relève machinalement la tête. Vincent me secoue un peu la main involontairement et reprend avec animation :

— Bon, en réalité, maman est venue hier soir pour me dire toute la vérité. Elle savait que tu finirais par tout découvrir et que, tôt ou tard, tu m'en parlerais. Alors elle a préféré tout m'annoncer elle-même.

Je reste un instant sans voix et demande :

— Qu'est-ce que tu entends par « toute la vérité » ?

Vincent laisse échapper un rire délicat :

— Tu veux me l'entendre dire, c'est ça ? Je sais que tu es ma sœur jumelle, Lola. Et que j'ai en réalité été adopté par mon oncle et ma tante. Je sais que tu as été placée à l'adoption parce que Rose avait peur de ce qu'elle aurait pu te transmettre. Et mon père était effrayé à l'idée d'élever une fille.

Il ne peut plus s'arrêter de parler. Il me dit que cela ne change rien pour lui et qu'il considérera toujours Daniel et Laurence comme ses véritables parents.

— La seule chose qui change vraiment, pour moi, termine-t-il, c'est que, enfin, j'ai une sœur. Et même si j'ai dû attendre presque vingt-huit ans pour la connaître, elle est là, devant moi et c'est tout ce qui compte.

Mon frère m'ouvre ses bras et nous nous étreignons. Je lui dis que je n'osais pas en espérer autant et que je suis terriblement heureuse à l'idée de créer des liens avec lui. Notre relation ne sera pas la même que si on avait grandi ensemble et il va nous falloir du temps pour parvenir à nous considérer réellement comme frère et sœur. Nous en sommes conscients tous les deux.

L'apéritif apparaît comme par magie sur la table. L'ambiance est détendue, nous parlons de tout le temps perdu, presque trois décennies, que nous allons devoir dorénavant rattraper. Je raconte peu à peu la véritable histoire de Louise et Rose. Sans porter aucun jugement, j'évoque ce que fut la vie de notre arrière-grand-mère et cette matinée où elle est allée jusqu'à la gare pour informer Richard que Rose ne le suivrait pas. Je parle ensuite des espoirs et des déceptions de Rose. J'apprends à mon frère que Richard était notre grand-père. Ce qui fait de Béatrice notre grand-tante. Si Vincent est ému, Sandra est vraiment étonnée par tout cela. À la fin de mon récit, elle me remercie.

Surprise, je lui demande pourquoi.

— Parce que même si Vincent ne voulait pas entendre parler de toi au début, il est en train de devenir moins… Je ne trouve même pas le mot exact.

Je repense à la première impression que j'ai eue de lui et propose, en riant :

— Bourru, peut-être ?

— Oui ! applaudit Sandra. C'est tout à fait ça ! Il fait moins bourru !

— Ne vous gênez pas, mesdames ! fait mine de s'indigner mon frère. Faites donc comme si je n'étais pas là, surtout.

Après avoir dévoré saucisses et côtelettes, Vincent me parle de lui. J'apprends que, si sa mère s'est échinée à lui donner une impression de normalité, il a toujours senti que Daniel était rongé par quelque chose de secret. Il ne prenait jamais le temps de s'amuser, de profiter de la vie. Il était toujours sérieux, taciturne, à s'occuper les mains pour éviter de penser.

— Maintenant que maman m'a tout dit, ajoute-t-il, je comprends mieux. Entre les drames et la soirée où il a… la soirée où notre père est décédé… C'est presque un miracle qu'il ne soit pas devenu alcoolique, lui aussi.

Vincent termine son verre de vin et me précise :

— Ma mère est vraiment désolée pour la scène qu'elle t'a fait subir. Tu as dû te demander ce qui était en train de te tomber dessus.

Je reconnais qu'il n'a pas tort. Il m'apprend que Laurence a l'intention de nous réunir un soir afin de me présenter ses excuses. Sandra et Vincent veulent ensuite savoir quels sont mes futurs projets. Un grand sourire illumine le visage de mon frère lorsque je lui parle de mon intention d'ouvrir une librairie dans la maison dont j'ai hérité.

— Cela signifie que tu vas vivre ici, alors ! s'exclame-t-il, ravi.

— On dirait bien que je suis partie pour, oui. Ce village me plaît vraiment, tu sais. C'est comme si je rentrais au bercail. Oui, je crois bien que je me sens chez moi, ici. C'est bizarre, hein ?

— Ce n'est pourtant pas faute d'avoir tout fait pour te faire fuir, grimace Vincent, honteux. Qu'est-ce que j'ai été con !

— Tu as eu peur, c'est normal. Ce n'est pas facile de voir sa vie prendre un autre tournant alors qu'on n'a rien demandé, crois-moi.

Tandis que nous buvons le café, Timéo part jouer dans sa chambre. Vincent me demande alors malicieusement :

— Est-ce que Jim est pour quelque chose dans ton choix de t'installer ici ?

Jim. Si seulement ! Pourtant, je crains bien que notre histoire se soit terminée avant même d'avoir pu commencer. J'explique à Vincent dans quelle situation je me suis fourrée.

— Jim est mon meilleur ami, tu sais, me répond-il simplement.

— C'est ce que j'ai cru comprendre.

— Mais ça ne l'empêche pas de se conduire parfois comme le dernier des imbéciles.

Il soupire en se laissant aller contre le dossier de sa chaise et lève un œil vers moi.

— Vous deviez vous voir demain, c'est ça ?

— Oui, dis-je en me servant une deuxième tasse de café.

Parler de Jim me donne le besoin de m'occuper afin de ne pas trahir mon trouble, pourtant évident. Alors je sirote ma deuxième tasse de café en grignotant un macaron à la framboise, même si je n'ai plus faim. Je poursuis, ma cheville battant nerveusement contre le pied de ma chaise :

— Mais je pense que, vu l'état actuel des choses, me voir demain ne fait plus partie de ses plans. Je lui ai envoyé un texto auquel il n'a même pas répondu.

Vincent hoche la tête en faisant tourner sa tasse entre ses mains. Il fixe un point imaginaire sur la table et dit pensivement :

— Tu me taquinais, tout à l'heure, en me disant que j'étais bourru. Jim, c'est pire.

Il redresse la tête vers moi et enchaîne :

— Le connaissant, il doit être en train de ruminer. Il ne doit pas faire son fier et est trop maladroit pour oser revenir vers toi.

J'avale ma dernière goutte de café et lance :

— Génial. Entre andouilles, alors, nous étions faits pour nous rencontrer.

Vincent secoue négativement la tête, soupire et se lève d'un bond, nous faisant sursauter, Sandra et moi.

— Viens avec moi, Lola. Pour la première fois de ma vie, je vais me comporter comme ton frère.

Je souris, avant de demander :

— On va où ?

— Je t'emmène chez Jim.

...

J'ai eu envie de protester. De dire à Vincent que je ne pouvais pas me présenter devant le potentiel homme de ma vie avec une tache de merguez sur mon chandail blanc, ni avec l'haleine chargée de café. Mais je crois que les hommes ne peuvent pas saisir l'importance de ce genre de détails. Il m'aurait répondu que ce n'était qu'une excuse, et il aurait eu raison.

Au volant de sa voiture, Vincent emprunte habile-ment des raccourcis sur les routes de campagne ; il pourrait tout aussi bien vouloir me perdre et se débarrasser de moi à jamais, il y parviendrait sans mal. Enfin, je me repère lorsque nous approchons de la rivière. Je sais qu'elle est là, derrière la route. Pourtant, Vincent la contourne. Nous allons vers la rive opposée.

Jim vit dans une petite maison située près des bois. La rivière passe en contrebas de son jardin, l'eau roulant par endroits sur des grosses pierres que la nature a posées là, de façon aléatoire et harmonieuse. Si j'étais ici en terrain conquis, je trouverais l'endroit romantique et bucolique à souhait. Autour de la maison de pierre, tout n'est que verdure et calme. Les arbres touffus apportent une ambiance apaisante, égayée par le chant des oiseaux. Mais je ne suis pas ici pour profiter de l'atmosphère en rêvassant.

— Sa voiture est là, constate Vincent, en m'entraînant vers la maison.

Il sonne, mais personne ne répond. Nous faisons le tour du terrain, jetons un œil dans le garage, en vain. Nous ne trouvons qu'un établi, des outils et des cartons savamment empilés et rangés. Jim ne se trouve pas non plus occupé dans le jardin. J'avise alors un ponton de bois, au loin. Il me semble voir une silhouette assise là, au bord de l'eau. Je désigne l'endroit à mon frère, par un signe de tête.

— C'est là qu'il amarre sa barque, m'explique Vincent. Je te laisse, Lola, à toi de jouer.

Avant que je n'aie le temps de protester, il s'éloigne rapidement vers sa voiture. Il ne me reste plus qu'à prendre mon courage à deux mains et traverser le terrain en pente, en direction du ponton. Je pourrais avancer à pas feutrés, mais je ne suis pas sûre que surprendre Jim soit la meilleure des idées. Il serait bien du genre à me jeter à l'eau avant de comprendre que je ne suis pas un agresseur. Pas l'idéal, pour des retrouvailles, en somme.

Malgré mon manque évident de discrétion, Jim ne réagit pas tandis que je franchis le ponton. Mes ballerines ne sont pourtant pas silencieuses. Je le vois redresser légèrement la tête, sans pour autant se retourner. Il m'attend. Sans un mot, je m'assois à côté de lui, ôte mes chaussures et laisse mes pieds baigner dans l'eau. Je ne sais pas par où commencer. Il ouvre la bouche avant moi et je reconnais là son style naturel et inimitable, qui le rend si unique à mes yeux :

— Tu te balades toujours avec une odeur de merguez sur toi, ou c'est juste pour me rendre visite ?

Je ne peux m'empêcher de m'esclaffer et de répondre, sur un ton plein de malice :

— D'ordinaire, j'utilise un parfum sucré. Mais ici, j'avais peur que ça attire les abeilles. Comme je suis passée chez Vincent et qu'il faisait un barbecue, je me suis dit que l'odeur de merguez, ça pouvait être original.

Bravo, Lola, de mieux en mieux. Tu n'aurais pas pu trouver une réplique plus concise et plus drôle ? Maintenant, il va te prendre pour une demeurée. Si ce n'est déjà fait. Pourtant, il semble sourire. Je n'en suis pas absolument sûre, car il ne me regarde toujours pas, ses yeux contemplent l'autre rive. Peut-être qu'il se moque de moi, en fait. Je reprends, plus sérieusement :

— Je suis désolée pour ce que tu as entendu l'autre jour, Jim. Vraiment. Le seul problème, c'est que tu ne savais pas ce que j'étais en train de dire avant, ni ce que Tristan me répondait.

Je fais une pause, me demandant s'il a réellement envie de savoir. Il doit lire dans mes pensées puisqu'il dit :

— Je t'écoute.

— J'ai décidé de m'installer à Aubéry, afin d'y ouvrir ma librairie. Pour cela, auparavant, je dois suivre une formation de quelques mois à Paris. Pour apprendre à bien gérer tout ça, tu comprends ? Alors, quand tu as surpris ma conversion téléphonique avec Tristan, je lui disais que j'avais peur d'entamer quelque chose avec toi, tout en sachant que j'allais être absente durant plusieurs mois.

Jim lâche un soupir. J'ignore si c'est du soulagement ou de l'agacement. Peut-être un peu des deux. Sous son t-shirt bleu, je devine une carrure rassurante, qui me donne envie de me pelotonner contre lui, de poser ma tête sur son épaule. Mais je ne le ferai pas. Pas encore.

— C'est moi qui suis désolé, Lola, répond-il finalement. J'aurais dû te laisser une chance de t'expliquer.

— Pourquoi tu n'as pas répondu à mon texto, alors ?

Il me regarde enfin, je retrouve ses yeux si bleus dans lesquels j'ai envie de me noyer.

— J'avais besoin de réfléchir. De savoir pourquoi je vivais si mal le fait que tu pourrais éventuellement décider de rentrer définitivement à Paris.

Il regarde à nouveau l'horizon, avant de reprendre :

— Je ne sais pas si on peut tomber amoureux de quelqu'un en seulement quelques jours, mais on ne peut pas nier qu'il se passe un truc entre nous. Tout ce que je sais, c'est que je n'avais pas envie que tu quittes Aubéry. Je ne le veux toujours pas, d'ailleurs.

Les battements de mon cœur se livrent à une cavalcade infernale. Je parviens à répondre, sans balbutier :

— Moi non plus je ne sais pas si on peut tomber amoureux de quelqu'un en seulement quelques jours. Mais j'ai bien envie de le découvrir.

Il se lève soudainement et me tend la main :

— On se la fait maintenant, cette promenade en barque ?

...

La barque immobilisée au milieu de la rivière, là où le soleil se reflète dans l'eau, comme s'il l'éclairait par en dessous, nous n'arrivons pas à nous rassasier de nos paroles. Jim veut tout savoir de moi, de mon passé, de mes pensées actuelles et de mes projets futurs. Il me dit qu'il aime l'odeur de la merguez. Mais qu'il saura se contenter de celle de mon parfum sucré. Il sait me faire rire aux éclats comme personne, tout en me donnant l'envie de me réfugier dans ses bras. Je m'ouvre à lui sans aucune gêne et il en fait de même, comme si c'était la chose la plus naturelle au monde. Quand je pense aux magazines féminins qui nous tannent à longueur de temps, nous rappelant ô combien il est important de savoir garder une bonne part de mystère si l'on veut conclure ! J'espère que les journalistes de ces revues ne m'en tiendront pas rigueur, mais je pense qu'elles devraient revoir leur copie. Parfois, les choses sont d'une telle évidence qu'on n'a pas besoin de jouer à faire semblant d'être une autre personne. Nous buvons réciproquement nos paroles. Il n'y a pas un seul silence entre nous. Sa voix me caresse l'âme et nous sommes là comme si nous attendions de nous trouver depuis des années. Il me parle de sa vie, de son adolescence difficile. Il était le seul garçon de la fratrie, il avait cette fausse impression qu'il n'y en avait que pour ses sœurs et, selon ses propos, il est devenu un petit con qui aurait surtout eu besoin d'une bonne baffe. Il m'apprend le rôle qu'a joué Vincent dans sa rédemption.

— Un jour, je suis allé le voir pour lui emprunter du fric. J'essayais de le convaincre de se lâcher un peu, je voulais l'entraîner dans mes conneries. Avec le recul, crois-moi, je n'en suis pas très fier.

Il me raconte ce passé de petit délinquant qui aurait pu mal se terminer.

— Ce jour-là, j'avais picolé. Je lui ai dit que le fric dont j'avais besoin, c'était pour commencer à *dealer* de l'herbe. Vincent est plus petit que moi et moins fort, mais il ne faut pas l'énerver. Il m'a collé une de ces raclées ! Je suis reparti en colère et j'ai eu un accident d'auto. Je m'en suis sorti avec quelques côtes cassées et le dos abîmé. Il paraît que j'aurais pu être paralysé, il s'en est fallu de peu.

Il hausse les épaules en se remettant à ramer et conclut :

— Ça a été le déclic.

Nous nous arrêtons à nouveau là où le soleil a décidé de darder ses rayons. Il me parle alors de son ex, qu'il a rencontrée après l'accident, et de leurs six années passées ensemble, de son départ soudain pour Londres. Sur le coup, il n'a pas compris, il pensait qu'elle aimait la vie à la campagne. Par peur de replonger dans ses démons, il a beaucoup arpenté les coins sauvages de la région et est tombé sur cette vieille maison, qui se trouvait en vente. Alors il l'a achetée pour une bouchée de pain et l'a entièrement retapée, soignant son chagrin d'amour au fur et à mesure qu'il rénovait la bâtisse. Ses amis ont été très présents pour lui, notamment Vincent. Ses parents viennent souvent le voir, ses deux sœurs et ses neveux également. Il a appris à aimer ce que la vie avait à lui offrir.

Soudain, il s'arrête de parler. Il me dévisage attentivement, peut-être qu'il va finir par remarquer la tache de merguez sur mon t-shirt, à la longue. Mais non, son regard s'attarde sur le mien, me déshabille littéralement. J'ai le feu aux joues.

— Mais ma vie sera encore meilleure quand je pourrai tenir dans mes bras la jolie femme qui est assise face à moi, articule-t-il lentement.

Il me semble que mon cœur s'arrête de battre. Je crois même que je suis en train de sourire bêtement. J'ai seize ans. Il me fait une remarque sur ma bouche qui lui évoque la couleur des cerises, mais je ne suis pas bien certaine de tout comprendre. Je n'entends plus que les battements de mon cœur, qui résonnent à mes oreilles. En revanche, je comprends parfaitement lorsque Jim s'approche de moi et me dit :

— Lola alias chouquette, je crois que je ne vais pas pouvoir attendre une minute de plus pour t'embrasser.

Il se penche vers moi et ses lèvres effleurent d'abord doucement les miennes. Puis il m'enveloppe de ses bras, ses doigts caressant ma nuque. Je vais mourir de plaisir, c'est certain. Son baiser se fait plus passionné, et je le lui rends, déjà ivre de lui, de son odeur, de son regard, de ses bras, de ses gestes, de sa voix. Là, sous le soleil déclinant, nous nous trouvons pour de bon.

À cet instant précis, ma nouvelle vie commence.

# ÉPILOGUE

*Un an plus tard.*

— Joyeux anniversaire, mon amour !

Je n'en reviens pas d'ouvrir les yeux aux côtés de l'homme que j'aime, en me disant que ce sera désormais mon quotidien. Je pourrai dorénavant chaque matin me pelotonner contre son torse musclé, enfouir ma tête dans son cou pour me réveiller.

Il y a un peu plus d'un mois, alors que nous abordions le sujet de son anniversaire, Jim m'a révélé que le plus beau des cadeaux que je pourrais lui offrir pour ses trente-deux ans serait que j'emménage avec lui. Alors je l'ai pris au mot. Tristan et ma famille nous ont aidés à tout transporter et installer, et depuis hier j'habite officiellement avec l'homme de ma vie. Que de chemin nous avons parcouru !

Pourtant, ce n'était pas gagné d'avance, malgré le courant évident qui passait entre nous. Peu après notre premier baiser dans la barque, j'ai eu peur. Je me suis demandé si, seulement deux semaines après la fin de ma relation avec Peter, il était vraiment raisonnable que je m'investisse auprès de Jim. Finalement, Tristan m'a convaincue en me disant que l'on se moquait des chiffres et que les plus grandes choses sont toujours accomplies avec le cœur. Alors je nous ai laissé cette chance. Durant ma formation à Paris, nous avons appris à nous connaître, à nous manquer, à nous aimer. Entre le train et les trajets en voiture, le téléphone et Internet, ces huit mois se sont en fin de compte rapidement écoulés. Lorsqu'il m'a demandé de venir vivre avec lui, j'ai évidemment sauté de joie. Jim a trouvé une place pour les meubles auxquels je tenais le plus.

Ce matin, en savourant ce nouveau bonheur, je lui susurre mon amour à l'oreille tandis que nous paressons dans nos draps fleuris. Je me sens fière de lui, car il m'a confié il y a quelques semaines que le fait de me voir m'épanouir dans mon projet lui avait donné des ailes. Jim souhaite en terminer avec ses missions d'intérim. Lui, l'ancien petit délinquant qui piquait les autoradios dans les voitures, qui buvait et voulait devenir *dealer*, a fini par trouver sa vocation. Il a repris ses études et se destine à devenir éducateur pour jeunes en difficulté. Nul doute qu'avec sa pugnacité et sa volonté il y arrivera! Je suis également fière de ce que nous sommes en train de construire ; moi qui attendais désespérément un prince charmant qui n'existe que dans les films avec Hugh Grant, j'ai trouvé un homme bon, travailleur, juste et sexy en diable. *Mon homme*.

Je décide de profiter encore un peu de la douce chaleur de son corps. Dans quelques heures, nous dresserons la table dans le jardin et nous fêterons comme il se doit notre nouvelle vie de couple et son anniversaire. Mais pendant une heure, nous avons mieux à faire, et déjà, Jim m'attire par les hanches avant de me faire basculer sur lui.

...

Quelques heures plus tard, nous sommes tous rassemblés face à la rivière qui coule paisiblement. J'ai enfilé une robe rouge virevoltante pour l'occasion. Jim vient de souffler les bougies plantées sur un énorme gâteau au chocolat à deux étages, et semble n'avoir jamais été aussi heureux. Nous avons réuni beaucoup de monde pour l'occasion : sa famille, mes parents, Tristan et son amoureux Arthur, Béatrice, Frédérick, Nora, Laurence, Vincent, Sandra, Élise et tous leurs amis qui sont rapidement devenus également les miens. Je regarde tout ce monde ; moi-même j'ai du mal à croire à mon bonheur. Chacun picore dans son assiette, rassasié du bon repas que nous venons de faire. Tous parlent dans une joyeuse cacophonie. Béatrice est en train de lisser un pan de la nappe blanche que nous avons dressée sur la table montée sur des tréteaux de bois et son regard chargé d'une émotion ravie capte le mien.

Mes yeux se posent ensuite sur Vincent, en train de chuchoter quelque chose à l'oreille de sa femme. Nous avons tous les deux commencé à rattraper le temps perdu. Nous passons du temps ensemble, discutons. Une certaine complicité s'est bel et bien établie entre nous. Nous nous sommes même rendus à l'emplacement de la ferme qui a vu naître Louise, dont il ne reste rien d'autre que des éboulements de pierres et des herbes folles.

J'ai essayé de m'intéresser davantage à Nadège. Ce n'est pas que le sujet soit tabou, mais si elle m'a pourtant donné la vie, j'ai du mal à me découvrir des points communs avec elle. Ce que ma mère a été reste pour moi, d'une certaine façon, une notion assez abstraite, comme si les troubles dont elle a pu souffrir en avaient fait une personne insaisissable et enfermée dans son propre monde, demeuré hermétique même des années après sa mort. Peut-être que ces sentiments finiront par évoluer un jour. Vincent, lui, n'en parle jamais.

Nous avons également tenté de nouer des liens avec la famille Garnier. En vain. Frédérick nous avait annoncé que Yves, notre oncle, était de retour pour mettre le château en vente. Nous avons profité de l'occasion pour aller le voir et lui dire qui nous étions. Je ne sais pas ce que nous espérions, vraiment. Yves a proposé de nous signer un chèque plutôt conséquent pour que nous ne parlions plus de cette histoire. Vincent et moi, éberlués, sommes partis sans prendre l'argent. Un chèque ne remplace pas une famille, et puisque c'était tout ce que les Garnier avaient à nous offrir, nous avons préféré en rester là.

Un jour, Vincent m'a fait visiter la dernière maison de Rose. Il avait retrouvé des livres et souhaitait que je les garde. J'ai ainsi pu constater que, jusqu'au bout, ma grand-mère avait été une fervente lectrice, s'intéressant même aux littératures modernes. J'ai trouvé des romans de Fannie Flagg, Stephen King, Dan Brown ou même

Sophie Kinsella. En pénétrant dans sa chambre, je n'ai pas pu m'empêcher de m'esclaffer en remarquant le livre qui était abandonné sur sa table de chevet, un marque-page émergeant du dernier quart du roman. Rose s'intéressait aux vampires et lisait la saga *Twilight*. Et puis d'un coup, une drôle de pensée m'a envahie ; celle que Rose était morte sans connaître la fin de son livre. Je sais que c'est bête, mais cette idée est l'une de mes peurs les plus profondes ; mourir avant d'avoir pu terminer ma lecture en cours. Alors je me suis rendue sur sa tombe, pour la toute première fois, afin de lui expliquer comment se termine la saga. Je me suis assise là, près de sa dernière demeure, et je lui ai parlé, tout en laissant rouler quelques larmes le long de mes joues :

— Tu sais que tu me fais faire des choses bizarres, depuis que j'ai appris ton existence ? Enfin, ta mort, plutôt. Bref. J'ai vu que tu n'as pas terminé ta lecture de *Twilight*. Alors je trouvais important que tu saches que les vampires végétariens font de Bella l'une des leurs, et qu'à la fin tout se termine bien. Ils font même la paix avec les loups-garous.

Un couple est passé et m'a regardée comme si je parlais avec un fantôme. C'était peut-être le cas, finalement. J'ai repris :

— Bon, en fait, tu aurais pu lire *Dracula*. C'est bien meilleur. Mais je comprends que tu aies succombé à la curiosité.

Je ne peux m'empêcher de sourire en me remémorant cet instant à la fois triste et drôle. Je me suis alors fait la promesse de toujours avoir un exemplaire de *Twilight* en vente dans ma librairie.

*Les Lettres de Rose* a d'ailleurs été inaugurée il y a deux mois. Le nom de l'enseigne s'est naturellement imposé à moi. Parce que ma grand-mère aimait les livres, et parce que c'est grâce à ses lettres que tout cela s'est avéré possible. Ma librairie est telle que je l'avais imaginée. Jim a fait les travaux qui étaient nécessaires, les peintures, des réparations. J'ai gardé intact le carrelage de la boutique et Jim a repeint les murs en blanc, pour y apporter davantage de luminosité. J'ai placé contre la vitrine l'estrade trouvée dans le grenier, sur laquelle j'ai juché le canapé qui avait appartenu à Louise et Martin. Je vends des livres neufs et quelques caisses d'occasions. Quand il fait beau, je sors ces caisses dehors et les dispose sur le banc où Martin aimait s'asseoir. À l'étage, j'ai créé, avec l'aide de Frédérick, une sorte de petit musée sur la vie d'autrefois à Aubéry. Nous avons mis de vieilles vues sous cadre dans le salon, j'ai également exposé certains meubles, des outils anciens sous vitrines dans les chambres, ainsi que le mannequin qu'utilisait Louise pour coudre des vêtements. J'habille ce mannequin comme une poupée, avec les vieilles robes que j'ai dénichées dans des malles. J'étudie toute proposition pour enrichir notre petit musée, dans lequel s'implique beaucoup l'ami qu'est devenu pour moi Frédérick.

Mes clients, en plus de découvrir des romans, peuvent déguster du thé, du café et des pâtisseries s'ils en ont envie. Avec l'aide de Jim, j'ai aménagé la cour intérieure en patio, et j'y ai disposé des petites tables en fer forgé roses et vertes, avec les chaises assorties. Il y en a deux autres sur le balcon, pour ceux qui veulent profiter de la vue sur la rue. En revanche, pour les pâtisseries, j'ai préféré recruter une jeune femme capable de cuisiner selon les recettes de Rose. Je suis plus à l'aise avec les livres que derrière les fourneaux. Le célèbre gâteau marbré au chocolat de ma grand-mère remporte un franc succès! Mon petit endroit est très bien accueilli, de nombreuses personnes sont heureuses de pouvoir venir discuter durant quelques instants, de flâner à l'étage et de repartir avec un roman. Une dame entre deux âges m'a confié que cela lui donnait enfin une raison de mettre le nez dehors, elle qui s'était habituée à commander ses livres par Internet.

Même s'il y aura forcément des hauts et des bas, je me sens pleinement épanouie dans cette nouvelle vie que je me suis choisie. Mes parents ont plutôt bien réagi à tous ces changements. Quand ils ont compris que toutes ces découvertes ne changeaient absolument pas mes sentiments à leur égard, ils se sont détendus. Ils m'ont épaulée durant ma formation et dans la naissance de mon projet. Ils ont cru en moi et ont tout de suite accepté Jim, ainsi que mon frère, Vincent. Je leur ai remis ma démission et cela a donné un emploi à mon amie Garance, qui jonglait toujours entre les missions d'intérim et ses droits au chômage.

Mon envol a également donné des ailes à Tristan, qui a réussi à s'investir enfin totalement auprès d'un homme. Il vit une relation stable et épanouie avec Arthur, ce bel inconnu qui lui rendait visite au bureau de poste. Ils sont fous amoureux l'un de l'autre et ce bonheur fait plaisir à voir. Notre relation reste aussi forte et nous avons besoin de nous donner chaque jour des nouvelles, que ce soit par texto, par courriel ou au téléphone. Cerise sur le gâteau, il s'entend très bien avec Jim, qu'il continue à surnommer, non sans malice, Clovis.

Finalement, tout le monde sort grandi et heureux de tout ce chamboulement. Je sais que je dois énormément à Rose. Si elle n'avait pas su qu'il me fallait un déclic...

— Lola? Lola? Tu as entendu ce que vient de dire Jim?

Ma mère est en train de secouer mon épaule. Oups, mon homme a dû dire quelque chose d'important, car tout le monde a les yeux rivés sur moi. Je rougis, sous le coup de la confusion:

— Oh, pardon, je suis vraiment désolée! Tu peux la refaire, s'il te plaît, mon cœur?

Jim rit, le monde n'existe plus. Il lève une coupe de champagne et me regarde.

— Oh, ce n'est rien, Lola. Je portais juste un toast à la femme de ma vie et à tout ce qu'elle a accompli.

Je me jette à son cou et il me susurre à l'oreille qu'il m'aime, avant de me demander à voix haute dans quelles pensées j'étais allée me perdre.

— C'est vrai, ma chère sœur, réagit Vincent, tu paraissais vraiment être ailleurs.

Je hoche la tête en me rasseyant.

— À vrai dire, j'étais en train de repenser à tout le chemin parcouru depuis l'année dernière.

— Nous sommes tous tellement fiers de toi, me dit maman en m'enlaçant.

Je la gratifie d'un regard tendre et reprends:

— En réalité, il y a une question que je n'ai jamais élucidée. Et je crois que cela va me tourmenter jusqu'à la fin de mes jours.

Je sens des yeux chargés de points d'interrogation tournés vers moi, alors j'explique :

— Je me demande toujours comment Rose a bien pu savoir que j'avais besoin d'être secouée.

Tiens, tiens, c'est quoi ce drôle de regard que viennent d'échanger Tristan et Frédérick ? Je me tourne vers mon meilleur ami, qui tente de se faire tout petit sur sa chaise.

— Tristan ?

Il bafouille, d'une petite voix :

— J'ai vraiment oublié de t'en parler, ma chouquette ?

— Oublié de me parler de quoi ?

Il se redresse un peu. Frédérick prend la parole à sa place :

— Hum, eh bien, Lola, effectivement, il y a peut-être un détail ou deux de l'affaire dont nous avons omis de te mettre au courant. Quelques mois avant de rédiger son testament, Rose est venue me trouver car elle voulait savoir ce que tu étais devenue. Elle m'a demandé de faire des recherches. J'ai fait ça de façon peu conventionnelle, en passant par les réseaux sociaux. Tu devrais d'ailleurs mieux protéger ton profil Facebook.

J'arrondis les yeux de surprise tandis qu'il poursuit :

— Bref, j'ai pu te retrouver ainsi et j'ai remarqué que tu passais beaucoup de temps avec Tristan. J'en ai parlé à Rose. Elle avait peur de s'adresser directement à toi, car elle ignorait de quelle façon tu réagirais. Elle ne savait même pas si tu étais au courant de ton adoption.

Alors elle m'a demandé de dénicher les coordonnées de ton meilleur ami.

Je tourne alors la tête vers Tristan.

— Oui, bon, commence-t-il. J'ai peut-être oublié de te dire que Rose m'a envoyé une lettre en me demandant comment tu allais, ce que tu faisais et si tu étais heureuse.

Je me lève et plante mes mains sur mes hanches. Il continue, en levant les siennes en l'air :

— Quoi ? Je n'ai fait que lui dire la vérité, en somme. Ce sont les seuls courriers que nous avons échangés, il n'y en a jamais eu d'autres. Et puis, ça t'a plutôt bien réussi, tu ne trouves pas ?

Sans rien dire, je m'avance vers lui d'un air faussement menaçant et, avant de le serrer dans mes bras, je lance :

— Tristan, tu sais, je crois bien que dans le grenier nous avons quelques souris. Que dirais-tu d'y passer la nuit ? Tu pourrais t'y faire de nouvelles amies !

— Oh non, ma chouquette, tu ne me ferais pas ça, dis ?

Des rires fusent autour de la table. Des rires de bonheur.

Jean et Anna, c'est le couple idyllique que tout le monde envie. Pendant près de sept ans, ils vivent la plus belle histoire d'amour qu'il soit donné de vivre. Mais, tandis que les préparatifs du mariage sont en cours, Jean meurt dans un bête accident.

Les mois passent; le deuil se fait, petit à petit. Un jour, Anna décide d'aller de l'avant: elle veut retrouver un compagnon aussi parfait que Jean! Alors elle se met en tête de trouver le sosie du défunt. Et quand elle rencontre Frédéric, la vie d'Anna change…

En vente partout où l'on vend des livres et sur
**www.saint-jeanediteur.com**

D e retour de Milan où elle a réglé la succession de Jolie
Rose, son arrière-grand-mère, Justine est perplexe. Alors
que toute la famille croule sous le luxe, elle-même reçoit seulement une vieille boîte en carton remplie de babioles et un
carnet abîmé.

La femme plonge alors dans le passé de Jolie Rose, de son
enfance à la fin du XIX$^e$ siècle à ses fiançailles avec un diplo-
mate italien dont elle conserve précieusement la photo… Quel
message Jolie Rose veut-elle lui transmettre ?

Z oé a 30 ans lorsque sa vie bascule : à la suite à un grave accident de moto, son père décède et sa mère, juste avant de succomber à son tour, révèle à Zoé que l'homme qui l'a élevée n'est pas son véritable paternel. Elle donne un seul indice à sa fille pour retrouver son père biologique : la plage de la mariée.

Zoé décide, après quatre mois de deuil, de partir à la recherche de ses origines. Son chemin va la mener à Saoz, en Bretagne où elle trouve un boulot dans un salon de thé. Plusieurs personnages s'y croisent et voient leurs destins s'entremêler. La visite d'un client, un homme aux yeux bleus hypnotiques, change le cours des choses…

En vente partout où l'on vend des livres et sur
**www.saint-jeanediteur.com**

**MARQUIS**

Québec, Canada

Achevé d'imprimer le 7 février 2018